DEBORAH CROMBIE

Wer im Dunkeln bleibt

GOLDMANN
Lesen erleben

Buch

Superintendent Duncan Kincaid wurde vom Hauptsitz des Scotland Yard in den Stadtteil Camden versetzt. Ausgerechnet dort, am altehrwürdigen Bahnhof St. Pancras, wird ein Bombenanschlag verübt, bei dem mehrere Menschen z. T. schwer verletzt werden. Zufällig wird Detective Sergeant Melody Talbot, eine Kollegin seiner Frau Gemma, Zeugin des Anschlags. Ein junger Mann stirbt vor ihren Augen einen grässlichen Tod. War er der Täter?
Militante Umweltschützer, die im Bahnhof protestierten, glauben, dass es sich bei dem Toten um Ryan Marsh handelt, ein Mitglied ihrer Organisation. Aber sie behaupten, Ryan hätte lediglich eine Rauchbombe zünden wollen, um auf ihr Anliegen aufmerksam zu machen. Kincaid übernimmt die Ermittlungen und muss schnell feststellen, dass die einzelnen Puzzleteilchen des Falls überhaupt nicht zueinanderpassen. Mit Hilfe von Melody Talbot und seiner Frau, Inspector Gemma James, deckt er peu à peu die Hintergründe der Tat auf. Doch was er entdeckt, lässt ihn seinen Beruf und die Werte, an die er bisher glaubte, infrage stellen. Und ihm wird schlagartig bewusst, wie verwundbar seine eigene geliebte Familie ist …

Informationen zu Deborah Crombie
sowie zu lieferbaren Titeln der Autorin
finden Sie am Ende des Buches.

Deborah Crombie

Wer im Dunkeln bleibt

Roman

Deutsch von
Andreas Jäger

GOLDMANN

Die Originalausgabe erschien 2014 unter dem Titel
»To Dwell in Darkness« bei William Morrow & Company, London,
und Harper Collins, New York.

Dieses Buch ist auch als E-Book erhältlich.

Verlagsgruppe Random House FSC® N001967
Das FSC®-zertifizierte Papier Pamo House für dieses Buch
liefert Arctic Paper Mochenwangen GmbH.

4. Auflage
Deutsche Erstveröffentlichung April 2015
Copyright © der Originalausgabe 2014 by Deborah Crombie
Published by Arrangement with Deborah Crombie
Dieses Werk wurde vermittelt durch die Literarische
Agentur Thomas Schlück GmbH, 30827 Garbsen.
Copyright © der deutschsprachigen Ausgabe 2015
by Wilhelm Goldmann Verlag, München, in der
Verlagsgruppe Random House GmbH
Gestaltung des Umschlags und der Umschlaginnenseiten:
UNO Werbeagentur München
Umschlagfoto: Marcin Bublewicz/Trevillion Images;
FinePic®, München
Vorsatzkarte: © Laura Maestro
Redaktion: Claudia Fink
BH · Herstellung: Str.
Satz: omnisatz GmbH, Berlin
Druck und Bindung: GGP Media GmbH, Pößneck
Printed in Germany
ISBN: 978-3-442-48023-4
www.goldmann-verlag.de

Besuchen Sie den Goldmann Verlag im Netz:

Dem besten Unterstützerkreis, den eine Autorin sich nur wünschen kann – meinen schreibenden Kolleginnen von *Jungle Red Writers*: Rhys Bowen, Lucy Burdette, Hallie Ephron, Julia Spencer-Fleming, Susan Elia MacNeal und Hank Phillippi Ryan. Eure Freundschaft und eure ermutigenden Rückmeldungen waren und sind mir eine Freude und eine Ehre.

Jungle Reds rock!

Wer im Dunkeln bleibt

BAHNHOF ST. PANCRAS

St. Pancras Hospital

Pancras

Granary

SOMERS TOWN

Phoenix

Evershott Street

Drummond Circle

EUSTON

Regent's Park

Outer Circle

Albany Street

Stanhope Street

Hampstead Rd.

Cardington Street

St. James Gds.

Starcross St.

Euston Sta. COLONNADE

Euston Sq.

Queen Mary's Gardens

Chester Road

Robert St.

Clarence Gardens

Drummond St.

Euston St.

Euston Sq.

Gower Pl.

Endsleigh Gds.

University College

MARYLEBONE

Circle

Outer Circle

Longford St.

Euston Underpass

Euston Sq.

Gower St.

Gordon St.

York

Park

Regent's Park

Gt. Portland

Euston

Underpass

Univ. College Hosp.

Warren St.

Tottenham

A 400

Malet P.

Outer

Marylebone Road

Park Crescent

Gt. Portland St.

Cleveland St.

Whitfield St.

Fitzroy St.

University St.

Gordon St.

Devon-shire

Marylebone High

Harley

Great Portland

Maple St.

Howland St.

Tottenham

Torrington Pl.

Paddington Street

Weymouth St.

Wm.

Portland Pl.

Clipstone St.

Titchfie

Foley St.

B 506

Goodge St.

Tottenham

Gower

Goodge

Court

Andys Wohnung

Mortimer St.

Goodge St.

Rathbone Pl.

Rathbone St.

Road

Eastcastle St.

Tottenham Court Rd.

Oxford Circus

Oxford

Oxford St.

Greek

Soho

Charing

Regent's St.

Marlborough St.

Xena und ihre Familie

1

In den ersten Sekunden nach dem Aufwachen wusste er nicht einmal, wer er war.

Der Schwebezustand hielt an, bis sein Bewusstsein allmählich aus den trüben Fluten des Schlafs auftauchte. Die harte Kante seiner eigenen Fingerknöchel drückte gegen seinen Wangenknochen, und er registrierte, dass er auf der Seite lag. Als er die Hand bewegte, spürte er raue Stoppeln auf der Haut. Vorsichtig tastete er mit der Zunge in der Mundhöhle umher. Sie fühlte sich pelzig an, und er musste schlucken, um gegen den säuerlichen Nachgeschmack des Biers anzukämpfen.

Wortfetzen drangen an sein Ohr, verrauscht und abgehackt wie aus einem alten Radio. Waren es Mädchenstimmen? Einen Moment lang glaubte er, es seien seine Töchter, die mit ihren Freundinnen über irgendetwas kicherten. War er zu Hause? Aber nein, die Stimmen klangen angespannt. Sie lachten nicht, sie stritten sich. Er machte eine weibliche Stimme aus, dann eine männliche. Als er sich herumwälzte, spürte er, wie der Stoff seines Schlafsacks über seine Haut glitt, dann den Druck der harten Dielen des alten Holzbodens, auf dem er lag.

Also nicht zu Hause. Nicht in seinem eigenen Bett, neben seiner Frau.

Schlagartig kam die Erinnerung zurück. Er war in der Wohnung in der Caledonian Road. Von dem Schnellrestaurant im Erdgeschoss stieg der Duft von Brathähnchen auf und verstärkte das flaue Gefühl in seinem Magen.

Er merkte, dass die Hand unter seinem Gesicht eiskalt war. Die Wohnung war nicht geheizt.

Die Stimmen wurden lauter, kamen näher. Er erkannte Matthew – arrogant, ungeduldig, aufbrausend. Dann Paul, der ihm widersprach, mit mürrischem, zunehmend quengelndem Unterton.

Er würde mit ihnen reden. Gemeinsam würden sie die beiden zur Vernunft bringen, er und Wren.

Wren. O Gott.

Die Erinnerung holte ihn ein und mit ihr eine so abgrundtiefe Verzweiflung, dass es ihm den Atem raubte. Wren würde nicht wiederkommen.

Jetzt wusste er, wer er war, und er wusste genau, wo er war. Es schien ihm mehr, als er ertragen konnte.

Doch dann fiel ihm wieder ein, was er an diesem Tag zu tun hatte.

London war elend kalt für Mitte März. In den Parks und Vorgärten zeigten sich schon ein paar kühne Krokusse, aber ein strenger Frost hatte die Narzissen erfrieren und die frühen Blüten der Obstbäume zu Kristall erstarren lassen.

Detective Superintendent Duncan Kincaid ging von der U-Bahn-Station Holborn zur Southampton Row, den Mantelkragen hochgeschlagen, den Hals mit einem dicken Wollschal umwickelt, die behandschuhten Hände tief in den Manteltaschen vergraben. Der Himmel war dunkelgrau, und als Kincaid nach Osten in die Theobald's Road einbog, holte ein Windstoß ihn fast von den Füßen. Er senkte den Kopf und marschierte unverdrossen weiter. Die Wetterfrösche sagten, dass der Wind von der sibirischen Steppe herwehte – er überlegte schon, ob er sich eine dieser russischen Fellmützen mit Ohrenklappen zulegen sollte. Wenigstens verstand er jetzt, warum die Russen diese albernen Kopfbedeckungen trugen.

Er beschleunigte seine Schritte, als der Betonklotz der Polizeiwache von Holborn vor ihm auftauchte. Auch wenn die Architektur des Gebäudes ein wenig an einen Gulag erinnerte, verhieß es doch zumindest Wärme.

Holborn Station – seit nunmehr zwei Wochen sein zweites Zuhause. Und doch fühlte er sich immer noch so fehl am Platz wie an seinem schwierigen ersten Tag. Und er war noch genauso wütend.

Als er Mitte Februar nach seiner Elternzeit seinen Dienst bei Scotland Yard wieder hatte antreten wollen, hatte er sein Büro leer vorgefunden. Er war von seinem Posten als Leiter des Morddezernats beim Yard, den er jahrelang innegehabt hatte, zu einem Sonderermittlungsteam hier in Holborn versetzt worden. Es war eine Herabstufung, auch wenn er seinen Dienstgrad behalten hatte. Es hatte keine Vorwarnung und keine Erklärung gegeben.

Sein unmittelbarer Vorgesetzter, Chief Superintendent Denis Childs, hatte wegen eines Notfalls in der Familie ins Ausland reisen müssen. Das hatte Kincaids Sorgen noch vermehrt, hatte er doch mit seiner Familie das Haus von Childs' Schwester Liz gemietet, nachdem deren Mann sich für fünf Jahre beruflich in Singapur verpflichtet hatte.

Er mochte Liz Davies, obwohl sie immer nur per E-Mail kommuniziert hatten, und er hoffte, dass der familiäre Notfall im Ausland nichts mit ihr zu tun hatte.

Im Zuge von Kincaids Versetzung nach Holborn hatte sein Sergeant Doug Cullen einen Job in der Datenerfassung beim Yard aufs Auge gedrückt bekommen – vordergründig, um seine Wiedereingliederung nach einem Knöchelbruch zu erleichtern. Und so musste Kincaid nun bei der Einarbeitung in seinen neuen Job ohne Cullens kompetente, zuweilen etwas oberlehrerhafte Unterstützung auskommen.

Einen guten Detective Sergeant zu verlieren – einen Partner, mit dem man mehr Stunden verbrachte als mit der eigenen Frau –, das rangierte in seinen Augen auf der Skala der biografischen Brüche knapp unterhalb einer Scheidung. Und mit seinem neuen Team hatte es keine Flitterwochen als Entschädigung gegeben.

Und da sah Kincaid auch schon seinen neuen Detective Constable, George Sweeney, die Stufen des LA-Fitnesscenters gegenüber dem Polizeirevier heruntertraben. Frisch von seinem morgendlichen Trainingsprogramm kommend, trug Sweeney einen Dreiteiler, den er sich vom Gehalt eines Constables eigentlich nicht leisten konnte, dafür keinen Mantel. Sein kurzes Haar war noch feucht und zu einer modischen Stachelfrisur gegelt, die Wangen leuchteten rot von seinen gesundheitsförderlichen Anstrengungen.

»Morgen, Chef«, rief Sweeney mit übertriebenem Enthusiasmus, als sie beide den Eingang der Wache erreichten. »Sie sehen ja aus wie der Tod auf Urlaub«, fügte er mit einem Seitenblick auf Kincaid hinzu. »Bisschen zu viel gefeiert gestern?« Sweeney zwinkerte und schien es sich gerade noch zu verkneifen, Kincaid den Ellbogen in die Seite zu stoßen. Der Mann konnte echt lästig sein.

»Krankes Kind«, erwiderte Kincaid knapp. Ihre dreijährige Pflegetochter Charlotte hatte einen schlimmen Husten, und er und Gemma hatten abwechselnd bei ihr gewacht.

»Na ja.« Sweeney zuckte mit den Schultern. »Dann kann der Tag ja nur noch besser werden, was, Chef?«

Kincaid spürte einen leichten Stich auf der Wange und gleich darauf einen zweiten. Aus den tief hängenden Wolken begann Eisregen niederzuprasseln.

»Ich zieh doch keine Strickjacke an«, sagte Andy Monahan.

Dazu setzte er die störrische Miene auf, die Detective Sergeant Melody Talbot in den zwei Monaten, die sie nunmehr ein Paar waren, zur Genüge kennengelernt hatte. Es hatte sie all ihre Überredungskunst gekostet, ihn in die angesagte Boutique in Soho zu lotsen.

Sie wartete gespannt, während Andy sich im Spiegel betrachtete. Immerhin hatte er sie nicht gleich wieder ausgezogen. Er hob das Revers an und verzog angewidert den Mund. »Ich seh aus wie ein Opa. Fehlt bloß noch die Regimentskrawatte.«

Andy war Ende zwanzig, und mit seinen zerzausten blonden Haaren, den dunkelblauen Augen und einem Gesicht, das allenfalls ein wenig zu ernst und angespannt war, um hübsch genannt zu werden, sah er aus wie ein Rockstar, bei dessen Anblick die Mädchen reihenweise in Ohnmacht fielen. »Du rollst die Ärmel hoch und trägst dazu ein weißes T-Shirt und eine Levi's«, bestimmte Melody. »Und du siehst überhaupt nicht aus wie mein Opa.«

Dabei lächelte sie verführerisch, doch Andy schluckte den Köder nicht. »Ich seh aus wie Liberaces Opa. Das verdammte Teil ist babyblau.«

»Nur ohne Strass«, entgegnete sie grinsend. »Und es betont deine Augenfarbe. Außerdem«, spielte Melody ihren Trumpf aus, »kannst du unmöglich zulassen, dass Poppy dich in den Schatten stellt. Vertrau mir einfach.«

Andy beäugte sie kritisch. »*Du* bist doch die Frau, die im Dienst Super-Detective-Kostüme trägt, und da soll ich deinem modischen Rat vertrauen?« Doch sein Mund hatte sich entspannt, und sie bemerkte ein angedeutetes Blitzen in seinen blauen Augen. »Wenn ich es kaufe, kommst du dann zu dem Gig?«

»Ich werde da sein. Ich hab's dir doch versprochen.« Der besagte Auftritt sollte am späten Nachmittag in der Haupthalle des Bahnhofs St. Pancras International stattfinden, im Rahmen eines Frühjahrsfestivals mit angesagten Indie-Pop- und Rockbands. Das Konzert würde live im Radio übertragen werden, und zur Rushhour würden Scharen von Pendlern zugegen sein. Es war ein Beleg für den kometenhaften Aufstieg von Andy und seiner neuen Partnerin Poppy Jones, dass sie die Hauptattraktion des Festivals waren.

Melody wusste, dass er nervös war. Es kursierten Gerüchte, dass ein Scout einer großen Plattenfirma im Publikum sein könnte.

»Ganz vorne, an der Bühne?«, fragte Andy, der die Strickjacke für den Moment ganz vergessen hatte.

Auf diese Diskussion wollte Melody sich auf keinen Fall einlassen. Nicht hier, nicht jetzt. Melodys Beharren darauf, in der Öffentlichkeit nicht als Andys Freundin in Erscheinung zu treten, hatte sich zum größten Konfliktpunkt in ihrer Beziehung entwickelt.

Und sie hatte einflussreiche Unterstützung. Sowohl Andys Manager Tam Moran als auch Poppys Manager Caleb Hart war daran gelegen, das Beste aus der harmonischen Bühnenpräsenz des Duos herauszuholen, und die Beziehung ihres Gitarristen mit einer Kriminalbeamtin der Metropolitan Police war in ihren Augen nicht gerade ein verkaufsfördernder Faktor.

Und Melody konnte sich vorstellen, dass auch ihre Vorgesetzten davon nicht sonderlich begeistert wären.

Doch das Problem ging noch tiefer. Von klein auf hatte sie stets eifersüchtig über ihre Privatsphäre gewacht, und das aus gutem Grund. Nur ein paar ihrer engsten Freunde wussten, dass ihr Vater der Besitzer einer der erfolgreichsten – und reißerischsten – überregionalen Boulevardzeitungen war. Wenn diese Verbindung allgemein bekannt würde, könnte es das Ende ihrer Karriere bedeuten. Ganz zu schweigen davon, dass sie es Andy noch nicht erzählt hatte. Irgendwann würde sie reinen Tisch machen müssen – aber nicht heute.

»In dem Teil würde ich dich allerdings auch aus der letzten Reihe mühelos erkennen.« Sie zupfte spielerisch am Ärmel der Strickjacke, bemüht, einen Streit abzuwenden. »Vielleicht lässt sich Poppy dazu überreden, sich zur farblichen Abstimmung ein paar blaue Strähnchen ins Haar zu machen.«

Andy verdrehte die Augen. »Bring sie ja nicht auf Ideen.« Poppy war ohnehin schon ein überkandideltes Blumenkind, da musste man sie nicht noch ermuntern.

»Na los doch, gib dir einen Ruck. Zeig ein bisschen Mut.«

Er sah sie herausfordernd an. »Krieg ich auch eine Belohnung?«

»Über das Après-Gig können wir noch reden.« Sie strich zärtlich über den Ärmel der Strickjacke.

Der Verkäufer, der Andy interessiert beäugt hatte, schnalzte angewidert mit der Zunge.

»Tja, tut mir leid.« Melody zwinkerte dem Verkäufer zu, während sie Andy die Strickjacke von den Schultern zog. »Der ist schon vergeben. Aber wenigstens haben Sie ein Geschäft gemacht.«

Detective Inspector Gemma James starrte den Bericht auf ihrem Computerbildschirm an und widerstand der Versuchung, den Kopf auf den Schreibtisch sinken zu lassen. Das Stimmengewirr im CID-Büro des Reviers South London, das Klappern der Tastaturen, das Läuten der Telefone, alles verschwamm zu einem einschläfernden Summen.

Gestern Abend war Charlotte das erste Mal krank geworden, seit sie und Kincaid sie im vergangenen Herbst zu sich genommen hatten, und Gemma befürchtete, dass sie beide angesichts eines ganz gewöhnlichen Kinderhustens überreagiert hatten.

Jetzt zählte sie die Minuten, bis sie sich guten Gewissens einen Nachmittagskaffee gönnen könnte. Sie streckte sich, blinzelte und versuchte sich wieder auf den Bildschirm zu konzentrieren.

Gemma und ihre Kollegen von der Mordkommission South London verdächtigten einen Mann, ein zwölfjähriges Mädchen namens Mercy Johnson entführt, vergewaltigt und ermordet zu haben. Es war der dringlichste Fall des Teams, doch bislang hatten sie nichts hinreichend Konkretes in der Hand, das eine Hausdurchsuchung gerechtfertigt hätte, geschweige denn einen Haftbefehl.

Dillon Underwood war weiß, stammte aus einer Mittelschichtfamilie und verfügte über einen ausgesprochen manipulativen Charme; das Opfer, Mercy, kam dagegen aus der Unterschicht und war schwarz. Gemma und ihr Team befürchteten daher, dass Underwoods geschmeidige, einnehmende Art ihm bei seiner Verteidigung helfen würde. Und so hatten sie viele Stunden damit zugebracht, die Akten nach belastenden Indizien zu durchkämmen, um zumindest seine Wohnung durchsuchen zu können und ein DNS-Profil zu bekommen.

Gemmas Detective Sergeant, Melody Talbot, hatte den Nachmittag damit verbracht, Underwoods Kollegen noch einmal zu befragen, in der Hoffnung, vielleicht die entscheidende Information herauszufiltern, die ihnen bisher entgangen war.

Melody würde anschließend nicht mehr ins Büro zurückkommen – sie hatte Gemma erklärt, dass sie vorhabe, von dort gleich zum Bahnhof St. Pancras zu fahren, wo ihr Freund ein Konzert gab.

Bei dem Gedanken musste Gemma lächeln. Ihre adrette, gewissenhafte und stets makellos gekleidete Assistentin an der Seite eines leicht gammligen Rockgitarristen.

Sie wandte sich wieder dem Monitor und den Angaben zu ihrem Verdächtigen zu. Der zweiundzwanzigjährige Dillon Underwood arbeitete als Verkäufer in einem Elektronikgeschäft in Brixton, und er war in seinem Job offenbar recht erfolgreich. Besonders bei der weiblichen Kundschaft, wenn man den anderen Angestellten Glauben schenken durfte. Mercy Johnson hatte den Laden in den Wochen vor ihrem Tod mehrmals aufgesucht. Sie hatte sehnsüchtig die Computer bewundert, denn sie hatte gehofft, ihre Mutter dazu zu überreden, dass sie ihr zum dreizehnten Geburtstag einen schenkte. Aber die Überwachungskameras des Ladens konnten nicht belegen, dass Mercy von Dillon bedient worden war, und so blieben ihnen nur die Aussagen der besten Freundinnen des Mädchens. Wieder nur ein Indizienbeweis – und die Verteidigung würde keine Mühe haben, die Zeugenaussagen zweier Zwölfjähriger in Zweifel zu ziehen.

Es gab Zeugen, die Underwood am Abend von Mercys Verschwinden in einem gut besuchten Club in der Brixton Road gesehen haben wollten, doch es war die Art von Lokal, wo man seine Freunde im Gedränge leicht für ein, zwei Stunden aus den Augen verlieren konnte.

Mercys Leiche war zwei Tage darauf von einer Spaziergängerin, die ihren Hund im Park von Clapham Common ausführte, in einem Gebüsch gefunden worden. Underwood besaß kein Auto, wenn er also den Club lange genug verlassen hatte, um Mercy treffen und töten zu können, müsste er zu Fuß gegangen sein. Und er müsste sich mit Mercy im Park verabredet haben.

Als das Mobiltelefon auf Gemmas Schreibtisch klingelte,

stürzte sie sich gleich darauf, in der Hoffnung, dass es Duncan war. Sie machte sich Sorgen um ihn, seit er den neuen Job in Holborn angetreten hatte. Sicherlich hatte sie damit gerechnet, dass es eine Umstellung für ihn sein würde, aber nun war doch schon einige Zeit vergangen, und die Situation schien sich kaum gebessert zu haben.

Doch der Anruf kam von Kit, ihrem vierzehnjährigen Stiefsohn, und ein Blick auf die Uhr sagte ihr, dass die Kinder wohl schon von der Schule zurück waren.

Hastig nahm sie das Telefon ans Ohr und sagte: »Hi, Schatz, ist alles in Ordnung?«

Aber es war nicht Kit. Die Stimme ihres sechsjährigen Sohnes Toby tönte so laut in ihr Ohr, dass sie zusammenzuckte.

»Mummy, Mummy, Kit hat gesagt, ich darf sein Handy benutzen. Wir haben eine Katze gefunden. Im Garten. Mit Babys!«

»Babys? Wo? In welchem Garten?«, fragte sie verwirrt. Sie hatte immer noch nicht richtig umgeschaltet.

»Katzenbabys!«, rief Toby begeistert. »Aber die sind voll klein. Wie – wie Schweinchen!«

»Schweinchen?«, fragte Gemma. Dann hörte sie Kits Stimme im Hintergrund, offenbar korrigierte er Toby. »Toby, Schätzchen«, sagte sie, »gib mir doch mal Kit.«

Es raschelte ein wenig, und dann meldete sich Kit. »Gemma.« Ein banges Gefühl beschlich sie. Wenn Kit entspannt war oder sie necken wollte, nannte er sie immer »Mum«.

»Was hör ich da von einer Katze im Garten?« Sie blickte aus dem Fenster des CID-Büros zu dem bleigrauen Himmel auf. Die Temperatur schwankte um den Gefrierpunkt, und sie wusste, dass der Wind eisig war.

»Du kennst doch den Schuppen?«

Ihr Haus in Notting Hill grenzte mit der Rückseite an einen Gemeinschaftsgarten mit einem kleinen Schuppen in der Mitte, in dem Gartengeräte aufbewahrt wurden.

»Wir waren mit den Hunden draußen«, fuhr Kit fort, »und sie haben etwas gehört.« Tess war der Terrier, der Kit zugelaufen war; Geordie war Gemmas Blauschimmel-Cockerspaniel; beide hatten einen guten Jagdinstinkt. »Als wir die Tür aufgemacht haben …«

»Ist da nicht ein Schloss dran?«, unterbrach ihn Gemma.

Nach einer kurzen Pause sagte Kit: »Ich hab einen Hammer benutzt. Wir haben so ein Wimmern gehört, und wir dachten, es könnte ein Baby sein oder so.«

Gemma ließ das für den Moment auf sich beruhen. »Und?«

»Da war ein Haufen Sackleinen. Ich hab Toby gesagt, dass er die Hunde draußen festhalten soll. Und dann hab ich die Katze gesehen, die hatte sich da so eine Art Nest gemacht. Mit vier Jungen. Gemma, sie ist so dünn, und die Kätzchen sind so winzig. Ich hab Angst, dass sie sterben.«

»Aber Kit, es ist nicht unsere Katze. Vielleicht gehört sie einem der Nachbarn …«

»Sie ist am Verhungern, Gemma. Sie kann kaum noch den Kopf heben. Wir müssen irgendetwas tun.«

Kätzchen. Du lieber Himmel. »Okay, Kit, warte mal einen Moment«, sagte Gemma und versuchte sich zu sammeln. »Du kannst sie nicht einfach ins Haus bringen, allein schon wegen Sid und den Hunden, selbst wenn sie es zulassen würden.« Sie biss sich auf die Lippe, während sie nachdachte. »Bryony«, sagte sie. »Ruf Bryony an.«

Bryony Poole war ihre Tierärztin – und sie war es gewesen, die Gemma dazu überredet hatte, Geordie zu adoptieren. »Bryony wird schon wissen, was zu tun ist.«

»Kommst du bald nach Hause?«

Sie hörte das leichte Beben in Kits Stimme. Er gab sich

solche Mühe, erwachsen zu sein, doch er konnte es nicht ertragen, irgendein Wesen hilflos oder verletzt zu sehen – oder schlimmer noch, verlassen oder ausgesetzt.

»Ja, Schatz«, sagte sie. »Ich komme, sobald ich kann.«

Nichts, was Paul Cole tat, war für seine Eltern jemals gut genug. Auch nicht für seine Lehrer damals in der Schule. Und jetzt auch nicht für alle anderen in der Gruppe. Nicht für Matthew, der sich für ein Geschenk Gottes an die gesamte Menschheit hielt.

Und vor allem nicht für Ariel.

Sie hatte nicht geglaubt, dass er das heute durchziehen würde, doch er würde ihr das Gegenteil beweisen.

Er rückte die Riemen seines Rucksacks zurecht und spürte, wie ihm der Schweiß unter den Armen ausbrach, obwohl es hier in der oberen Halle des St. Pancras International verdammt kalt war. Er stand in der Nähe der Rolltreppen am Nordende der Halle, sodass er die obere und die untere Ebene gut überblicken konnte. Jetzt trat er an die gläserne Brüstung und sah auf die anschwellenden Pendlerscharen hinunter. Es war Rushhour, die Leute schoben und drängelten, alle wollten noch rasch ihre Einkäufe erledigen und ihren Zug erwischen. Sie huschten umher wie die Ratten, ohne je aufzublicken, und niemand hatte ein Auge für das prächtige himmelblaue Tonnendach des Bahnhofs.

Und auch die Züge interessierten sie nicht. Hinter Searcys, der Yuppie-Champagnerbar, die sich quer über die Mitte der oberen Halle erstreckte, warteten zwei schnittige gelbe Eurostar-Züge am Bahnsteig auf die Abfahrt nach Paris. Die Männer und Frauen in ihren maßgeschneiderten Anzügen und Kostümen, die ihren Feierabend-Schampus schlürften, hatten keinen Schimmer, was für Wunderwerke diese Züge waren oder was alles nötig war, um sie am Laufen zu halten. Sie nahmen alles in ihrem Luxusleben als selbstverständlich hin. Nun, wenn sie heute Abend zu Bett gingen, würden sie vielleicht nicht mehr ganz so selbstgefällig sein.

Paul riss sich vom Anblick der Züge los und sah auf seine Uhr, ehe er wieder die untere Halle absuchte. Die anderen sollten bald hier sein. Direkt unter dem Searcys konnte er Musiker sehen, die sich auf ihren Auftritt vorbereiteten. Es war das erste Konzert des Frühjahrs-Musikfestivals im Bahnhof. Das war einer der Gründe, weshalb sie gerade diesen Tag gewählt hatten – mit den Zuschauerscharen, die sich um die Bühne drängten, wären mehr Menschen auf engem Raum versammelt, und die Presseberichterstattung über die Band wäre ein weiterer Pluspunkt.

Eine zierliche junge Frau mit roter Stachelfrisur ging in die Hocke und nahm eine Bassgitarre aus einem Kasten, während ein blonder Typ an einem Verstärker herumhantierte. Die ersten Passanten blieben stehen, um zuzuschauen. Jetzt wurde es ernst.

Dann sah er die Gruppe. Sie kamen von der U-Bahn-Station am anderen Ende der Halle. Matthew – durch seinen hohen Wuchs und seinen federnden Gang auf den ersten Blick zu erkennen, auch wenn er eine Strickmütze über seinen dunklen Lockenschopf gezogen hatte. Cam. Iris. Trish. Lee. Und Dean – er zog den flachen Rollkoffer mit ihren Plakaten, die nur noch zusammengesteckt werden mussten. Es würde ihnen nicht viel Zeit bleiben.

Er suchte nach Ariel, doch sie schien nicht mit dem Rest der Gruppe gekommen zu sein. Aber sie war auch irgendwo in der Nähe, da war er sich sicher. Genau wie Ryan.

Paul runzelte die Stirn. Irgendetwas an Ryan Marsh war ihm von Anfang an nicht ganz koscher vorgekommen. Und seit der Sache mit Wren war etwas in seinem Blick, das Paul Angst machte. Nicht, dass er Ryan die Schuld geben würde, um Gottes willen, nein. Allein bei dem Gedanken wurde ihm ganz schlecht. Aber dennoch – manchmal machte Ryan ihn einfach nervös. Er hatte mit Matthew darüber reden wollen, aber Matthew hatte ihn abblitzen lassen, genau wie an diesem Morgen. Dieser blöde Matthew – immer wusste er alles besser. Nur diesmal vielleicht nicht.

Die große Bahnhofsuhr über der Skulptur eines sich umarmenden Paars rückte auf siebzehn Uhr dreißig vor. Die Musiker spielten ein paar Soundcheck-Takte auf ihren Instrumenten. In der Mitte der unteren Ebene schien die Menge sich zu bewegen und anzuschwellen wie ein einziges Lebewesen. Die Gruppe hatte sich zerstreut und auf verschiedene Läden verteilt; sie wollten unbemerkt bleiben, bis die Band richtig zu spielen begonnen hatte und die Kameras der Presse auf sie gerichtet waren.

Dann, nachdem sie noch einmal ihre Instrumente gestimmt hatten, sagte das rothaarige Mädchen etwas ins Mikrofon, und der Gitarrist schlug den ersten Akkord an.

Jetzt wurde es wirklich ernst.

Das Herz schlug ihm bis zum Hals, als er den Rucksack über die Schulter schwang und ans obere Ende der Rolltreppe trat.

Melody nahm die U-Bahn von Brixton nach King's Cross/ St. Pancras. Mit dem Auto hätte sie es im Feierabendverkehr niemals rechtzeitig zu Andys und Poppys Konzert im Bahnhof am anderen Ende der Stadt geschafft. Dennoch wurde sie kurz von Panik gepackt, als bei der Einfahrt in die Station Oxford Circus die Meldung *Person im Gleis* über den Lautsprecher kam. Sie hasste es, in der U-Bahn festzustecken. Als eine zweite Durchsage den Reisenden auf der Central Line riet, eine andere Route zu nehmen, seufzte sie erleichtert auf.

Der Unfall hatte sich nicht auf ihrer Strecke ereignet. Es gab nichts, was sie hätte tun können, und sie war nur heilfroh, dass ein solcher Albtraum nicht während ihrer Schicht passiert war. Ein Mal hatte sie es im Dienst mit einem Schienensuizid zu tun gehabt, und es gab kaum etwas Schlimmeres.

Sie schüttelte sich bei der Erinnerung, obwohl sie sich zwischen den dicht gepackten Leibern im hinteren Wagen des Zuges kaum rühren konnte. Aber sie war entschlossen, sich nicht von der Arbeit die Vorfreude auf Andys großen Auftritt verderben zu lassen – dem ersten von vielen, da war sie sich sicher. Und sie konnte es kaum erwarten zu sehen, ob er auch wirklich die blaue Strickjacke anhatte.

Eine Frau mittleren Alters, die neben ihr eingezwängt war, sah ihre strahlende Miene und lächelte zurück. Melody nickte ihr zu und beschloss, den kleinen Kontakt als gutes Omen zu werten. Die meisten Londoner waren doch gar nicht so übel, wenn man ihnen nur ein bisschen entgegenkam. Und ein Hoch auf die Leute von London Transport – die taten wirklich ihr Bestes, um den Betrieb am Laufen zu halten.

Doch als der Zug länger als sonst an der Warren Street hielt und dann wieder in Euston, wuchs Melodys Beunruhigung. Andy wäre am Boden zerstört, wenn sie es nicht rechtzeitig schaffte. Sie hatte fast schon beschlossen, in Euston auszusteigen und den Rest zu Fuß zu gehen, als die Türen sich schlossen und der Zug wieder anfuhr.

Als die U-Bahn in King's Cross einlief, war Melody als Erste draußen. Sie rannte auf die Ticketschleuse zu und trabte von dort weiter in Richtung der Halle von St. Pancras. Nur gut, dass sie heute wegen der Kälte Stiefel angezogen hatte, dachte sie, und nicht die hochhackigen Schuhe mit einem jener Kostüme, derentwegen Andy sie so gerne aufzog. Als sie das südliche Ende des Bahnhofs erreichte, war ihr ganz warm, ihre Wangen waren gerötet, und sie musste einen Moment innehalten, um durchzuatmen.

Die Musik drang schwach an ihre Ohren, in unregelmäßigen Schüben, doch sie erkannte sie augenblicklich wieder. Bevor sie Andy kennengelernt hatte, wäre es ihr schwergefallen, eine Gitarre von einem Banjo zu unterscheiden, aber jetzt hätte sie den charakteristischen Klang von Andys Gitarre überall erkannt. Und da, in der nächsten Klangwelle, die sie auffing, war Poppys einmalige, volltönende Leadstimme, unterlegt von Andys Harmoniegesang.

Wenn sie weiter hinten bliebe, würde Andy vielleicht nicht merken, wie sehr sie sich verspätet hatte.

Als sie die Halle selbst betrat, erblickte sie schon jenseits des verglasten Aufzugs die Menschenmenge, die sich um die kleine temporäre Bühne versammelt hatte. Und als sie näher heranging, konnte sie das Duo deutlich erkennen – Poppy in einem fließenden weißen Top über einem kurzen geblümten Rock, wie immer mit Strumpfhose und Stiefeln, und Andy, ein Blickfang in der himmelblauen Strickjacke. Lichtreflexe spielten in seinem zerwühlten Blondhaar und auf seiner leuchtend roten Gitarre.

Andy hatte sie nicht gesehen. Er und Poppy hatten einen neuen Song angestimmt, beide spielten und sangen dazu, voller Konzentration. Melody spürte die gleiche kribbelnde Erregung, die sie empfunden hatte, als sie die beiden das erste Mal hatte spielen hören. Andy und Poppy hatten etwas Elektrisierendes, wenn sie zusammen musizierten, sie verschmolzen zu einem Ganzen, das mehr war als die Summe seiner Teile, und Melody spürte, wie die Energie des Duos die Zuschauer ansteckte.

Unter den Café-Arkaden zu ihrer Linken erblickte sie Tam und Caleb, die Manager der beiden. Sie standen da, mit ihren Kaffeetassen in der Hand, beobachteten gebannt das Geschehen auf der Bühne und grinsten zufrieden.

Dann zog etwas anderes ihren Blick auf sich: Zu ihrer Rechten, in der Nähe des Marks & Spencer Foodstores, reckten ein halbes Dutzend Demonstranten gleichzeitig ihre Plakate in die Luft. Da sie von ihr abgewandt standen, konnte sie nicht lesen, was auf den Schildern stand, doch die Gruppe wirkte eigentlich recht harmlos. Dennoch wollte sie nicht, dass irgendetwas Andys und Poppys besonderen Moment störte. Als sie sich umschaute, sah sie eine uniformierte Beamtin der British Transport Police mit dem Funkgerät in der Hand auf die Demonstranten zugehen.

Gut. Das hätte ihr gerade noch gefehlt, dass sie hier in offizieller Funktion eingreifen müsste. Sie wandte sich wieder der Bühne zu, wo Andys und Poppys Stimmen sich in der letzten Strophe des Songs in einem Crescendo aufschwangen.

Sie hob die Hände, um zu applaudieren, als sie ein dumpfes Zischen hörte, dann ein hohes, schrilles Heulen. Menschen schrien in Panik, als Melody herumfuhr.

Instinktiv zuckte sie zurück und hielt den Atem an. Dort, in dem offenen Bereich im Übergang von der Einkaufspassage zum westlichen Taxistand, brannte ein Feuerball, hell wie ein aufflammendes Streichholz. Und in seiner Mitte war eine menschliche Gestalt.

2

*St. Pancras Old Church ist eine Pfarrkirche der Church
of England in Somers Town, einem Bezirk der Londoner
Innenstadt. Sie ist dem römischen Märtyrer St. Pankra-
tius geweiht und nach verbreiteter Meinung eine der ältesten christlichen Kultstätten in England.*

Wikipedia (engl.), *St. Pancras Old Church*

Geblendet von dem grellen Lichtblitz, riss Melody instinktiv
den Arm hoch, um ihre Augen zu schützen, doch während
sie noch blinzelte und etwas zu erkennen versuchte, setzten
ihre eingeübten Reflexe ein. Sie zog das Mobiltelefon aus der
Jackentasche und drückte die einprogrammierte Durchwahl
der Notruf-Leitstelle. Die Leitungen der allgemeinen Not-
rufnummer 999 würden im Nu völlig überlastet sein, und sie
konnte nicht riskieren, in der Warteschleife zu landen. Als die
Disponentin sich meldete, musste Melody die Stimme heben,
um sich bei dem anschwellenden Lärm in der Bahnhofshalle
verständlich zu machen. »Detective Sergeant Melody Talbot.
Notfall in St. Pancras International, Haupthalle. Ein Mann
steht in Flammen – möglicher Bombenanschlag.« Die Musik
brach abrupt ab, und plötzlich hörte sie sich selbst schreien:
»Alle Rettungsdienste, so schnell wie…«

Und dann brach vor ihren Augen die Gestalt in der Mitte des Feuerballs zusammen. Ein Schwall heißer, chemisch
riechender Luft verätzte ihre Nase. Sie begriff, dass die Leute
nicht nur aus Panik schrien – es standen noch mehr Men-

schen in Flammen, verzweifelt schlugen sie auf ihre Kleidung ein. »Korrigiere: Mehrere Opfer«, meldete sie der Leitstelle. »Alle Dienste. Beeilung!«

»Bleiben Sie dran, Sergeant«, sagte die Disponentin. »Sie müssen uns auf dem Laufenden …«

»Ich muss helfen. Ich stelle auf Lautsprecher.« Ehe die Disponentin protestieren konnte, schob sie das Telefon wieder in die Tasche, fischte ihren Dienstausweis heraus und hielt ihn hoch. Sie blickte sich um, konnte aber die Beamtin der British Transport Police, die sie vorhin gesehen hatte, nirgends entdecken. Sie war auf sich gestellt.

Die Schreie wurden lauter. Rauchschwaden breiteten sich in der Halle aus. Andy und Poppy waren noch auf der temporären Bühne, und Andys Stimme hallte aus den Lautsprechern. »Was ist denn hier …«

»Andy«, schrie sie und sah, wie er die Menschenmenge nach ihr absuchte. Sie schwenkte die Arme und formte dann die Hände zu einem Megafon, um das Tohuwabohu zu übertönen. »Andy! Nimm das Mikro und sag den Leuten, sie sollen die Halle räumen. Und dann hau ab!«

Sie sah die Erleichterung in seiner Miene, als er sie entdeckte. Dann zögerte er. »Aber du …«

Melody schüttelte den Kopf. »Mach schon! Schick alle raus.«

Sie wandte sich ab, und gleich darauf hörte sie Andy ins Mikrofon rufen: »Alles raus hier! Räumen Sie die Halle! Gehen Sie zum nächsten Ausgang. Los, schnell!«

Melody hielt weiter auf die brennende Gestalt zu, ihren Dienstausweis erhoben wie einen wirkungslosen Schutzschild. Der Rauch verwandelte sich in einen weißen Nebel. Menschen, die sie nur undeutlich erkennen konnte, rempelten sie an und brachten sie ins Wanken. Stimmen, die sie nicht zuordnen konnte, schrien und fluchten. Dann rutschte sie auf etwas aus, und als sie nach unten sah, erblickte sie einen umgekippten Kaffeebecher, aus dem sich die braune Flüssigkeit über einen zertrampelten Supermarkt-Strauß aus rosa Nelken ergoss.

Aus den Lautsprechern war jetzt auch Poppys Stimme zu vernehmen, die Andys Anweisungen wiederholte. Sie klangen beide unglaublich weit weg. Dann hörte sie, wie Andy einen Zuschauer, den sie nicht sehen konnte, anschnauzte: »Nein, das ist kein dummer Witz, du Idiot!«

Der Rauch wurde dichter. Ihre Nase lief, ihre Augen tränten, und sie musste husten. Aus den Augenwinkeln sah sie, wie Leute nach Flammennestern an ihren Kleidern und in ihren Haaren schlugen. »Wälzen Sie sich am Boden«, rief sie. »Ersticken Sie die Flammen mit Ihren Jacken oder was auch immer.« Hustend stolperte sie über einen vergessenen Koffer, stieß sich das Schienbein an, fiel und rappelte sich wieder auf. Ihre Kehle brannte.

Und dann drang der Gestank zu ihr durch, trotz der chemischen Rauchwolke, die sie einhüllte: verbrannte Haare. Fett. Fleisch. Menschenfleisch.

Plötzlich war da ein Mann neben ihr und schrie mit heiserer Stimme: »Zurück! Alles zurück! Nicht den Rauch einatmen!« Er schubste sie, ein harter Stoß aus dem Nebel heraus. »Verdammt, zurück hab ich gesagt!«

Sie krallte nach ihm und erwischte seine Jacke. »Ich bin Polizistin! Um Himmels willen, helfen Sie mir, Mann!«

Durch eine Lücke in den Schwaden erhaschte sie einen Blick auf sein rußverschmiertes Gesicht, das jetzt nur wenige Zentimeter von ihrem entfernt war. Hellbraunes Haar, blutunterlaufene blaue Augen. »Halten Sie sich was vors Gesicht«, sagte er, nachdem er ihre Erklärung mit einem Nicken quittiert hatte. Sie sah, dass er ein blaues Taschentuch in der Hand hatte. »Das Feuer – das ist eine Phosphorgranate!«

Er hielt sich das Taschentuch wie eine Maske vors Gesicht, während er mit der anderen Hand ihren Ellbogen umfasste. Gemeinsam rückten sie vor, bahnten sich ihren Weg durch die Menschentraube, die in die andere Richtung strebte. Sie folgte seinem Beispiel und zog sich mit ihrer freien Hand ihre Jacke vor Mund und Nase.

Und dann war der Rauch plötzlich über ihnen, er stieg zu dem hohen hellblauen Dach der Halle empor, und Melody konnte erstmals in aller Deutlichkeit sehen, auf was sie da zugingen.

Der verkohlte Körper lag mit angewinkelten Armen und Beinen auf der Seite wie eine groteske Imitation eines Boxers. Immer noch stiegen Rauchfähnchen von der geschwärzten Haut und der zerfetzten Kleidung auf. Und immer wieder loderten an verschiedenen Stellen des Körpers kleine Flammen auf und erloschen wie Glühwürmchen an einem Sommerabend.

»O Gott.« Der Mann neben ihr packte ihren Arm fester, bis es sich anfühlte wie ein Schraubstock.

Melody riss sich vom Anblick der Leiche los. Sie fing den Blick ihres Begleiters auf und sah nicht nur Entsetzen, sondern Schmerz und Verzweiflung.

»Was zum ... Wie hat ...« Seine Stimme war ein Krächzen. Er schüttelte den Kopf und setzte erneut an. »Scheiße. Es gibt nichts ... Wir können nichts mehr für ihn tun. Jetzt kann niemand mehr irgendetwas für ihn tun.«

Duncan Kincaid stand an der Tür seines Büros im Polizeirevier Holborn und ließ den Blick über die Schreibtische der Einsatzzentrale schweifen, während er diskret ein Gähnen unterdrückte.

Es gab ihm einen regelrechten Stich ins Herz, wenn er an

Scotland Yard dachte. Ja, es hatte beim Morddezernat bisweilen öde Tage gegeben, aber dennoch hatte in dem Gebäude stets eine prickelnde Atmosphäre von Zielstrebigkeit und Entschlossenheit geherrscht. Und er vermisste sein eigenes abgeschlossenes Büro, in dem er sich so wohlgefühlt hatte, dass es ihm im Lauf der Jahre fast zu einem zweiten Zuhause geworden war.

Er hatte sich noch nicht einmal die Mühe gemacht, seine Bücher hierherzuschaffen. Er kam sich vor wie auf Abruf. Vertrieben von seinem angestammten Platz. Doch die Folge dieser Haltung war eine sterile Umgebung, die ihn nicht dazu inspirierte, auch nur eine Minute länger als nötig in der Arbeit zu verbringen.

Und so vertrieb er sich die Zeit damit, seine neue Mitarbeiterin Detective Inspector Jasmine Sidana etwas genauer zu betrachten. Aus ihrer Personalakte wusste er, dass sie fünfunddreißig Jahre alt und unverheiratet war. Dort stand auch, dass sie am University College London studiert und sich anschließend im Polizeidienst rasch nach oben gearbeitet hatte, von der Streife zum CID, bis sie ihre gegenwärtige Position erlangt hatte.

Im Dienst trug sie Tag für Tag die gleiche gestärkte weiße Bluse mit langen Ärmeln und den gleichen dunklen knielangen Rock. Anscheinend trank sie keinen Alkohol, und beim geselligen Beisammensein im Kollegenkreis nach Feierabend glänzte sie stets durch Abwesenheit. Sie war adrett, tüchtig und geradezu übertrieben gut organisiert. Es war auch kein Geheimnis, wie sehr sie auf seinen Job spekuliert hatte und auf die Beförderung, die damit einhergegangen wäre. Sidana machte aus ihrer Verbitterung keinen Hehl, ebenso wenig wie aus der Tatsache, dass sie sich aufgrund ihres Geschlechts und ihrer ethnischen Herkunft diskriminiert fühlte.

»Sir?« Sidanas Ton war noch frostiger als gewöhnlich, als sie von ihrem Schreibtisch aufblickte, und er hätte sich in den Hintern treten können, weil er sich dabei hatte erwischen lassen, wie er sie anstarrte.

»Nichts, Detective.« Kincaid rang immer noch mit der Frage, wie er sie anreden sollte. Bei den meisten der ihm unterstellten Beamten hatte er kein Problem damit, sie zumindest nur beim Nachnamen zu nennen, wenn nicht gar beim Vornamen. Aber bei Sidana fühlte er sich selbst mit dem Nachnamen unwohl, und doch konnte er sie schwerlich immer »Detective Inspector« nennen, außer in hochoffiziellen Situationen.

Er seufzte, und für den Bruchteil einer Sekunde glaubte er einen Anflug von Besorgnis in ihrer Miene zu sehen. Wenn dem so war, dann wurde er sehr schnell durch ein Stirnrunzeln abgelöst, bei dem sich ihre dunklen Augenbrauen zu einer strengen Linie zusammenzogen. Eins zu null für Sidana, dachte er.

Er zog sein Telefon aus der Tasche, um Gemma anzurufen, als er das unverwechselbare SMS-Signal von Sweeneys Handy hörte – das Zischen einer Bierflasche beim Öffnen. Und dann Sidanas Postboten-Glocke – und während beide nach ihren Handys griffen, fielen die anderen Mobiltelefone im Raum mit vielstimmigem Trillern, Läuten und Dudeln ein.

Und dann begann das Telefon in seiner Hand zu vibrieren.

Bei ihm war es keine SMS, sondern ein Anruf, und zwar, wie die Anzeige ihm verriet, von Chief Superintendent Thomas Faith, dem Bezirkskommandanten. »Mist«, murmelte Kincaid halblaut und straffte sich automatisch, mit einem Schlag hellwach.

»Sir«, meldete er sich.

Faith klang angespannt. »Möglicher Bombenanschlag, St. Pancras International. Das SO 15 ist dran und die Feuerwehr, aber ich will auch das CID in voller Stärke vor Ort. Sie werden mit DCI Callery vom SO 15 Verbindung aufnehmen.«

Specialist Operations 15. Kommando Terrorismusbekämpfung. Verflucht.

Kincaid sah, dass seine Leute schon aufgesprungen waren und nach Jacken und Taschen griffen. »Irgendwelche weiteren Informationen, Sir?«

»Nein. Fahren Sie einfach hin und machen Sie Meldung, sobald Sie Genaueres wissen.« Faith legte auf.

In diesem Moment erst fiel Kincaid ein, dass sein Freund Andy Monahan heute in der Bahnhofshalle von St. Pancras einen Auftritt hatte.

Melody wich unwillkürlich einen Schritt zurück, hustete und wischte sich die tränenden Augen. Zum ersten Mal registrierte sie das Heulen von Sirenen, das die Schreie und das Stimmengewirr übertönte.

»Gott sei Dank. Es ist Hilfe unterwegs.« Sie wandte sich um, wollte ihren Begleiter beruhigen und sich zugleich bei ihm rückversichern.

Doch er war verschwunden. Sie konnte noch den Druck seiner Finger oberhalb ihres Ellbogens spüren, wo er ihren Arm umklammert hatte. »Was zum …« Sie schüttelte den Kopf. Später. Sie würde später darüber nachdenken. Und er hatte recht gehabt – niemand konnte mehr irgendetwas für den Unglücklichen tun, der vor ihr auf dem polierten Hallenboden lag.

Einen Augenblick lang stand Melody nur da und starrte den verkohlten Leichnam an.

Plötzlich fühlte sie sich in der Zeit zurückversetzt – sie

war wieder die unerfahrene Streifenpolizistin am Schauplatz ihres ersten schweren Verkehrsunfalls. Die Insassen schrien, als das Auto in Flammen aufging, und in dem heißen Luftzug roch sie versengte Haare und verbranntes Fleisch. Der Geruch schien sich wie ein zäher Schmierfilm in ihren Nasenlöchern und auf ihrer Zunge festzusetzen. Ihr wurde übel, und sie hob eine Hand vor den Mund.

Die instinktive Geste brachte sie mit einem Ruck in die Gegenwart zurück. Die Schreie waren echt. Sie hörte ein Kind weinen, eine Frau schluchzen. Und dieses quäkende Geräusch war das Telefon in ihrer Jackentasche – sie hatte es auf Lautsprecher gelassen, und die Disponentin rief nach ihr.

Hastig nahm sie das Telefon ans Ohr und hörte noch: »... Lagebericht! Sergeant Talbot, können Sie ...«

»Ich bin hier.« Melody gab sich Mühe, das Chaos um sie herum zu erfassen. »Ein Toter. Irgendeine Art Sprengkörper. Mehrere Verletzte. Ich brauche ...«

»Noch weitere Vorfälle?«

Melody ließ den Blick über die Menge schweifen. »Nicht, dass ich ...«

In diesem Moment sah sie Tam. Er wälzte sich neben einem der umgestürzten Cafétische am Boden, und er brannte. Caleb Hart versuchte die Flammen mit seiner Jacke zu ersticken.

»Augenblick«, sagte Melody zu der Disponentin.

Während sie auf die beiden zulief, kam eine junge Frau aus dem verglasten Innenraum des Cafés gelaufen. Ihre schwarze Uniform verriet, dass sie zum Personal gehörte, und sie hatte einen Feuerlöscher in den Händen.

»Hier!«, rief Melody, als sie bei ihren Freunden ankam. Sie registrierte das kreideweiße Gesicht und die zusammengekniffenen Lippen der Kellnerin, sah aber mit Staunen, dass die junge Frau den Feuerlöscher wie ein Profi bediente. Der chemische Schaum bedeckte in Sekundenschnelle Tams Körpermitte, und endlich verloschen auch die letzten Flammen.

»Gut reagiert«, lobte Melody sie, während sie sich zu Tam kniete. Dann blickte sie auf und fügte hinzu: »Können Sie noch jemanden sehen, der Hilfe braucht?« Das Mädchen nickte und lief auf ein anderes Opfer zu.

Melody wandte ihre Aufmerksamkeit Tam zu und berührte vorsichtig seine Schulter. Sie konnte das Ausmaß seiner Verletzungen nicht einschätzen, doch er war blass und schwitzte, seine Augen waren glasig vor Schock. Sein Markenzeichen, die zerschlissene Schottenmütze, lag neben ihm am Boden.

»Es ist einfach so aus dem Nichts auf ihn gespritzt«, sagte Caleb erregt. Er wirkte geschockt, schien aber unverletzt. »Ich habe Kaffee über ihn geschüttet. Kalten Kaffee. Ich wusste nicht, was ich sonst hätte tun sollen.«

»Das hast du genau richtig gemacht, Caleb. Jetzt halt ihn warm, und ich gehe Hilfe holen.«

Sie zog ihre rote Jacke aus und deckte Tam vorsichtig damit zu. Der Verletzte blickte auf, und sie sah an dem Flackern in seinen Augen, dass er sie erkannte.

»Melody, mein Mädel.« Seine Stimme war nur ein Krächzen. »Es tut höllisch weh.«

»Schsch.« Sie strich ihm über die Wange. »Nicht reden. Ich hole Hil…«

Sie schrak zusammen, als eine Hand sich auf ihre Schulter legte.

»Melody!« Es war Andy, und Poppy stand gleich hinter ihm. »Gott sei Dank, dir ist nichts passiert. Ich hatte schon Angst …« Er erstarrte, als er Tam erblickte. »Tam. O Mann, Scheiße. Er ist verletzt. Wird er …«

»Er wird schon wieder«, sagte Melody mit einer Überzeugung, die sie so nicht empfand. Sie wandte sich an Poppy.

34

»Ihr beide bleibt bei Tam und Caleb.« Sie wusste, dass sie sie eigentlich zum Verlassen der Halle auffordern sollte. Aber sie wusste auch, dass sie auf taube Ohren stoßen würde, und sie hatte keine Zeit, sich mit ihnen herumzustreiten. »Ich muss mich um diese Sache kümmern.« Unwillkürlich schielte sie zu der Leiche, und Andy und Poppy folgten ihrem Blick.

»Mein Gott«, flüsterte Andy.

Poppy wurde kreideweiß und begann zu schwanken.

Melody packte beide mit festem Griff. »Andy, du musst dich mit Caleb um Tam kümmern. Poppy, hör mir zu.« Endlich sah Poppy ihr wieder in die Augen, und sie schluckte hörbar. »Poppy.« Melody schüttelte sie ein wenig. »Du hilfst, die Verletzten zu versorgen. Alle, die noch gehen können, sollen sich hier versammeln.« Sie deutete auf einen freien Bereich neben einer der Säulen. »Ich brauche deine Mithilfe. Okay?«

Poppy nickte und schickte sich an, der jungen Frau aus dem Café zu helfen, die ihren Feuerlöscher abgestellt hatte und die Opfer zu beruhigen versuchte.

Andy sah Melody intensiv an. »Du bist der Boss.« Er tätschelte ihre Schulter, dann kniete er sich zu Caleb und Tam und hüllte seinen verletzten Freund behutsam in Melodys Jacke.

Die Halle hatte sich weitgehend geleert, nachdem die Menschen in Panik zu den Ausgängen geströmt waren. Von denen, die geblieben waren, halfen die meisten den Verletzten, manche schienen auch zu geschockt, als dass sie sich hätten nützlich machen können. Hier und da flackerten noch ein paar Flammen auf.

Melody wusste, dass sie den Tatort sichern und alle unverletzten Zeugen aus dem Bahnhof schaffen musste, um sie in irgendeinem abgeschlossenen Bereich zu versammeln. Wo zum Teufel blieb die Unterstützung?

Ihr Blick fiel auf die große Bahnhofsuhr am Südende der oberen Ebene – waren wirklich erst zehn Minuten vergangen, seit das hier angefangen hatte?

Sie merkte, dass sie immer noch das Telefon in der Hand hielt. Als sie gerade noch einmal in der Leitstelle nachhaken wollte, wo die Rettungsdienste blieben, sah sie zwei Männer in den gelben Warnwesten der British Transport Police vom Südende der Halle auf sich zulaufen.

Sie hielt ihren Dienstausweis hoch und rief: »CID!«

Der jüngere Mann kam als Erster bei ihr an. »Sind Sie die Detective Sergeant?« Er war blond und rotwangig, ein wenig außer Atem.

»Melody Talbot. Sagen Sie, wo bleiben eigentlich …«

»Mein Gott«, echote der Bahnpolizist Andys Worte, als sein Blick an Melody vorbei auf die Leiche fiel. »Die Leitstelle sagte etwas von einem Todesopfer, aber …«

Melody fiel ihm ins Wort. »Liefern Sie mir einen Bericht. Wo bleibt die verdammte Feuerwehr? Und die uniformierte Verstärkung?«

»Die Feuerwehr ist unterwegs«, sagte der ältere Beamte, der inzwischen zu seinem Kollegen aufgeschlossen hatte. »Der Verkehr ist durch die Evakuierung der Halle komplett zum Erliegen gekommen. Wir haben das Gebäude abgesperrt, und die bewaffnete Einheit der Transport Police macht sich einsatzbereit, während wir auf das SO15 warten.«

SO15. Terrorismusbekämpfung. Schlagartig wurde Melody die Dimension des Geschehens bewusst. Sie hatte bisher nur reagiert, ohne nachzudenken. Jetzt musste sie erst einmal durchatmen. »Gibt es noch weitere Vorfälle?«

»Es wurde nichts gemeldet. Wir sind noch dabei, den Bahnhof zu räumen. Aber wir mussten den kompletten Betrieb einstellen, sowohl hier als auch in King's Cross, einschließlich der U-Bahn. Das wird ein gewaltiges Chaos geben.« Sein Blick fiel wieder auf den Toten. »Hat der Kerl sich in die Luft gejagt?«

»Es war keine Bombe, sondern eine Art Brandsatz. Irgendjemand« – sie dachte wieder an den verschwundenen Unbekannten – »sagte etwas von Phosphor. Wir haben Opfer mit Brandverletzungen, die möglichst schnell versorgt werden müssen. Ich werde den Tatort sichern, bis der leitende Ermittler hier ist.« Ihr war bewusst, dass die Sache ein wenig heikel war, denn eigentlich war hier im Bahnhof die British Transport Police zuständig. Aber sie war die einzige CID-Beamtin vor Ort, und sie würde den Tatort keinem anderen als dem zuständigen Ermittler übergeben.

Sie hoffte nur, dass wer immer den Fall zugewiesen bekam sein Handwerk verstand.

3

Die St. Pancras Old Church befindet sich in der Pancras Road im Londoner Bezirk Camden ... Die im viktorianischen Zeitalter weitgehend neu erbaute Kirche darf nicht mit der St. Pancras New Church verwechselt werden, die rund einen Kilometer entfernt in der Euston Road steht.

Wikipedia (engl.), St. Pancras Old Church

Obwohl jetzt im März die Tage wieder länger wurden, hatten der Nieselregen und die tief hängenden grauen Wolken die Dämmerung früher hereinbrechen lassen. Das flackernde Blaulicht der langen Reihe von Einsatzfahrzeugen, die sich um St. Pancras International versammelt hatten, warf Muster auf die dunkelroten Ziegelmauern des großen viktorianischen Bahnhofs, die unter anderen Umständen vielleicht wie eine festliche Illumination gewirkt hätten.

In Duncans Augen signalisierten sie eine Katastrophe.

Es hatte fast eine halbe Stunde gedauert, einen Wagen zu organisieren und die kurze Strecke vom Revier Holborn hierher zurückzulegen. Es war Rushhour, und der Strom der Menschen aus der evakuierten Bahnhofshalle, kombiniert mit dem Eintreffen der Rettungsfahrzeuge, hatte den Verkehr völlig zum Erliegen gebracht. Das Adrenalin, das durch Kincaids Adern strömte, ließ ihn die Lichtflecken grell und scharfkantig sehen, und er trommelte nervös mit den Fingern auf die Armlehne des Wagens.

Platzend vor Ungeduld sprang Kincaid aus dem Wagen, als sie die Euston Road erreichten. Er wies Jasmine Sidana an, ihm zu folgen, und ließ DC Sweeney am Steuer zurück.

»Parken Sie irgendwo«, beschied er Sweeney knapp. »Auf dem Gehsteig, wenn's sein muss.«

Sidana hielt sich dicht an seiner Seite, als sie die Euston Road überquerten und sich ihren Weg durch die Menge auf dem Gehsteig bahnten. Kincaid hatte Order, sich mit seinem Kollegen vom SO15 am Osteingang zu treffen. Als sie an der U-Bahn-Station King's Cross/St. Pancras vorbeikamen, sah er, dass uniformierte Beamte den Eingang versperrten.

Sie bogen in die Pancras Road ein und passierten die Costa-Coffee-Filiale sowie einen weiteren bewachten U-Bahn-Eingang. Der Nordwind blies ihnen voll ins Gesicht, und wieder spürte Kincaid die kleinen Nadelstiche des Eisregens auf der Haut. Die Ostfassade des Bahnhofs erstreckte sich vor ihnen. Kincaid beschleunigte seine Schritte und wich den entgegenkommenden Passanten aus. Sidana begann zu traben, um mit seinen langen Schritten mitzuhalten. Sie kamen an der Taxi-Haltezone für den Eurostar vorbei, die ebenfalls bewacht war.

Weiter vorne erspähte Kincaid zwei Feuerwehrfahrzeuge, weitere blau-gelb lackierte Streifenwagen der Metropolitan Police sowie drei Rettungswagen. Als sie näher kamen, sah er Menschen auf dem Gehsteig kauern. Manche saßen auf ihren Koffern, bewacht von weiteren uniformierten Beamten. Sie hatten den Haupteingang des Bahnhofs erreicht.

Die Presse war ihnen zuvorgekommen. Schon drängten Reporter gegen die Polizeiabsperrung, Fotoapparate und Videokameras im Anschlag, Mikrofone am Mund. Sie würden Mühe haben, bei diesem Wind einen brauchbaren Ton zu bekommen, dachte Kincaid, doch zugleich fragte er sich, ob sie etwas wussten, was er noch nicht wusste.

Er und Sidana zeigten einem der Uniformierten ihre Dienstausweise und wurden sofort durchgelassen.

»SO 15?«, fragte Kincaid.

»Gleich da drüben, Sir«, antwortete der Constable und wies auf die Glastüren unter dem Bogen des Haupteingangs.

Das Erste, was Kincaid auffiel, als sie das eigentliche Bahnhofsgebäude betraten, war die Wärme. Und das Zweite war die Leere. In diesem zentralen Bereich des Bahnhofs, der quer zu den langen, nord-südlich ausgerichteten Hallen verlief, wimmelte es normalerweise von Menschen, die zu ihren Zügen hasteten oder sich an einem der diversen Stände und Märkte einen Imbiss kauften.

Jetzt war außer den Beamten der British Transport Police – zum Teil bewaffnet und in voller Einsatzmontur –, den Feuerwehrleuten und einigen wenigen Beamten in Zivil weit und breit niemand zu sehen.

Kincaid wusste auch ohne Vorstellung, wer von den Letzteren Nick Callery sein musste, der DCI vom Kommando SO 15. Silberblondes Haar, militärisch kurz geschnitten. Silbergrauer, teurer Anzug, keine Krawatte, kein Mantel. Er war schlank und bewegte sich leichtfüßig wie ein Boxer. Als er Kincaid erblickte, unterbrach er sein Gespräch mit einem anderen Beamten und kam mit ausgestreckter Hand auf ihn zu.

»Callery, Terrorismusbekämpfung.«

Kincaid stellte sich und Sidana vor und fragte dann: »Wie ist die Lage?«

»Soweit wir wissen, hat so ein Spinner sich selbst abgefackelt. Weißer Phosphor, laut den Kollegen von der Feuerwehr. Bislang haben wir im Bahnhof weiter nichts Verdächtiges gefunden, aber wir sind noch nicht ganz durch.« Callery hatte einen leichten nordenglischen Akzent.

»Weitere Verletzte?«, fragte Kincaid.

»Ja, etliche. Die Sanitäter machen gerade die Triage.«

»Ist der Tote schon identifiziert?«

»Ha.« Callery schüttelte den Kopf. »Schön wär's. Aber sehen Sie selbst. Ich bringe Sie hin – er liegt da hinten beim Marks & Spencer.«

Kincaids Herz krampfte sich zusammen. Genau dort wurde immer die temporäre Bühne für Konzerte im Bahnhof aufgebaut. »Hat da eine Band gespielt? Ein Duo?« Jasmine Sidana sah ihn verwirrt an.

Callery runzelte die Stirn und antwortete: »Ich habe gesehen, dass da Equipment rumsteht, anscheinend alles unversehrt. Von den Musikern weiß ich nichts. Sie sind wahrscheinlich evakuiert worden.«

Kincaid hatte weder Andy noch Poppy unter den Menschen gesehen, die sich vor dem Osteingang versammelt hatten, aber sicherlich hatten die Flüchtenden auch die anderen Ausgänge benutzt.

»Zum Glück war eine Kollegin vom CID in der Nähe und hat den Tatort bis zu unserem Eintreffen gesichert«, fügte Callery hinzu. »Die Feuerwehr wird uns Schutzausrüstungen zur Verfügung stellen.«

»Na gut.« Kincaid nickte. »Dann wollen wir uns die Sache mal anschauen.«

Die Haupthalle sah ebenso unheimlich leer aus wie die Einkaufspassage und die Schalterhalle. Die Läden waren hinter ihren Glasfronten erleuchtet, aber verlassen. Hier und da lag eine Jacke oder ein Schal herum, Abfälle von den Imbissbuden sprenkelten den Boden wie Konfetti, dazwischen verstreut der Inhalt einer Einkaufstüte. Vor der Teestube von Peyton and Byrne lag ein umgekippter Stuhl.

»Kein vergessenes Gepäck?«, fragte Kincaid Callery.

»Da waren ein paar Stücke, aber wir haben sie von den Hunden überprüfen lassen und sie dann im Büro der Bahnhofsvorsteherin eingeschlossen. Komisch, wie gut die Leute in so einer Katastrophe auf ihre Habseligkeiten achtgeben.«

»Sie waren bemerkenswert schnell.«

»Das haben wir hauptsächlich den Kollegen von British Transport zu verdanken. Die Hunde standen sowieso schon für das Eurostar-Gepäck bereit.« Callery deutete zur oberen Ebene, wo Kincaid gerade eben ein Stückchen eines glänzend gelb lackierten Eurostar-Zugs auf dem Abfahrtsgleis erkennen konnte. »Die Bahnhofsvorsteherin rauft sich schon die Haare«, fuhr Callery fort. »Nicht nur, weil jetzt gerade die Hauptzeit für internationale Ankünfte und Abfahrten ist. Jede Verzögerung auf den Inlandsstrecken kann Verspätungen bis aufs Festland zur Folge haben, aber wir können den Bahnhof erst wieder freigeben, nachdem wir den Tatort klargemacht und sichergestellt haben, dass sich nicht noch mehr kranke Spinner irgendwo versteckt halten. Die Kacke ist also ganz schön am Dampfen.«

Als Kincaid sich kurz zu Sidana umblickte, die neben ihm ging, sah er, wie sie missbilligend die Lippen zusammenpresste. Er wunderte sich, dass eine Frau, die Anstoß an vulgären Ausdrücken nahm, es so lange im Polizeidienst ausgehalten hatte. Callery schien ihr Unbehagen nicht bemerkt zu haben.

Ein uniformierter Hundeführer der British Transport Police kam auf sie zu, in der Hand eine Leine, an deren Ende ein English Springer Spaniel zerrte. Der Hund arbeitete systematisch, er schnüffelte an allen Türen und vergessenen oder fallen gelassenen Gegenständen.

»Zweiter Durchgang«, meldete der Hundeführer Callery und blieb kurz bei ihnen stehen. »Alles sauber bisher.«

»Kann der Hund Phosphor aufspüren?«, fragte Kincaid.

»Sie ist nicht eigens dafür ausgebildet«, antwortete der

Mann. »Aber sie ist auf Sprengstoffe auf Düngemittelbasis abgerichtet, also denke ich schon, dass sie etwas bemerken würde. Und wir wollen sichergehen, dass es nicht noch mehr unschöne Überraschungen gibt.« Die Hündin winselte schon ungeduldig, und so setzten die beiden ihren Weg fort.

Weiter vorne erblickte Kincaid Gestalten in Schutzanzügen, die um eine Sichtschutzwand herum auf und ab gingen. Gleich darauf stieg ihm ein merkwürdiger Geruch in die Nase. Wie nach abgebrannten Streichhölzern und … Knoblauch?

Ein Feuerwehrmann kam auf sie zu, schlug seine Kapuze zurück und nahm die Atemschutzmaske ab. »Detective.« Er nickte Callery zu und sah Kincaid fragend an.

»Detective Superintendent Kincaid, CID Camden.« Kincaid zögerte immer noch, wenn er sich vorstellte. Es war ein komisches Gefühl, *Camden* sagen zu müssen anstatt *Scotland Yard*. »Und das ist DI Sidana«, fügte er hinzu.

»John Stacey, Gruppenführer«, stellte der Feuerwehrmann sich vor, ein stämmiger Mann mit kurzen schütteren Haaren. »Die gute Nachricht ist, dass wir hier wohl nicht mehr allzu viel Gefahrstoffe in der Luft haben, dank dem Durchzug, der in der Halle herrscht. Der Rauch hat sich größtenteils schon verzogen.«

Kincaid registrierte, dass es inzwischen selbst in der unteren, beheizten Ebene der Bahnhofshalle bitterkalt war.

»Ich empfehle trotzdem, dass die Kollegen von der Spurensicherung und der Rechtsmedizin Schutzkleidung anlegen – sie werden sich schließlich länger in der Nähe des Opfers aufhalten. Und Ihnen dreien würde ich auch dazu raten, falls Sie vorhaben, auf Tuchfühlung zu gehen.«

»Dieser Geruch …«, sagte Kincaid. »Gab es in dem Café auch eine Explosion?«

»Sie meinen den Knoblauchgeruch? Nein, das ist ein Bestandteil des weißen Phosphors. Aber ich denke, Sie werden sicher nicht ohne Atemmaske allzu nahe an das Opfer rangehen wollen, Kontamination hin oder her.«

Jetzt konnte Kincaid neben dem Phosphor noch einen Übelkeit erregenden, öligen Geruch wahrnehmen.

»Ich habe die DS, die den Tatort gesichert hat, auch in einen Schutzanzug gesteckt«, fuhr Stacey fort. »Gehört sie zu Ihrem Team?«

Kincaid schüttelte den Kopf. »Nein, ich glaube nicht.«

»Hat jedenfalls gute Arbeit geleistet. Also, ich lasse Ihnen mal die Anzüge bringen. Sie können sie da drüben bei dem Geldautomaten anlegen, kurz vor der Bühne.«

Direkt vor ihnen bildete der quadratische Mittelteil von Searcys Champagner-Bar in der oberen Halle eine Brücke, und darunter erblickte Kincaid den freistehenden vertikalen Quader eines der Geldautomaten des Bahnhofs. Die Explosion hatte sich also offensichtlich ganz in der Nähe der Bühne ereignet, doch er schob seine Sorgen um Andy und Poppy beiseite, bis er sich mit eigenen Augen überzeugen könnte.

Stacey sagte etwas in sein Funkgerät, und ein anderer Feuerwehrmann brachte drei Tyvek-Anzüge.

Nachdem sie sich in die Anzüge und Überschuhe gezwängt hatten – eine Übung, die nie ohne einige Verrenkungen zu bewerkstelligen war –, reichte Stacey ihnen die Atemschutzmasken und führte sie weiter.

Hinter der Treppe zur oberen Halle konnte er Feuerwehrleute und Sanitäter sehen, die den Verletzten halfen und Fahrtragen aufbauten. Dann sah er, was hinter der faltbaren Sichtschutzwand lag, und alle anderen Gedanken waren schlagartig vergessen.

»Ach du Scheiße.«

Neben ihm schnappte Sidana kurz nach Luft, deutlich vernehmbar trotz ihrer Schutzmaske, doch diesmal war es nicht, weil sie Anstoß an seiner Ausdrucksweise nahm. Beide starrten an, was da vor ihnen am Boden lag.

»Hab's Ihnen ja gesagt«, bemerkte Callery, jedoch ohne eine Spur von Genugtuung.

Es war nicht das erste Mal, dass Kincaid eine Brandleiche zu Gesicht bekam – die Erinnerung an das Feuer in dem Lagerhaus in Southwark schoss ihm durch den Kopf wie auch die schrecklichen Ereignisse in Henley im vergangenen Herbst. Doch dieser Anblick schien in besonderem Maße erschütternd, vielleicht wegen des absurden Kontrasts zwischen dem verkohlten Leichnam und der glänzenden Perfektion des Bahnhofsgebäudes.

Callery hatte gesagt, das Opfer sei männlich, doch Kincaid konnte sich nicht vorstellen, dass irgendjemand anderes als ein Rechtsmediziner in der Lage wäre, das Geschlecht zweifelsfrei zu bestimmen.

Eine kleinere Gestalt in Schutzkleidung trat von der Leiche weg und kam auf sie zu. »Da ist Ihre Kollegin«, sagte Callery.

Kincaid sah unter der Kapuze dunkle Haare hervorlugen, und über die Maske hinweg blickten ihn wohlbekannte blaue Augen an. Er schüttelte ungläubig den Kopf. »Melody?« Die Atemmaske dämpfte seine Stimme.

Sie packte seinen Arm und drückte ihn, und trotz der Maske war die Erleichterung in ihrer Miene deutlich zu erkennen. Sie deutete in die Richtung, aus der sie gekommen waren, und die anderen folgten ihr.

Als sie an dem Geldautomaten anlangten, riss Melody sich die Atemmaske herunter und schlug die Kapuze zurück. Ihr Gesicht war verschmiert, ihre Augen rot gerändert. »Duncan! Ich bin so froh, dass du es bist. Irgendwie war mir nicht bewusst…«

»Ich nehme an, Sie beide kennen sich«, warf Nick Callery ein, während alle sich ihrer Masken entledigten.

»Mel… DS Talbot arbeitet mit meiner Frau zusammen in einem Team in South London.« Kincaid drehte sich zu Sidana um. »Melody, das ist meine Kollegin, DI Jasmine Sidana.«

Melody wollte schon ihre behandschuhte Hand ausstrecken, überlegte es sich aber anders und schenkte Sidana stattdessen ein unsicheres Lächeln.

»Du warst bei dem Konzert«, sagte Kincaid, als bei ihm endlich der Groschen fiel.

»Ich habe gesehen, wie es passierte.« Melodys Augen waren schreckgeweitet. »Ich meine, ich habe ihn brennen sehen. Ich wollte helfen, aber es war zu spät.«

»Bist du sicher, dass es ein Mann war?«, fragte Kincaid.

Melody zögerte und runzelte die Stirn. »Ich glaube schon, ja. Ich habe seine Silhouette in den Flammen gesehen. Ich bin gar nicht auf die Idee gekommen, dass es anders sein könnte.«

Sidana, die gerade eine SMS bekommen hatte, sagte: »Wir werden es bald genau wissen. Die Rechtsmedizin und die Spurensicherung sind hier. Sweeney bringt sie her.«

»Melody«, sagte Kincaid, »Andy und Poppy – sind sie beide okay?«

»Ihnen ist nichts passiert. Sie waren fantastisch – haben geholfen, die Halle zu räumen. Aber, Duncan …« Sie schluckte und fuhr fort: »Tam und Caleb waren hier. Sie haben vor dem Café gestanden, vielleicht sechs oder sieben Meter von dem Mann entfernt. Die Umstehenden wurden mit Phosphor bespritzt. Tam hat Verbrennungen erlitten. Die Sanitäter machen ihn gerade transportfertig. Ich fürchte, es ist ziemlich schlimm.«

Als Gemma die St. John's Gardens entlangfuhr, sah sie Wesley Howards weißen Transporter gegenüber von ihrem Haus stehen. Wesley, ein Freund der Familie, hatte ihr netterweise den freien Parkplatz direkt vor der Haustür überlassen. Und als sie eingeparkt hatte und aus dem Wagen stieg, musste sie zugeben, dass es verdammt noch mal viel zu kalt war, für Mensch und Tier gleichermaßen. Selbst in ihrer Daunenjacke fröstelte sie, und sie zog den Kragen bis unters Kinn. Es war bereits dunkel, und das Licht, das in den Fenstern zur Straße schien, war wie ein warmer Willkommensgruß.

Doch als sie die Haustür aufschloss und eintrat, war es verblüffend still im Haus. Keine Hunde bellten oder kamen gerannt, um sie zu begrüßen, und auch von dem erwarteten Kindergekreisch war nichts zu hören. Normalerweise – besonders wenn Wesley zu Besuch war – waren alle in der Küche versammelt, während irgendetwas Leckeres auf dem Herd brutzelte. Waren sie alle noch draußen im Garten, im Dunkeln, und versuchten die Katze zu retten?

Da hörte sie ein Geräusch, und Toby kam vom Flur her um die Ecke geschlichen. Er ging übertrieben auf Zehenspitzen und hielt einen Finger an die Lippen.

»Psst, Mummy. Bryony sagt, wir müssen ganz leise sein, und es darf immer nur einer von uns zu Xena rein, sonst kriegt sie Angst.«

»Xena? Wer ist Xena?«

»Die Katzenmutti. Ich hab sie getauft«, fügte er stolz hinzu. Toby wurde demnächst sieben, und seine Piratenphase war in letzter Zeit von einer Begeisterung für alte Folgen von *Xena, die Kriegerprinzessin* abgelöst worden.

Gemma seufzte. »Wo ist Charlotte?«

In diesem Moment kam ihre Pflegetochter um die Ecke geflitzt und begrüßte Gemma wie üblich, indem sie ihr Bein umklammerte. Gemma hob sie hoch und küsste sie auf die Wange.

»Wie geht's meinem allerbesten Mädchen?«, hauchte Gemma in Charlottes Lockenschopf.

»Mummy, da sind kleine Kätzchen!« Charlotte wand sich so lange, bis Gemma sie herunterließ, und nahm ihre Hand. »Komm, ich zeig's dir.«

»Schsch!«, machte Toby und sah sie streng an.

»Wes sagt, Toby kommandiert immer alle rum.«

»Wenn es einen Orden fürs Rumkommandieren gäbe, würde Toby ihn kriegen«, pflichtete Gemma ihr bei, senkte dabei aber die Stimme zu einem Flüstern. »Okay, wo ist Xena?«

»Im Arbeitszimmer, mit Bryony«, antwortete Kit, der gerade zusammen mit Wesley aufgetaucht war. Gemma musste sich noch daran gewöhnen, dass Kit in den letzten Monaten fast so groß geworden war wie Wesley, der inzwischen Mitte zwanzig war.

»Ich bring dich zu ihr«, flüsterte Toby.

»Gemma kann durchaus allein den Weg zum Arbeitszimmer finden«, sagte Kit.

»Kit, sei nicht so rechthaberisch«, ermahnte sie ihn, allerdings nicht zu streng. Er wirkte immer noch blass und angespannt. »Wie wär's, wenn ihr alle in die Küche geht und eine Kanne Tee kocht?«, schlug sie vor, wobei sie sich insgeheim dachte, dass sie eigentlich viel lieber mit einem Glas Wein die Füße hochlegen und den Fernseher einschalten würde.

Sie ließ sich von Toby und Charlotte zum Arbeitszimmer führen. An der Tür drängte sie die Kinder sachte zurück und schlüpfte selbst hinein.

»Hallo«, sagte Bryony leise und blickte lächelnd zu Gemma auf. Sie kniete auf dem Boden, und ihr kastanienbraunes Haar schimmerte im gedämpften Licht der Schreibtischlampe. Neben ihr, halb unter den Schreibtisch geschoben, stand ein großer Pappkarton.

»Hallo, Bryony.« Gemma kniete sich neben sie. Bryony war nicht nur ihre Tierärztin, sondern auch eine gute Freundin. »Was habe ich mir denn da eingehandelt?« Sie warf einen Blick in den Karton und hauchte: »Ach Gott.«

Die Katze war braun getigert, mit einer Blesse auf einer Seite der Nase, die sich über Brust und Bauch fortsetzte. Alle vier Pfoten waren ebenfalls weiß. Sie lag auf der Seite und blickte mit ihren goldfarbenen Augen zufrieden zu Gemma und Bryony auf. Vier winzige Kätzchen lagen dicht gedrängt wie Sardinen in der Dose an ihrem Bauch und tranken.

»Sie ist so dünn«, flüsterte Gemma. »Und die Kätzchen sind noch ganz klein.«

»Nicht älter als zwei, drei Tage, würde ich sagen. Und ihre Mama war kurz vor dem Verhungern. Die Jungs haben jedenfalls das Richtige getan. Ich bin mir nicht sicher, ob sie die Nacht überstanden hätte.«

»Sie hat sich einfach von dir nehmen lassen?«

Bryony nickte. »Ich habe einen Katzenkorb mitgebracht und die Kleinen zuerst reingesetzt. Sie ist sehr zutraulich. Sie hat sicher irgendwem gehört.«

»Tja, sie muss sich aber auch ein bisschen rumgetrieben haben«, meinte Gemma, während sie die Kätzchen eingehender betrachtete. Eins war getigert, genau wie die Mutter. Das zweite war schwarz-weiß, das dritte schwarz wie Sid der Kater, und das vierte war dreifarbig. »Vielleicht hat Toby mit dem Namen ja gar nicht so weit danebengelegen. Scheint mir eine echte Kriegerprinzessin zu sein.«

Gemma überlegte angestrengt, wie sie es einrichten könnte, dass die kleineren Kinder nicht Sid oder die Hunde ins Zimmer ließen. »Wir brauchen eine Art Schleuse.«

Da hörte sie ein Scharren an der Tür. »Mummy«, kam Tobys weinerliche Stimme. »Mummy, wann kommst du wieder raus? Der Tee ist fertig, und ich will die Kätzchen sehen.«

»Tee?«, fragte Bryony, während sie sich aufrichtete und streckte.

»Ist ja wohl kaum eine angemessene Entschädigung für das hier«, meinte Gemma. Sie strich dem ersten Kätzchen noch einmal mit der Fingerspitze über das Köpfchen und stand ebenfalls auf.

»Ach, vergiss es.« Bryony grinste. »Mit dem Spaß ist es mir erspart geblieben, Mrs Scherzers Bulldogge ihre Spritzen geben zu müssen. Das Viech sieht aus wie Winston Churchill und ist ihm auch vom Temperament her nicht unähnlich. Ach, Gemma, eine Sache noch«, fügte Bryony hinzu, als sie an der Tür waren. »Wie gesagt, sie ist sehr zutraulich. Bevor die Kinder sich zu sehr an sie gewöhnen, müssen wir uns vergewissern, dass sie nicht gechippt ist.«

Gemma hielt mit einer Hand an der Türklinke inne. »Gechippt? Oh, verdammt, daran hatte ich gar nicht gedacht.«

»Wenn sie jemandem gehört, sucht derjenige vielleicht nach ihr. Dann musst du sie ihren Besitzern zurückgeben.«

In diesem Moment wich Gemmas Sorge darum, wie sie mit einer streunenden Katze mit vier Jungen fertigwerden sollte, der abschreckenden Vorstellung, den Kindern beibringen zu müssen, dass die Katze jemand anderem gehörte. »Mist. Na ja, eigentlich wäre es ja ganz gut so«, meinte sie, doch sie klang nur mäßig überzeugt.

Bryony klopfte ihr auf die Schulter. »Ende gut, alles gut. Jedenfalls haben eure Jungs sie und ihre Kleinen vor dem Erfrieren gerettet.«

In der Küche schlang Gemma einen Arm um Kit und den anderen um Toby und zog sie an sich – ungefähr das Maximum an körperlicher Nähe, das die beiden zuließen. »Ihr seid zwei sehr liebe und auch ganz schön clevere junge Männer. Bryony sagt, dass ihr den Kätzchen wahrscheinlich das Leben gerettet habt.«

Toby plusterte sich auf wie ein kleiner blonder Pinguin. »Aber«, fuhr Gemma fort, bevor ihr Sohn zu prahlen anfangen konnte, »seht zu, dass ihr euch das Einbrechen nicht zur Gewohnheit macht, okay? Sonst muss ich euch irgendwann noch festnehmen. Wenn ihr das nächste Mal irgendein Tier schreien hört, ruft zuerst mich an. Und sowieso muss ich jetzt erst mal mit der Hausverwaltung wegen des Schadens an dem Schuppen reden.« Sie drückte die beiden noch einmal und entließ sie dann aus der Umarmung. »Was duftet denn da so himmlisch?«

Wesley rührte in einem Topf, der auf dem Aga-Herd stand. Ein Grinsen ließ sein dunkles Gesicht erstrahlen. »Ich hab euch aus dem Café was von Ottos berühmtem Bœuf Stroganoff mitgebracht. Und Kit will uns, glaube ich, einen Salat zaubern.« Seit sie Wesley vor nunmehr zwei Jahren im Zuge einer Mordermittlung zum ersten Mal begegnet waren, arbeitete er Teilzeit in Ottos Café in Elgin Crescent, einer Nebenstraße der Portobello Road. Er war das jüngste von fünf Geschwistern und wohnte noch zu Hause bei seiner Mutter, während er ein Wirtschaftsstudium absolvierte.

Wes und Bryony waren schon befreundet gewesen, als Gemma die beiden kennengelernt hatte, doch in den letzten Monaten schien sich ihre Beziehung in eine intimere Richtung entwickelt zu haben.

»Tee«, sagte Bryony, während sie Becher aus dem Regal nahm und die dampfende Kanne hochhob. »Für so eine richtig gute Tasse könnte ich glatt einen Mord begehen, Freundchen.« Sie attackierte Toby spielerisch mit einem der Becher, worauf er kichernd davontänzelte.

Bryony gab Milch in die Becher und schenkte Gemma und sich selbst Tee ein.

»Ich will Tee«, meldete sich Charlotte. Sie saß am Küchentisch und baumelte mit den Beinen, während sie ein unförmiges rosa Gebilde malte, das, wie Gemma mutmaßte, eine Katze darstellen sollte. Sie hustete ein bisschen, aber es war nicht mehr das trockene Bellen von letzter Nacht. Sie sah auch besser aus – ihre blaugrünen Augen strahlten, und ihre milchkaffeefarbene Haut hatte fast einen rosigen Schimmer.

Bryony goss ihr Milch in einen Becher und gab einen kleinen Schuss Tee dazu. »Bitte sehr, Schätzchen. Das hilft dir, wieder gesund zu werden.« Sie griff nach der Fernbedienung des Fernsehers, der in der Küche stand. »Will nur kurz schauen, wie kalt es heute Nacht wird, wenn ihr nichts dagegen habt.«

Ein Blick auf die Uhr sagte Gemma, dass sie gerade noch das Ende der Sechs-Uhr-Nachrichten mitbekommen würden.

»Gemma.« Es war Kit, seine Stimme klang unsicher. »Schau mal.« Er deutete auf das Eilmeldungs-Schriftband, das unten über den Fernsehbildschirm lief.

Als Gemma genauer hinsah, sprangen ihr die Worte »Explosion« und »St. Pancras International« ins Auge. Sie riss Bryony die Fernbedienung aus der Hand und stellte den Ton lauter. Die perfekt gestylte Nachrichtensprecherin blickte mit ernster Miene in die Kamera, während sie sagte: »… hat ein Zwischenfall am Bahnhof St. Pancras International den Zugverkehr komplett zum Erliegen gebracht. Es gibt Berichte über eine nicht näher beschriebene Explosion und über Verletzte, aber zum Ausmaß der Schäden können wir noch nichts sagen.« Die Kamera zeigte jetzt die neugotische Fassade des Bahnhofs und das St. Pancras Renaissance Hotel, erhellt vom geisterhaften Tanz des Blaulichts.

Erst als Gemma den Küchenstuhl unter sich spürte, wurde ihr bewusst, dass Bryony sie dorthin geführt hatte. Im Fernsehen folgte nun das Wetter, doch niemand beachtete es.

»Andy hat da gespielt«, flüsterte Gemma. »Andy und Poppy. Melody wollte zu dem Konzert gehen. Und St. Pancras – das ist Duncans Revier.«

4

Mary Shelley, die Verfasserin von »Frankenstein«, traf sich dort am Grab ihrer Mutter mit Shelley, um ihre gemeinsame Flucht zu planen; Dickens schreibt, wie er über den Friedhof zu spazieren pflegte; und Blake verzeichnete den Ort auf seiner mystischen Karte von London.

Matt Shaw, kentishtowner.co.uk, »*Why It Matters: Saving St. Pancras Old Church.*«

Melody war noch nie so froh gewesen, irgendjemanden zu sehen. Fast hätte sie der Versuchung nachgegeben, Kincaid um den Hals zu fallen, obwohl das eigentlich gar nicht ihre Art war. Doch die Erleichterung dauerte nur so lange an, bis sie ihm von Tam erzählen musste.

»Wo ist er?«, fragte Kincaid.

Sie wies auf die Triagezone. »Andy und Poppy sind bei ihm.«

»Ich bin gleich wieder da«, sagte Kincaid zu DCI Callery. Er setzte seine Atemmaske wieder auf und ging hinüber zu dem Bereich, wo die Verletzten behandelt wurden.

Callery sah Kincaid nach, dann musterte er Melody kritisch. »Wer zum Teufel sind Andy und Poppy? Und wer ist eigentlich dieser Tam?«

Melody fiel auf, dass Callerys Augen von der gleichen silbergrauen Farbe waren wie seine Haare und sein Anzug, und sie fragte sich, ob die Wahl des Letzteren seiner Eitelkeit oder dem Zufall geschuldet war. Dann schalt sie sich, weil sie offenbar nicht in der Lage war, ihre abschweifenden Gedanken unter Kontrolle zu bringen. »Andy und Poppy sind die Band«, antwortete sie und versuchte sich zu sammeln. »Sie haben gerade gespielt, als der … Brandsatz explodierte. Tam ist Andys – er ist der Manager des Gitarristen. Sie sind – wir sind … befreundet.«

»Was haben Sie hier gemacht?«

Sie war versucht zu antworten, dass sie genauso wie jeder andere das Recht habe, durch den Bahnhof zu gehen, aber dann fragte sie sich, was dieser Mann an sich hatte, das sie so gereizt reagieren ließ. »Ich wollte zum Konzert. Ich war gerade hier angekommen, als es passierte.«

»Sie sind auf das Feuer zugelaufen.«

Melody war sich nicht sicher, ob das als Kritik oder als Lob zu verstehen war. »Ich habe meine Pflicht getan.«

»Haben Sie sonst noch irgendetwas – oder irgendjemanden – gesehen?«

»Ich …«

Sidana, Kincaids neue DI, unterbrach sie. »Verzeihung, aber die Spurensicherung ist hier.«

Als Melody sich umdrehte, erblickte sie zwei Kriminaltechniker, die bereits ihre Schutzanzüge trugen, und einen ihr unbekannten Beamten in Zivil.

Hinter ihm, in der unvermeidlichen schwarzen Lederjacke, die Instrumententasche in der Hand, ging Rashid Kaleem. Kaleem war einer von einem Dutzend Rechtsmedizinern, die für den Großraum London zuständig waren, aber Melody hatte schon so oft mit ihm zusammengearbeitet, dass sich ein freundschaftliches Verhältnis zwischen ihnen entwickelt hatte. Sie hatten sich bei dem Fall in East London kennengelernt, durch den Charlotte zu Kincaid und Gemma gekommen war.

Rashid ließ sie sein strahlendes Lächeln sehen. »Melody, was tun Sie denn hier?«, fragte er, während er einen Tyvek-Anzug aus seinem Köfferchen zog. »Hier ist doch bestimmt nicht South London zuständig?«

»Ich war rein zufällig hier. Aber wie kommen Sie …«

»Duncan hat mich angerufen.« Mit geübten Bewegungen schlüpfte er in den zerknitterten blauen Overall und zog die Überschuhe über die Füße. »Er hat mich gefragt, ob ich zufällig Bereitschaft hätte. Also, was haben wir hier?«

»Eine Brandleiche«, antwortete einer der Kriminaltechniker. »Die überlassen wir gerne Ihnen, verehrter Kollege.«

Kincaid kehrte zu der Gruppe zurück. Er hatte seine Atemmaske abgenommen, und seine Miene war ernst. Er nickte dem Rechtsmediziner zu. »Rashid, danke fürs Kommen.« An die anderen gewandt fügte er hinzu: »Der Gruppenführer von der Feuerwehr meint, wir könnten jetzt auf die Atemmasken verzichten. Diese Halle ist wie ein Windkanal. Und ich habe mit der Bahnhofsvorsteherin telefoniert. Wir müssen den Tatort so schnell wie möglich wieder freigeben.«

Als sie zu der Leiche zurückgingen, fragte Kincaid Melody: »Kannst du mir sagen, was genau passiert ist?«

»Ich hatte mich verspätet. Andy und Poppy hatten schon angefangen. Ich stand ganz hinten. Und dann war da plötzlich so ein dumpfes Zischen – nein, Augenblick.« Melody runzelte die Stirn. »Nein, das war noch nicht alles.« Nach und nach trat die Szene ihr wieder vor Augen, in verwackelten Bildern wie bei einem Film, der zurückgespult wird. Sie hustete und räusperte sich. »Da war eine Gruppe von Demonstranten. Vielleicht ein halbes Dutzend. Dort drüben.« Sie zeigte auf den Marks & Spencer Foodstore. »Sie hatten Plakate, aber ich konnte nicht lesen, was darauf stand. Ich weiß noch, dass ich gedacht habe: So was Blödes, gerade jetzt. Ich wollte nicht, dass sie Andy und Poppy den Auftritt verderben, und ich wollte mich auch nicht mit ihnen auseinandersetzen müssen. Offiziell, meine ich. Dann ist eine Kollegin von British Transport aufgetaucht, und ich dachte, okay, das ist ihr Job. Ich weiß noch, dass ich ganz erleichtert war. Ich schaute weg, und in dem Moment habe ich es gehört. Dieses Geräusch. Ein dumpfes Zischen wie von einem Gasbrenner oder einem Fesselballon. Und dann gingen die Schreie los.« Als sie geendet hatte, merkte sie, dass sie zitterte. Rashid beobachtete sie mit besorgter Miene.

Nick Callery übernahm die Befragung. »Sie hatten das Opfer vor dem Brandanschlag nicht gesehen?«

»Ich habe in die Richtung geschaut. Ich hatte Tam und Caleb entdeckt, sie standen vor dem Café. Sie hatten Kaffeebecher in der Hand. Ich sah, dass sie wohl vorher gesessen hatten, aber aufgestanden waren, um die Band zu sehen, und ihre Stühle zurückgeschoben hatten. Sie haben mich nicht gesehen.« Melody rieb sich das Gesicht. »Nein, warten Sie. Das war, bevor ich die Demonstranten gesehen habe. Ich bringe die Reihenfolge ganz durcheinander. Aber ich entsinne mich nicht, dass mir irgendjemand besonders aufgefallen wäre, als ich in diese Richtung gesehen habe … Vielleicht haben die Kameras ihn erfasst.«

»Ich habe schon jemanden beauftragt, die Aufnahmen aus dem Bahnhof durchzusehen«, sagte Callery, und Kincaid sah ihn scharf an.

Melody fragte sich, wer hier eigentlich das Sagen hatte.

Die Kriminaltechniker spannten das Absperrband und begannen zu fotografieren. Von dem Blitzlicht wurde Melody ein wenig schwindlig. »Ich weiß nicht, wie viel wir hier finden werden, schließlich sind Tausende von Füßen hier durchgetrampelt, seit der Boden in der Nacht zuletzt geputzt wurde«, sagte der Gesprächigere der beiden zu Rashid, der seine eigene Kamera ausgepackt hatte. »Aber lassen Sie uns einmal drübergehen, bevor Sie sich an den armen Kerl ranmachen.« Er wandte sich an Melody. »Haben Sie ihn angefasst?«

»Nein.« Sie schüttelte den Kopf. »Nein, er hat noch an verschiedenen Stellen gebrannt. Und er war – es war offensichtlich, dass ihm nicht mehr zu helfen war …«

»Wie nahe sind Sie herangegangen?«

Sie überlegte angestrengt, aber in ihrer Erinnerung verschwamm alles. Waren es drei oder vier Meter gewesen? Wo hatten sie gestanden, sie und ihr Helfer, als sie sich durch das Gedränge geschoben und den Mann gesehen hatten? »Ich stand ungefähr da«, sagte sie und zeigte auf die Stelle.

»Hat sich sonst noch jemand ihm genähert?«

Melody schüttelte wieder den Kopf. Es widerstrebte ihr plötzlich, ihren Begleiter zu beschreiben. War er wirklich da gewesen? Sie wollte die Aufnahmen der Überwachungskameras sehen, bevor sie irgendetwas sagte. Nick Callery hatte sich ein paar Schritte entfernt und sprach eindringlich in ein Funkgerät.

»Trotzdem sollten wir Ihnen sicherheitshalber Faserspuren abnehmen, rein aus Ausschlussgründen«, sagte der Kriminaltechniker. Er hatte ein rundes Gesicht, dessen Form durch die Kapuze des Overalls und den modischen rotblonden Dreitagebart noch betont wurde. »Ich bin übrigens Scott.« Er schenkte ihr ein freundliches Lächeln, das sie ein wenig unsicher erwiderte.

»DS Talbot.«

»Bleiben Sie schön, wo Sie sind, DS Talbot, ich bin gleich wieder da«, wies Scott sie an und ließ noch einmal sein Lächeln aufblitzen.

Melody fragte sich, wie er darauf kam, dass sie weglaufen

könnte, und musste beinahe lachen. Sie fühlte sich wirklich komisch.

»Erzähl mir mehr über diese Demonstranten«, forderte Kincaid sie auf, während Scott und sein Kollege weiter Spuren sicherten und fotografierten und Rashid mit seiner eigenen Kamera um die Absperrung herumging.

»Sie schauten zur Band, hatten mir also den Rücken zugewandt. Ich hatte den Eindruck, dass sie alle weiß waren, bis auf ein Mädchen, das eventuell Asiatin war.« Melody hielt inne und versuchte sich die Szene vor Augen zu rufen. »Sie trugen alle Winterkleidung, Mützen und dicke Jacken. Einer von den Typen war sehr groß, er überragte die anderen. Ich weiß noch, wie ich dachte, dass ihre Plakate selbstgebastelt aussahen und dass sie wohl hofften, von der Aufmerksamkeit der Pressefotografen, die wegen der Band gekommen waren, etwas abzubekommen.«

»Wir brauchen das ganze Foto- und Filmmaterial der Presse«, sagte Kincaid zu Nick Callery. »Und wir können nur hoffen, dass wir die Schaulustigen erwischen, ehe sie die ganze Szene auf Twitter oder Instagram hochladen. Wurden irgendwelche Pressevertreter zusammen mit den Evakuierten festgehalten?«

»Ich frage mal nach.« Callery griff nach seinem Funkgerät.

Kincaid wandte sich wieder an Melody: »Hast du jemanden von den Demonstranten wiedergesehen, nachdem du beobachtet hast, wie das Opfer verbrannte?«

»Nein. Nein, ich habe gar nicht mehr in diese Richtung geschaut. Es war das totale Chaos, und dann der Rauch ...« Schon die Erinnerung daran schien ihren Husten wieder auszulösen.

»Dr. Kaleem«, rief Scott. »Sie dürfen jetzt.«

Sie traten alle ein wenig näher, als Rashid auf den Leichnam zuging. »DS Talbot«, fragte Scott, »können Sie uns sagen, wie weit der Phosphor gespritzt ist? Der Radius würde uns helfen zu bestimmen, welches Material genau verwendet wurde.«

»Offensichtlich so weit, dass die Leute, die vor dem Café saßen, Verbrennungen erlitten. Aber alle anderen waren in Bewegung, sie rannten weg oder wälzten sich am Boden. Tut mir leid, dass ich Ihnen keine größere Hilfe sein kann.«

Scott nickte. »Die Reichweite einer solchen Phosphorgranate kann schon mal sieben bis acht Meter betragen. Wir werden ein größeres Team brauchen«, fügte er mit einem Blick auf Callery und Kincaid hinzu. »Ohne zusätzliches Personal werden wir mit diesem Tatort niemals fertig.«

»Ich kümmere mich drum.« Kincaid wandte sich an Jasmine Sidana und murmelte ihr Anweisungen ins Ohr.

Rashid hatte sich inzwischen über die Leiche gebeugt. Sein blauer Tyvek-Anzug wurde durch die Lederjacke darunter aufgebauscht.

»Ist das Opfer männlich?«, fragte Kincaid mit kaum verhohlener Ungeduld.

»Vermutlich ja, nach den Gesichtsknochen zu schließen«, antwortete Rashid. »Die Schuhe sind teilweise erhalten … Wanderstiefel, würde ich sagen, ziemlich große Nummer. Aber die Hände sind weg. Und die Mitte des Rumpfs …« Er untersuchte den Leichnam behutsam mit einer Sonde. »Der Körper ist natürlich geschrumpft, aber ich würde sagen, dass er die Bombe mehr oder weniger auf Hüfthöhe gehalten hat.«

»Irgendwelche Ausweispapiere?«

Rashid warf Kincaid einen Blick zu. »Ich bitte Sie, Duncan. Dieser Mann ist völlig verkohlt. Wir können froh sein, wenn von den Zähnen noch was übrig ist. Allerdings« – er stocherte wieder mit der Sonde herum – »scheint da noch ein Rest textiles Material unter ihm zu sein. Es wurde vielleicht von seinem Rumpf ein wenig geschützt. Eventuell ein Rucksack. Viel mehr kann ich Ihnen nicht sagen, solange ich ihn nicht auf dem Tisch habe. Wir werden eine Fahrtrage brauchen, um ihn in den Transporter zu schaffen.« Er richtete sich auf und trat wieder zu den anderen, während er seine Kapuze zurückschlug.

»Wenn ich vorläufig nicht mehr gebraucht werde, würde ich gerne nach Tam sehen«, sagte Melody. »Und – o Gott, irgendjemand muss Michael und Louise an…« Sie wollte Atem holen und begann zu husten. Michael war Tams Lebensgefährte, Louise die Nachbarin und engste Freundin der beiden.

Rashid betrachtete sie eingehend, dann streifte er seinen Handschuh ab und nahm ihr Handgelenk, um ihr den Puls zu fühlen. »Melody, Sie sehen furchtbar aus. Sie sind weiß wie die Wand, und Ihr Puls rast.« Er tätschelte behutsam ihre Hand und ließ sie wieder los. »Wie viel von dem Rauch haben Sie eingeatmet?«

»Ich hatte mein Gesicht bedeckt.« Das Feuer – das ist eine Phosphorgranate, verdammt noch mal, hörte sie eine Stimme in ihrem Kopf, und das blaue Taschentuch kam ihr wieder in den Sinn. »Ich habe jedenfalls versucht, mein Gesicht zu bedecken«, sagte sie laut. Es klang fast wie eine Entschuldigung. »Ich hatte kein Halstuch.«

»Sie gehen ins Krankenhaus.«

Sie hatte Rashid noch nie in diesem Kommandoton reden hören.

»Was? Aber ich – Tam …«

»Kein Aber.« Rashid wandte sich zu Kincaid um. »Der Rauch von weißem Phosphor ist toxisch. Sie gehört unter Beobachtung. Und sie braucht Sauerstoff, und zwar sofort.«

»Aber …« Melody wollte wieder protestieren, doch sie fühlte sich plötzlich ganz benommen.

Eine Hand fasste sie fest am Ellbogen. »Ich bringe sie zu den Sanitätern.« Es war die Beamtin, die Kincaid als DI Sidana vorgestellt hatte. »Ganz ruhig«, sagte Sidana. Dann fuhr sie in sanfterem Ton fort: »Wissen Sie, ich vergesse auch ganz oft, einen Schal mitzunehmen. Und das bei dieser Kälte – da wünsche ich mir manchmal, ich wäre in Indien …«

Melody wusste, dass sie manipuliert wurde, und sie war entschlossen, sich dagegen zu wehren. »Mir geht's gut, wirklich, ich …«

Eine quäkende Stimme tönte aus Nick Callerys Funkgerät, und alle drehten sich zu ihm um.

Callery hörte eine Weile zu, murmelte etwas, das Melody nicht verstehen konnte, und schaltete das Gerät dann aus.

»Das war British Transport«, teilte er ihnen mit. »Eine ihrer Beamtinnen hat eine Zeugin, die sagt, dass sie das Opfer identifizieren kann.«

»Wo ist diese Zeugin jetzt?«, fragte Kincaid Callery.

»Drüben in der Einkaufspassage. Da wird Kaffee ausgeschenkt, und die Leute können im Warmen sitzen.«

»Sidana, Sie bleiben bitte hier«, sagte Kincaid. »Sorgen Sie dafür, dass DS Talbot die nötige medizinische Versorgung erhält, und beaufsichtigen Sie die Tatortarbeit.«

»Aber Sir, ich sollte bei der Vernehmung dabei sein. Ich bin die stellvertretende Ermittlungsleiterin …«

Kincaid entfernte sich ein paar Schritte von den anderen und bedeutete Sidana mit einer Kopfbewegung, ihm zu folgen. »Gerade *weil* Sie meine Stellvertreterin sind, sollen Sie hierbleiben – ich brauche jemanden, auf den ich mich verlassen kann. Sweeney ist durchaus in der Lage, bei der Befragung Protokoll zu führen, und ich werde Sie später informieren.« Mit leiserer Stimme fügte er hinzu: »Passen Sie auf, Sidana, ich bin mir nicht sicher, was das SO15 hier eigentlich verloren hat. Ich will jemanden von unserem Team vor Ort haben, bis ich weiß, wer zuständig ist. Alles klar?«

»Sir.« Sidana nickte. Sie wirkte nicht gerade glücklich, aber wenigstens protestierte sie nicht weiter, was schon ein Fortschritt war.

»Rashid«, fügte Kincaid hinzu, »Sie sagen mir Bescheid, sobald Sie etwas Konkretes haben?«

»Selbstverständlich. Aber jetzt muss ich mich erst mal um die Lebenden kümmern.« Er legte Melody einen Arm um die Schultern und führte sie zum Triagebereich.

Kincaid winkte Sweeney, und sie folgten beide Callery, der sich schon wieder in Richtung Hauptausgang in Bewegung gesetzt hatte. Kincaid nutzte den kurzen ungestörten Moment für zwei Anrufe.

Zuerst wählte er Gemmas Nummer. »Mir geht's gut«, sagte er, als sie sich meldete. »Andy und Poppy auch. Melody muss zur Beobachtung ins Krankenhaus, weil sie Rauch eingeatmet hat. Aber Tam ist ziemlich schwer verletzt. Ich weiß nicht, ob Andy schon Michael und Louise angerufen hat. Kannst du das übernehmen?«

»Welches Krankenhaus?«

Er hatte nicht daran gedacht nachzufragen. »Keine Ahnung. Die nächste Notaufnahme ist die vom UCL. Aber Tam werden sie wahrscheinlich in die Verbrennungsstation im Chelsea and Westminster bringen müssen.«

»Keine Sorge, ich finde es schon raus«, sagte Gemma. Er konnte die Kinder im Hintergrund hören – die Kleinen forderten lautstark, mit ihm sprechen zu dürfen, und Gemma ermahnte sie leiser zu sein. »Was ist mit Doug?«, fragte sie. »Jemand sollte ihm wegen Melody Bescheid sagen.«

»Ich rufe ihn an. Den Rest erzähl ich dir später«, sagte er, als sie Callery einholten. »Ich liebe dich«, fügte er leise hinzu und trennte die Verbindung.

Callery zog eine Augenbraue hoch. »Ihre Freundin?«

»Meine Frau.«

»Ah. Nichts für ungut.«

Kincaid ärgerte sich über Callerys plump aufdringliches Verhalten. »Hören Sie, ich muss noch einen Anruf …«

Sein eigenes Telefon unterbrach ihn. Es war Doug Cullen. »Was zum Teufel ist da los?«, platzte Doug heraus, ehe Kincaid etwas sagen konnte. »Ich habe es in den Nachrichten gesehen. Wo ist Melody? Ich weiß, dass sie zu dem Konzert wollte, und jetzt geht sie nicht an ihr verdammtes Handy, und ich …«

»Immer mit der Ruhe, Doug. Ich wollte dich gerade anrufen. Sie ist unverletzt, aber sie muss sich zur Sicherheit durchchecken lassen. Wahrscheinlich in der Notaufnahme des UCL. Sie wird dir alles Weitere selbst erzählen. Muss jetzt Schluss machen.« Er legte auf.

Sie hatten die Ladenpassage erreicht.

»Der Geschäftsführer der Starbucks-Filiale hat extra für uns geöffnet«, erklärte Callery. »Er serviert den Beamten Kaffee. Und den Zeugen.«

Zwei Frauen saßen an einem Tisch hinter der gebogenen Glasfront des Starbucks-Cafés. Die eine trug die Uniform der British Transport Police. Ihre Mütze lag auf dem Tisch, und ihr braunes Haar, das sie wohl nur lose unter der Mütze hochgesteckt hatte, fiel ihr in Strähnen ins Gesicht.

Als sie die Männer kommen sah, sprang sie auf, sagte ein paar beschwichtigende Worte zu der anderen Frau am Tisch und kam heraus, um sie in Empfang zu nehmen. Sie machte einen intelligenten und kompetenten Eindruck. »Ich bin PC Rynski. Colleen.«

Kincaid stellte sich und Sweeney vor. »Und das ist DCI

Callery vom SO 15. Ist das unsere Zeugin?« Er deutete auf die Frau im Café, die das Gesicht in den Händen vergraben hatte.

»Ja, Sir. Sie heißt Iris. Ihren Nachnamen hat sie mir nicht genannt.«

»Können Sie uns kurz schildern, was passiert ist?«

Rynski atmete durch und strich sich die Haare aus den Augen. »Ich hatte Dienst in der Halle. Die Band spielte. Ich sah eine Gruppe mit Plakaten und dachte, sie würden vielleicht die Veranstaltung stören. Ich ging gerade auf sie zu, als die Granate explodierte.«

»Sie sind sicher, dass es eine Granate war?«, fragte Callery in scharfem Ton.

Rynski sah ihn an, ihr Gesicht zeigte keine Regung. »Ich war beim Militär. Zwei Einsätze in Afghanistan. Ich weiß, wie es aussieht, wenn eine Phosphorgranate explodiert, Sir.«

»Und was ist dann passiert?«, warf Kincaid schnell ein. Er wollte sich diese wertvolle Zeugin gewogen halten.

»Es war mein Job, die Leute zu evakuieren. Weißer Phosphor ist schließlich giftig, und ich konnte nicht wissen, was noch passieren würde. In der Halle herrschte das totale Chaos, die Leute rannten hin und her und schrien. Die Demonstranten sind mitsamt ihren Plakaten auf die Straße gelaufen. Ich habe nicht weiter über sie nachgedacht, bis ich die junge Frau dort« – sie deutete zum Café – »weinend draußen stehen sah. Den Rest erzählt sie Ihnen am besten selbst.«

PC Rynski führte sie hinein. »Iris, das sind die Polizisten, die mit Ihnen sprechen müssen.«

Die junge Frau blickte auf. Ihr Gesicht war vom Weinen so verquollen und gerötet, dass Kincaid nicht sagen konnte, ob sie hübsch war oder nicht. Ihr blond gefärbtes Haar war am Ansatz einige Zentimeter lang dunkel nachgewachsen und schien nicht allzu sauber zu sein. Und trotz ihrer bauschigen

Jacke konnte er erkennen, dass sie ein wenig übergewichtig war.

»Hallo, Iris.« Kincaid zog sich einen Stuhl heran und nahm Platz. Callery tat es ihm gleich, und auf einen Blick von Kincaid hin setzte Sweeney sich schräg hinter die Zeugin, sodass er gerade nicht mehr in ihrem Blickfeld war.

Als Rynski sich entschuldigen wollte, schluchzte Iris heftig auf. »Lassen Sie mich nicht allein«, flehte sie.

Nachdem Rynski Kincaid fragend angesehen hatte, nahm sie sich ebenfalls einen Stuhl.

»Iris«, begann Kincaid, »es klingt, als hätten Sie einen ziemlich schlimmen Tag gehabt. Möchten Sie vielleicht noch einen Kaffee? Oder ein anderes heißes Getränk?«

»Könnte – könnte ich eine heiße Schokolade haben?« Die junge Frau klapperte mit den Zähnen.

Der Geschäftsführer, der sich dezent im Hintergrund gehalten und die Theke gewischt hatte, kam herbei. Er hatte einen Spitzbart und trug trotz der Kälte nur ein T-Shirt, das die bunten Tattoos auf seinen Unterarmen sehen ließ. »Kann ich Ihnen vielleicht irgendetwas bringen?«

»Eine heiße Schokolade für die Dame.« Als Sweeney den Mund aufmachte, brachte Kincaid ihn mit einem Blick zum Schweigen. »Danke.«

»Wie heißen Sie mit Nachnamen, Iris?«, fragte er, während sie auf die heiße Schokolade warteten. Die Maschine hinter dem Tresen zischte laut in der unheimlichen Stille des Bahnhofs.

»Bar… Barker. Iris Barker. Ich weiß, klingt altmodisch, aber wo jetzt im Fernsehen dauernd diese historischen Serien kommen, ist es vielleicht gar nicht so schlecht.«

Der Geschäftsführer brachte die dampfende Schokolade in einem Pappbecher. Kincaid zog ein paar Geldscheine aus seiner Brieftasche.

»Oh, das geht aufs H...«, setzte der Geschäftsführer an, doch Kincaid schüttelte bereits den Kopf. »Für Ihre Bemühungen«, sagte er und drückte ihm das Geld in die Hand.

»Das ist ein hübscher Name«, sagte er zu Iris, obwohl er sich in diesem Moment nichts weniger Blumenhaftes vorstellen konnte als dieses Mädchen, das die plumpen, von der Kälte geröteten Finger um den Becher mit heißer Schokolade schlang und die neuen Tränen, die über ihre mit Mascara verschmierten Wangen strömten, gar nicht zu beachten schien.

»In der Schule haben sie mich gehänselt.« Iris schluchzte wieder und hob vorsichtig den Becher an die Lippen. »Mauerblümchen haben sie mich genannt. Ich fand das gar nicht witzig.«

»Können Sie uns schildern, was heute passiert ist? Sie haben gegen irgendetwas demonstriert?«, fragte Kincaid, während sie noch einen kleinen Schluck trank.

»›Rettet Londons Geschichte‹. Das ist unser Slogan. Wissen Sie, wie viel Schaden durch das Crossrail-Projekt angerichtet wird? Warum brauchen wir noch eine Bahnlinie, die quer durch das Londoner Zentrum verläuft? Es sollen über vierzig Kilometer neue Tunnels gebohrt werden. Das bedeutet, dass Ruinen ohne fachgerechte archäologische Begleitung ausgegraben werden. Sogar Artefakte aus vorrömischer Zeit. Und alles nur, damit die Leute schneller von A nach B kommen können. Und können Sie sich vorstellen, was man mit den sechzehn *Milliarden* Pfund, die das alles kostet, noch alles anfangen könnte?« Iris' Stimme bebte vor Entrüstung. »Dinge, die den Menschen wirklich helfen würden? Wir dachten, wir könnten vielleicht ein bisschen Aufmerksamkeit von den Medien bekommen, wegen der Band, verstehen Sie? Die Leute müssen das wissen.«

»Wer ist ›wir‹, Iris?«

Der kurze Moment der Lebhaftigkeit schien schon wieder verflogen. »Wir sind bloß ... eine Gruppe. Nichts Offizielles. Uns liegt einfach die Geschichte Londons am Herzen, weiter nichts«, fügte sie hinzu und reckte ein wenig trotzig das Kinn.

Eine linksradikale Gruppierung?, dachte Kincaid. *Rettet Londons Geschichte* konnte vieles heißen: fortschrittsfeindlich, antikapitalistisch, sogar polizeifeindlich. »Wie viele sind Sie in Ihrer Gruppe?«

»Kommt drauf an.« Iris rutschte auf ihrem Stuhl hin und her. »Die Leute kommen und gehen, wissen Sie?«

»Sie hatten Plakate, nicht wahr?« Kincaid bemerkte, dass Sweeney sich beim Protokollieren eher zu langweilen schien, während Nick Callery mit stillem Interesse lauschte. »Hatten Sie gehofft, so Aufmerksamkeit zu erregen?«, fuhr er fort.

Iris nickte, dann biss sie sich auf die Lippe. »Ja. Und – wir – äh ...«

»Was, Iris?«, hakte er nach, als sie nicht weiterredete.

Wieder stiegen ihr die Tränen in die Augen, und sie sah PC Rynski an. »Es war ... Es sollte eine kleine Rauchbombe sein. Um die Leute dazu zu bringen, dass sie uns zuhören. Es war Matthews Idee. Alles ist immer Matthews Idee.« Die Worte sprudelten jetzt nur so aus ihr heraus. »Aber Ryan sagte, er würde es machen. Er sagte, er sei schon mal verhaftet worden, also wäre es ihm egal, ob er Ärger kriegen würde. Wir anderen hätten dann immer noch eine weiße Weste.«

»Verhaftet weswegen?«, fragte Nick Callery.

»Als Aktivist. Anti-Atom-Bewegung und so. Der harte Kern.«

»Und Ryan hatte die Rauchbombe?«

Iris schluckte krampfhaft und nickte.

»Wer hat sie ihm gegeben?« Etwas in Callerys Ton veranlasste sie, sich von ihm abzuwenden und wieder Blickkontakt mit Kincaid zu suchen, als ob sie sich von ihm mehr Verständnis erhoffte.

»Matt – Matthew.« Iris schob ihre halb ausgetrunkene Schokolade weg, verschränkte die Arme vor der Brust und begann leicht mit dem Oberkörper zu schaukeln. »Wir … Wir haben bestimmt nicht gewollt, dass irgendjemand verletzt wird. Und ich begreife nicht, wie das derart schiefgehen konnte … Ich kann es immer noch nicht glauben. Ryan ist … tot? Sind Sie sicher, dass es Ryan war?«

»Im Moment können wir noch gar nichts sicher sagen«, antwortete Kincaid. »Wo sollte Ryan die Rauchbombe zünden?«

»Auf der anderen Seite der Halle, von uns aus gesehen. Beim Ausgang zum Taxistand. Wir sind losgerannt, als die Leute zu schreien anfingen. Alle haben geschoben und gedrängt. Wir hatten nicht damit gerechnet, dass so eine Panik ausbricht. Ich bin von den anderen getrennt worden. Und dann, als ich draußen war, hörte ich jemanden sagen, dass da ein Mann in Flammen steht, und ich konnte nicht gehen, ohne zu wissen, was los war … Und dann haben die Leute gesagt, dass er … dass der Mann … tot ist … verbrannt … und ich konnte nicht …« Iris weinte wieder. PC Rynski tätschelte ihr ein wenig linkisch den Arm.

»Wie heißt Ryan mit Nachnamen?«, fragte Kincaid.

»Marsh. Ryan Marsh.«

»Und Sie sagen, Ryan sei bei einigen großen Protestveranstaltungen dabei gewesen? Ist er ungefähr in Ihrem Alter?«

Iris schüttelte den Kopf. »Nein. Er ist vielleicht sogar schon … keine Ahnung, dreißig.« So, wie sie das letzte Wort betonte, hörte es sich an, als sei dreißig uralt. »Aber er ist cool. Cooler als alle anderen. Und er ist … er war immer … nett zu mir.«

Kincaid vergewisserte sich mit einem Blick, dass Sweeney den Namen richtig mitbekommen hatte. Nick Callery tippte schon etwas in sein Smartphone.

»Wie sah – wie sieht Ryan aus?«

»Also eigentlich – ganz normal, würde ich sagen«, antwortete Iris mit einem kleinen Lächeln. »Ungefähr so groß wie Sie« – sie deutete auf Callery –, »und er hat ungefähr Ihre Haarfarbe« – diesmal sah sie Kincaid an –, »vielleicht ein bisschen heller. Blaue Augen. Nicht ganz so dünn wie Matthew, die Bohnenstange. Er hat die Haare immer kurz. Manchmal lässt er sich einen Dreitagebart stehen, aber ich habe ihn noch nie mit einem richtigen Bart gesehen.«

Kincaid übersetzte die ganzen Angaben in *durchschnittliche Größe und Statur, hellbraunes Haar, blaue Augen*. Nicht sonderlich hilfreich.

»Was hatte er heute an? Können Sie sich daran erinnern?«

»Na ja, das Übliche. Jeans. Stiefel. Einen dicken, dunklen Kapuzenpulli. Blau, glaube ich. Ich hab ihm gesagt, er würde bestimmt frieren, aber er schien die Kälte gar nicht zu spüren.« Iris runzelte die Stirn. »Und er muss seinen Rucksack dabeigehabt haben, weil er ohne den nirgendwo hingeht.«

»Irgendwelche besonderen Kennzeichen?«, fragte Callery.

Als Iris nicht antwortete, fügte Kincaid hinzu: »Also zum Beispiel Tätowierungen oder Muttermale.«

Sie schüttelte heftig den Kopf. »Ryan hasst Tattoos. Er warnt uns ständig, dass wir uns Infektionen einfangen könnten oder so.«

»Und Muttermale?«

Iris errötete, als sie antwortete: »Nicht dass ich wüsste.«

»Hat Ryan irgendwelche Angehörigen, die wir kontaktieren könnten?«, fragte Kincaid.

»Nein. Da war … Nein, er hat nie darüber gesprochen.«

»Wissen Sie, wo er gewohnt hat?«

Iris sah ihn verständnislos an. »Na, bei uns. Ich dachte, das hätte ich gesagt.«

Mit einem kurzen Blick zu Callery fragte Kincaid nach: »Sie meinen, mit Ihrer Gruppe zusammen?«

»Mhm.« Sie wischte sich mit dem Ärmel über die Nase und schniefte.

»Wo?«

»Oh, gleich hier um die Ecke in der Caledonian Road.« Sie wies mit dem Kopf in Richtung King's Cross. »Nicht mal eine halbe Meile von hier.«

5

Die St. Pancras Old Church ist eine der ältesten christli-
chen Kultstätten im nördlichen Europa. Auf dem Fried-
hof ruhen die Gebeine, die beim Bau der Midland Rail-
way im Jahr 1866 exhumiert wurden. Die Bahnstrecke
verlief durch ein ausgedehntes Friedhofsgelände, und
der Pfarrer von St. Pancras bestand darauf, dass die
Gebeine mit dem nötigen Respekt entfernt und anders-
wo wieder beigesetzt würden. Die Aufgabe wurde einem
jungen Architekten übertragen – sein Name war Thomas
Hardy. Insgesamt 8000 Tote wurden umgebettet, vie-
le davon auf den Friedhof der St. Pancras Old Church.
Noch heute kann man die Grabsteine sehen, die hierher-
gebracht wurden; sie sind um eine Esche gruppiert, die
heute als »Hardy Tree« bekannt ist.

camden.gov.uk/parks

Erst als Kincaid ins Freie trat, merkte er, dass es im Bahnhof
trotz allem relativ warm gewesen war. Der bitterkalte März-
wind fegte durch die Pancras Road, riss ihm die Atemluft von
den Lippen und schien durch jede noch so kleine Lücke in
seiner Kleidung dringen zu wollen.

Callery hatte einen Wagen angefordert, der sie zu der
Adresse in der Caledonian Road bringen sollte. Und ein bewaffnetes Einsatzteam als Verstärkung.

Ein ungekennzeichneter silberfarbener Vauxhall schob sich
im Schritttempo an der Polizeiabsperrung vorbei und hielt
am Bordstein. Nick Callery setzte sich vorne zum Fahrer, so–

dass Kincaid nichts anderes übrig blieb, als sich mit der zitternden Iris Barker den Rücksitz zu teilen.

»Ich hätte es Ihnen nicht erzählen sollen«, sagte sie, als der Fahrer den Wagen vorsichtig durch die Menschenmenge steuerte, die sich um die Absperrung versammelt hatte. Reporter schrien Fragen und hielten ihre Mikrofone in Richtung des Wagens, doch Kincaid bezweifelte, dass sie durch die getönten Scheiben allzu viel erkennen konnten. »Matthew und die anderen, die werden mich umbring…«, begann Iris und brach dann ab, vielleicht weil ihr klar wurde, dass der Ausdruck angesichts der Situation eher unpassend war. Dann schüttelte sie den Kopf. »Aber … Ryan … irgendjemand musste ja etwas sagen. Wir konnten ihn doch nicht einfach zurücklassen, ohne zu wissen …« Iris verstummte wieder und kaute auf ihrer Unterlippe herum.

An der Pancras Road bog der Fahrer nach Norden ab, wodurch sie sich von ihrem Ziel entfernten, doch Kincaid wusste, dass sie wegen des Einbahnstraßensystems einen großen Umweg fahren mussten. Wäre das Wetter nicht so scheußlich gewesen, hätten sie zu Fuß wesentlich schneller dort sein können.

Bevor sie den Bahnhof verließen, hatte Kincaid Sweeney aufgetragen, DI Sidana bei den Zeugenbefragungen zu helfen, wovon dieser nicht allzu begeistert war. Dann hatten er und Nick Callery Iris unter PC Rynskis Aufsicht zurückgelassen und waren vor die Glasfassade des Cafés getreten, um über die Notwendigkeit eines bewaffneten Einsatzteams zu debattieren.

»Wir rücken mit einem bewaffneten Team an, um diesen Leuten zu sagen, dass ihr Freund höchstwahrscheinlich tot ist?«, sagte Kincaid. Er hatte kein Problem damit, ein bewaffnetes Kommando anzufordern, wenn die Umstände es diktierten, aber er war nicht überzeugt, dass solche Umstände vorlagen. »In diesem Fall wäre doch uniformierte Verstärkung allemal ausreichend. Es war vielleicht Selbstmord. Oder schlimmstenfalls ein Unfall.«

»Sie sind ja ganz schön blauäugig. Diese Leute«, sagte Callery in scharfem Ton, »hatten vielleicht vor, einen Großteil des Bahnhofs St. Pancras in die Luft zu jagen. Und auch so hat es unser großer Unbekannter schon fertiggebracht, eine ganze Reihe von Menschen zu verletzen, darunter auch Ihre Freunde, und den ganzen verdammten Zugverkehr während der Rushhour zum Erliegen zu bringen, Herrgott noch mal!«

Kincaid blieb hartnäckig, obwohl er wusste, dass Callery recht hatte und dass er sich, was die Zuständigkeit betraf, auf dünnem Eis bewegte. »Wir sind ja noch nicht einmal sicher, dass das Opfer wirklich ein Mitglied dieser Gruppe ist. Oder dass Iris die Wahrheit darüber sagt, wer sie sind oder wo sie wohnen. Oder, wenn sie es tut, ob der Rest der Gruppe auch dort sein wird.«

Nach einer Weile zuckte Callery mit den Schultern. »Na schön, dann gehen eben nur wir beide rein, mit unserer Jammernden Myrte hier.« Er deutete zum Café.

»Es heißt ›Maulende Myrte‹«, korrigierte ihn Kincaid. Es überraschte ihn ein wenig, aus Callerys Mund eine Anspielung auf Harry Potter zu hören. Er schien nicht gerade der Fantasy-Typ zu sein, und irgendwie konnte Kincaid sich auch nicht vorstellen, dass er Kinder hatte.

»Na, von mir aus.« Callery zuckte wieder mit den Achseln. »Aber ich will das bewaffnete Einsatzteam in Bereitschaft haben. Einverstanden?«

»Einverstanden. Und ich werde veranlassen, dass die uniformierte Verstärkung ein paar Minuten nach uns eintrifft. Wir werden die Demonstranten später zur Vernehmung aufs Revier Holborn mitnehmen, aber zuerst würde ich mir gerne einen Eindruck von der Gruppe in ihrer vertrauten Umgebung verschaffen.«

Jetzt saßen sie also im Wagen und hatten den Regent's Canal schon zweimal überquert, ehe sie auf der Caledonian Road wieder zurück in Richtung King's Cross/St. Pancras fuhren. Trotz der Nähe zu den Bahnhöfen hatte die Gentrifizierung, die für das Viertel vorausgesagt worden war, diesen kleinen Abschnitt der Straße noch nicht erfasst. Kincaid sah einen tristen Laden, der »EROTIK-DVDs« feilbot, und er fragte sich, welche Sinnesfreuden diese Filmchen wohl bieten mochten, die sich nicht in fünf Minuten kostenlos im Internet finden ließen.

Sie kamen an einem Weingeschäft vorbei, einem Wohnheim, einem Thai-Imbiss und einem Internet-Café – Letzteres ein sicheres Zeichen dafür, dass sich die Angebote in dieser Gegend auf Menschen am Rande der Gesellschaft konzentrierten.

»Da ist es«, sagte Iris, als sie zu einer weiteren kleinen Ladenzeile kamen. »In der Häuserreihe dort. Über dem Schnellrestaurant.«

Als der Fahrer am Straßenrand hielt, sah Kincaid einen heruntergekommenen Laden für Sportgeräte, die Fenster dunkel und vergittert. Daneben war ein Autoradio-Service und dann ein leuchtend rotes Schild, das verkündete: »HALAL CHICKEN & CHIPS«.

Sie stiegen aus, als gerade ein Bus der Linie 10 vorbeidonnerte und einen Schwall matschigen Wassers aufspritzen ließ. Kincaid stellte sich schützend vor Iris und nahm dann ihren Arm, um sie zu stützen. Er blickte zu dem Gebäude auf. Es war ein dreigeschossiges Reihenhaus, das heruntergekommenste von allen, die Kincaid bisher in dieser Straße gesehen hatte. Mit seiner dunklen Fassade aus graubraunem Backstein und dem abblätternden weißen Anstrich der Fensterrahmen sah es aus, als könnte es aus der georgianischen Epoche stammen. Kincaid stieß einen leisen Pfiff aus. Das hier würde zweifellos irgendwann einmal eine Top-Immobilie sein.

Ein ungekennzeichneter Kleinbus hielt hinter ihnen und blieb dann mit laufendem Motor und ausgeschaltetem Licht stehen. Kincaid drehte Iris sanft weg. Es hätte wenig Sinn, sie auf die Anwesenheit des bewaffneten Einsatzteams aufmerksam zu machen, und es wäre ihm auch lieber, sie würde die Streifenwagen nicht ankommen sehen.

In den Fenstern im zweiten Stock brannte Licht. »Ist das Ihre Wohnung, da oben im zweiten Stock?«, fragte Kincaid Iris.

Sie nickte und schien sich noch tiefer in ihre Jacke verkriechen zu wollen.

»Und Sie wohnen alle hier?«

»Na ja, eigentlich ist es Matthews Wohnung. Er kennt jemanden, der ihn hier wohnen lässt. Da geht es rein«, fügte Iris hinzu und deutete auf eine Tür mit abblätternder Farbe neben dem Hähnchen-Imbiss. Durch die Glasscheibe darüber fiel etwas Licht.

Nick Callery hatte sich ein paar Schritte entfernt, um leise in sein Funkgerät zu sprechen, doch jetzt trat er wieder zu ihnen und sagte: »Dann wollen wir uns mal mit Ihren Freunden unterhalten, ja?«

Die Tür war stabiler, als sie aus der Entfernung gewirkt hatte, und das Schloss war nicht nur neu, sondern auch teuer. »Wer wohnt im ersten Stock?«, fragte Kincaid, als Iris in ihrer Tasche nach dem Schlüssel kramte.

»Ein paar Studenten von der Uni. Matthew kann sie nicht leiden, weil sie in ihrer Wohnung und im Treppenhaus rauchen.« Sie steckte den Schlüssel ins Schloss, und mit einem Klicken sprang die Tür auf.

In der Diele und im Treppenhaus roch es in der Tat nach Rauch, vermischt mit einer leichten Note von Schimmel und Urin. Doch es war alles erstaunlich sauber, wenngleich ziemlich heruntergekommen.

Kincaid ließ die Tür absichtlich nicht einrasten, um den Uniformierten oder – was der Himmel verhüten mochte – dem bewaffneten Einsatzteam Zugang zu verschaffen.

Sie stiegen schweigend die Treppe hinauf, Iris voran. Die Wohnung im ersten Stock war dunkel und still, und Kincaid glaubte sein eigenes Herz hämmern zu hören.

Als sie den Flur im zweiten Stock erreichten, blieb Iris stehen, in der Hand einen zweiten Schlüssel von ihrem Schlüsselbund. Kincaid spürte ihre Unentschlossenheit – normalerweise, so vermutete er, hätte sie einfach aufgeschlossen und wäre hineingegangen. Aber wie konnte sie jetzt ohne Vorwarnung mit zwei Polizisten hereinplatzen?

Aus der Wohnung kamen Stimmen, die eine undeutlich, die andere lauter, näher an der Tür.

»Scheiße, was ist da bloß passiert? Kann mir das mal jemand erklären?« Der lautere Sprecher war eindeutig männlich, und er war erregt. »Und wo zum Teufel steckt Iris, die blöde Kuh?«

Iris wurde rot, was ihr nicht besonders gut stand.

»Ich denke, das ist unser Stichwort«, sagte Kincaid und erlöste Iris aus ihrem Dilemma, indem er anklopfte.

Die Tür wurde aufgerissen, und vor ihnen stand ein sehr hoch aufgeschossener, schmaler junger Mann mit dunklem Lockenschopf. »Iris, was zum Teufel ...«, begann er und brach dann ab, als er Kincaid und Callery erblickte. Er starrte sie an. »Wer sind Sie d...«

»Matthew, die Männer sind von der Polizei. Es geht um

Ryan.« Iris' Stimme bebte, als sie den Namen aussprach. Kincaid schob sie sanft vor sich her, und sie traten alle drei in die Wohnung, sodass der junge Mann namens Matthew zurückweichen musste. Kincaid sah sich sofort prüfend im Raum um, und er spürte Callerys Anspannung, als dieser das Gleiche tat. Die Tür ließen sie hinter sich offen stehen.

Kincaid war sich sicher, dass Matthews Stimme die lautere der beiden gewesen war, die sie vom Treppenhaus aus gehört hatten. Außer ihm waren noch vier Personen im Zimmer. Vor ihnen stand ein bärtiger junger Mann, in dem Kincaid den zweiten, leiseren Sprecher vermutete, die Übrigen – ein weiterer junger Mann und zwei junge Frauen – saßen auf einem Sofa und blickten mit erschrockenen Mienen zu ihnen auf. Allesamt wirkten sie nicht sonderlich bedrohlich.

Und die Wohnung entsprach auch nicht seinen Vorstellungen von einer Hausbesetzer-Bude, wie er sie erwartet hatte. Ein paar Matratzen und zusammengerolltes Bettzeug lagen auf dem Boden herum, aber es gab auch Möbel – außer dem Sofa noch einen billigen Esstisch mit einer bunten Zusammenstellung von Stühlen und an der Wand gegenüber einen großen Flachbildfernseher.

Und die Wohnung war durchaus sauber und auffällig aufgeräumt. Keine herumliegenden Fastfood-Verpackungen, nicht einmal ein benutzter Kaffeebecher. Etwas sauberes Geschirr stand auf einem Abtropfbrett in der Kochnische am anderen Ende des Raums.

Eine Tür neben der Kochnische führte dem Anschein nach in ein kleines Schlafzimmer.

Der Fernseher lief ohne Ton, er zeigte Filmaufnahmen der Menschenmenge und der Rettungsfahrzeuge vor dem Bahnhof St. Pancras.

»Was ist mit Ryan?«, fragte Matthew und beäugte sie argwöhnisch. Kincaid schätzte ihn auf Anfang zwanzig, doch er hatte schon die leicht gerundeten Schultern, die man bisweilen bei sehr großen Männern beobachten konnte. Sein langes Gesicht war hager und kantig, seine Miene ernsthaft.

Kincaid stellte sich und Callery vor und sagte dann: »Laut unseren Informationen haben Sie heute Nachmittag in der Einkaufspassage von St. Pancras demonstriert.« Von den Plakaten war nichts zu sehen, und Kincaid fragte sich, wo sie sich ihrer wohl entledigt hatten.

»Wir haben da eine Protestaktion gemacht. Na und?« In Matthews aggressivem Ton schwang auch Beunruhigung mit.

»Ihre Freundin Iris sagt, dass einer von Ihnen bei der Demonstration eine Rauchbombe zünden sollte.«

Wenn Blicke töten könnten, hätte Iris unter Matthews vernichtendem Blick auf der Stelle umfallen müssen. Dennoch zögerte er einen Moment, bevor er es zugab. »Stimmt. Ryan. Es war Ryans Idee. Er dachte, wir könnten so die Aufmerksamkeit der Medien auf uns ziehen.«

Kincaid deutete auf den Fernseher. »Ich würde sagen, Sie haben mehr als genug davon bekommen.«

Eines der Mädchen stand vom Sofa auf und kam auf sie zu. Sie war erschreckend dürr, mit schwarz gefärbten Haaren und schwarz lackierten Fingernägeln, doch mit einem lieben Gesicht, das ihre halbherzigen Bemühungen in Richtung Gothic Lügen strafte. »In den Nachrichten haben sie gesagt, dass jemand ... dass es ein ... ein Todesopfer gegeben hat. Und Ryan ist nicht ... Wir wissen nicht, wo er ...« Ein Blick von Matthew brachte sie zum Schweigen. Sie schob die Hände in die Ärmel ihres schwarzen Schlabberpullis, der ihren mageren Körper umhüllte wie ein Leichentuch.

»Wie heißen Sie?«, fragte Kincaid und ignorierte Matthew für den Moment.

»Trish.«

»Haben Sie auch einen Nachnamen, Trish?«

»Es – Hollingsworth.« Ihr Akzent ließ wie der von Iris eindeutig auf eine Mittelschicht-Herkunft schließen.

Matthew hingegen hatte die unverkennbare affektierte Aussprache des Privatschul-Zöglings. Doug Cullen, der sich stets alle Mühe gegeben hatte, die Tatsache zu verbergen, dass er in Eton gewesen war, hätte ihn sofort einordnen können. Was für ein Spiel spielten sie, diese privilegierten jungen Leute?, fragte sich Kincaid.

»Iris«, sagte Trish Hollingsworth, »wo bist du gewesen? Wo ist Ryan? Was ist passiert?«

»Sie – sie glauben, dass der Tote Ryan sein könnte.« Bei den letzten Worten kippte Iris' Stimme weg.

»So ein Quatsch«, rief Matthew. »Niemand sollte bei der Aktion verletzt werden. Ryan wusste, was er tat.« Er sah Kincaid und Callery finster an. »Es sei denn, Sie hätten ihm etwas angetan.«

Callery ergriff zum ersten Mal das Wort. »Wie heißen Sie, Freundchen? Und sparen Sie sich die Mätzchen.«

»Was ist das hier? Guter Bulle – böser Bulle?«, höhnte Matthew.

»Sie haben ja noch nicht mal ansatzweise erlebt, was ›böser Bulle‹ bedeutet, also führen Sie mich nicht in Versuchung, Jungchen.« Die unmissverständliche Drohung in Callerys Stimme ließ Matthew einen Schritt zurückweichen.

»Quinn«, sagte er widerstrebend. »Matthew Quinn. Aber ich wüsste nicht, was Sie das an…«

»Matthew!« Es war das andere Mädchen, eine zierliche junge Frau mit asiatischen Zügen. Sie sprang mit geballten Fäusten vom Sofa auf, und ihr energischer Ton schien so gar nicht zu ihrer Statur zu passen. »Halt ganz einfach die Klappe, ja?«

Sie ging auf Iris zu. »Ist es wahr?«, fragte sie mit zitternder Stimme.

Iris nickte. »Ich hab es nicht gesehen. Aber es ist etwas Furchtbares passiert, und er ist nicht hier. Ryan ist nicht hier.« Sie sah die anderen flehentlich an, als ob sie hoffte, dass jemand ihr widerspräche, doch niemand sagte etwas.

Die Züge der jungen Frau verzerrten sich vor Kummer. »O Gott, nein. Bitte, nicht.« Sie schlug sich eine Hand vor den Mund und wankte.

Gerade als Kincaid zu ihr trat, da er befürchtete, sie würde zusammenbrechen, hörten sie unten die Haustür knallen, dann das Trampeln von Polizeistiefeln auf der Treppe.

»Ich denke«, sagte Kincaid, »es wäre vielleicht besser, wenn wir uns drüben auf dem Revier weiterunterhalten.«

Sie hatten die Gruppe nur unter heftigen Protesten von Matthew Quinn in die wartenden Streifenwagen schaffen können.

Er war der Letzte, der die Treppe hinuntergeführt wurde, nachdem er die Wohnungstür abgeschlossen hatte. »Sie werden noch sehen, was Sie sich da eingebrockt haben, Sie und Ihre Gorillas in Springerstiefeln. Ich rufe meinen …« Dann brach er ab und klappte den Mund zu.

»Ihren Anwalt?«, fragte Kincaid. »Sie haben einen Anwalt, ja? Das ist ja interessant. Warum brauchen Sie einen Anwalt?«

Aber Quinn schwieg von da an hartnäckig, und Kincaid beschloss, dass er den Rest der Gruppe vernehmen würde, und zwar einzeln, ehe er wieder mit Quinn sprach.

Doch zunächst einmal wollte er sehen, was die Sichtung der Videoaufnahmen vom Bahnhof St. Pancras ergeben hatte.

Das alles natürlich unter der Voraussetzung, dass das SO15 ihm die Demonstranten nicht entführte.

Nick Callery entfernte sich ein paar Schritte von den Wagen, die mit laufenden Motoren warteten, und hielt sein Handy ans Ohr gepresst. Nach einem kurzen Telefonat kehrte er zu Kincaid zurück und sagte: »Also, wir machen das Ganze bei Ihnen, vorläufig jedenfalls. Mein Chef ist nicht überzeugt, dass es eine Angelegenheit für das SO15 ist. Mal abwarten, was sich so ergibt.« Er wirkte nicht gerade begeistert.

Kincaid hatte bereits einen Durchsuchungsbeschluss für die Wohnung beantragt. »Bin gespannt, was unser Team da oben so alles findet. Hoffen wir nur, dass sie keine Bombenfabrik im Schlafzimmer hatten.«

»Ein Haufen blutiger Amateure, wenn Sie mich fragen«, grummelte Callery, als sie wieder in den silberfarbenen Vauxhall stiegen und der Fahrer sich an der Spitze der Streifenwagen in den Verkehr einreihte.

»Besser als Profis«, entgegnete Kincaid mit Nachdruck, womit sie den Rest der Fahrt schweigend verbrachten.

Die Betonfestung der Polizeiwache Holborn erschien ihm wesentlich einladender als bei seinem Aufbruch von hier am späten Nachmittag. Sie versprach Wärme, und es roch dort nach abgestandenem Kaffee und nicht nach verbranntem Fleisch.

Drinnen sprach er als Erstes mit dem Gewahrsamsbeamten. »Ich bringe sechs Zeugen mit, drei Männer und drei Frauen. Stecken Sie sie alle in einen Raum, aber lassen Sie sie nicht unbeaufsichtigt. Ich will nicht, dass sie ihre Aussagen abstimmen oder ihre Telefone benutzen. Ich lasse sie dann einzeln zu mir kommen.«

Anschließend ging er mit Callery hinauf in den CID-Trakt. Dort ging es so lebhaft zu wie noch nie seit seiner Versetzung hierher. Der Fallmanager für Sondereinsätze, Simon Gikas, hatte schon ein Whiteboard mit einer Zeitschiene und einigen der Tatortfotos bestückt.

»Sind Sidana und Sweeney noch nicht zurück?«, fragte Kincaid.

»Auf dem Weg hierher«, antwortete Gikas. »Sie lassen die restlichen Zeugenaussagen durch die Uniformierten aufnehmen.«

Gikas und die anderen im Team musterten Callery interessiert.

»Das ist DCI Callery vom SO15«, erklärte Kincaid. »Wir werden uns untereinander abstimmen, bis wir wissen, wie dieser Vorfall einzustufen ist.«

»Glauben Sie, dass wir es mit einem Spinner zu tun haben, Chef?« Gikas hatte schwarzes welliges Haar, und sein dunkler Teint war ein weiterer Hinweis auf seine griechische Herkunft. Sein Name sorgte im Kollegenkreis verständlicherweise für einige Erheiterung, denn obwohl er ihnen schon x-mal erklärt hatte, dass das G in »Gikas« wie J ausgesprochen wurde, war er allgemein unter dem Spitznamen »Geek« bekannt. Er war aber auch ganz passend für einen Fallmanager, von dem nun einmal logisches Denken, technische Begabung und strukturiertes Vorgehen verlangt wurden.

Kincaid nahm eine plötzliche Reserviertheit im Raum wahr. Für die Mordkommission waren die Beamten vom SO15 die Cowboys – die Cops, die sich an keine Regeln halten mussten. Und sein Team wäre wohl auch nicht bereit, allzu viel in einen Fall zu investieren, der ihnen jederzeit vom SO15 weggenommen werden konnte, wenn die Herrschaften entschieden, dass er in ihr Gebiet fiel. »Ist noch zu früh, um sich festzulegen.« Kincaids unverbindliches Achselzucken galt ebenso sehr Callery wie seinem Team.

Er ging zum Whiteboard und versuchte die Fotos so sachlich und nüchtern wie möglich zu betrachten, indem er sein sensorisches Gedächtnis ausblendete, das noch vom Schock verzerrt war, ebenso wie die Sorge um seine Freunde. Was hatte er übersehen?

Das im Todeskampf verzerrte Grinsen der verkohlten Leiche verriet ihm nichts.

»Chef.« Gikas deutete auf einen der Monitore. »Wir haben hier Aufnahmen von den Überwachungskameras, die kurz vor und nach dem Zwischenfall entstanden sind.«

Als Gikas den Film startete, nahm Kincaid deutlich wahr, wie Nick Callery neben ihn trat und mit ernster Konzentration auf den Bildschirm starrte.

Kincaid brauchte einen Moment, bis er den Blickwinkel der ersten Kamera richtig eingeordnet hatte. Sie war nach Süden gerichtet und erfasste die Einkaufspassage zwischen dem Marks & Spencer und dem Südeingang des Bahnhofs. Laut Zeitstempel begann die Aufnahme fünf Minuten vor Melodys Anruf bei der Leitstelle.

Die Menschenmenge schwoll an und lichtete sich wieder, und ihr rhythmisches Pulsieren ließ Kincaid an Wasserpflanzen denken, die sich mit der Strömung wiegten. Dann verlangsamten einige der Passanten ihre Schritte und blieben stehen, alle Blicke richteten sich auf die Mitte der Halle, und Kincaid begriff, dass sie offenbar Andy und Poppy zuschauten. Wenige Sekunden später erschien Melody am Rand des Bildausschnitts. Fast ebenso schnell war sie wieder verschwunden, und er nahm an, dass sie näher an die Bühne herangegangen war.

Dann sah er Matthew Quinn aus dem Marks & Spencer kommen und in den Strom der Kunden und Pendler eintauchen. Auch mit der Wollmütze, die seine Haare fast vollständig verdeckte, war er dank seiner Größe unschwer zu erkennen. In der Menge entdeckte Kincaid nach und nach auch die anderen, die er in der Wohnung kennengelernt hatte.

Die Gruppe sammelte sich vor dem Foodstore, sodass die Menge gezwungen war, links und rechts an ihnen vorbeizuströmen. Da war Iris, und bei ihr waren die zierliche Asiatin und der bärtige junge Mann. Trish Hollingsworth stand neben dem gewöhnlich aussehenden Typen mit Brille und Spitzbart, der auf dem Sofa neben dem Mädchen gesessen hatte, das sich mit Quinn angelegt hatte. Er trug einen flachen Kasten, der an eine Künstlermappe erinnerte. Die Gruppe drängte sich um ihn, als er den Kasten öffnete, und einen Augenblick später reckten sie alle ihre Plakate in die Luft.

Die Kamera erfasste einige der Schilder frontal. Sie waren deutlich mit Blockbuchstaben beschriftet, aber offensichtlich nicht professionell gefertigt. RETTET LONDONS SCHÄTZE stand auf dem einen, KEIN CROSSRAIL auf einem zweiten, und auf dem dritten war das Wort CROSSRAIL mit einem roten Schrägbalken durchgestrichen.

Die Demonstranten blickten sich aufmerksam um und schienen sich ziemlich wichtig vorzukommen; jedenfalls machten sie nicht den Eindruck, als ob sie wüssten, dass einer von ihnen sich gleich nur wenige Meter von ihnen entfernt selbst verbrennen würde.

Sie hatten gerade begonnen, ihre Plakate zu schwenken und etwas zu skandieren, das wie »Kein Crossrail« klang, als Colleen Rynski auftauchte. Sie deutete zum Ausgang. Matthew redete auf sie ein und gestikulierte mit seiner freien Hand. Rynski sprach in das Mikrofon an ihrer Schulter und legte eine Hand auf den Schlagstock an ihrem Gürtel. Dann wies sie wieder mit einer energischen Kopfbewegung zum Ausgang.

Nach einem Blick zu Matthew bewegten die anderen sich in die Richtung, in die sie gezeigt hatte, wobei sie immer noch zaghaft ihre Schilder hochhielten. Dann verschwanden sie aus dem Bild.

Die Zeitanzeige des Videofilms tickte weiter. Zwanzig Sekunden. Dreißig Sekunden. Dann schnellten plötzlich alle Köpfe in der Menge gleichzeitig herum, die Münder vor Schreck oder Entsetzen aufgerissen. Menschen begannen zu rennen und zu schubsen, ließen Pakete und Einkaufstaschen fallen. Binnen Sekunden verdeckte dichter Rauch die Sicht.

»Es vergehen fünf Minuten, bis der Rauch sich wieder lichtet«, sagte Gikas. »Möchten Sie noch mehr sehen?«

Kincaid bemerkte, dass alle Anwesenden sich um den Monitor versammelt hatten und schweigend zusahen. »Im Moment nicht«, antwortete er. »Haben wir auch Aufnahmen vom Opfer?«

Gikas drückte ein paar Tasten, und eine andere Kameraeinstellung erschien auf dem Bildschirm. »Viel ist da nicht zu sehen. Er muss gewusst haben, wo die Kameras sind.«

Jetzt sah Kincaid die andere Seite der Halle. Da waren Tam und Caleb, sie standen neben einem der Cafétische und blickten zu der temporären Bühne. Er sah Tam lächeln, während Caleb eine Tasse an die Lippen hob.

»Da.« Simon Gikas zeigte mit einem Bleistift auf eine Gestalt, die ganz am Rand des Bildschirms auftauchte, ein Mann mit einem Kapuzenpulli, der einen leichten Rucksack auf dem Rücken trug. Zumindest nahm Kincaid an, dass es sich um einen Mann handelte. Die Kleidung war dunkel und etwas unförmig, die Kapuze nach vorne gezogen, sodass sie das Gesicht verbarg und die Haare vollständig verdeckte. Die Gestalt schien im Vergleich mit den übrigen Passanten von mittlerer Größe zu sein.

Der Mann blieb stehen, sah aber nicht zu der Band hinüber. Er drehte den Kopf – hatte er vielleicht die Gruppe auf der anderen Seite der Halle gesucht? –, wandte aber nie das Gesicht zur Kamera. Dann stand er noch eine ganze Weile da, während die Menge um ihn herumwogte. Er hatte die rechte Hand in die Hosentasche geschoben. Kincaids Herz klopfte, er konnte kaum noch hinschauen und hätte am liebsten die Hand ausgestreckt, um den Lauf der Dinge aufzuhalten.

Die Menschenmenge um die Gestalt herum verlief sich allmählich. Der Mann zog die Hand aus der Tasche, doch sie verdeckte den Gegenstand, den er hielt. Jetzt blickte er auf, aber die Kapuze verschattete nach wie vor sein Gesicht.

Dann führte er die Hände zusammen, und einen Augenblick darauf flammte zwischen ihnen ein Feuer auf.

»Du lieber Himmel«, murmelte einer der Detective Constables. Kincaid hörte, wie jemand anders hinter ihm erschrocken nach Luft schnappte, als auf dem Monitor die Flammen sich zu einem großen Feuerball aufblähten, der die Gestalt einhüllte.

Einen Moment lang sah es so aus, als ob die Arme des Mannes sich in den Flammen höben. Er erinnerte an einen Magier, der einen Zauber vollführt, oder einen großen Vogel, der sich in die Luft aufschwingt. Dann verhüllte die Rauchwolke alles.

6

Die Gräber sind wild durcheinandergewürfelt, wie auch die Gebeine darin, eine wüste Anhäufung schroffer Steine, die die Erde in gebrochenen konzentrischen Kreisen aufwerfen und diesem ansonsten friedvollen Teil der Begräbnisstätte etwas Makabres verleihen. Leichen stapelten sich über Leichen, Gräber über Gräbern.

Jamesthurgill.wordpress.com,
The Hardy Tree, St. Pancras Old Church, London

Sidana und Sweeney kamen herein, als das Video gerade zu Ende ging. »Total durchgeknallt«, meinte Sweeney und schüttelte den Kopf. »Eine menschliche Kerze. Ob er wohl was gespürt hat?«

Kincaid war ganz froh, dass Sweeneys Bemerkung die beklemmende Stimmung im Raum zerstreute. »Ich hoffe nicht. Aber er kann es uns leider nicht mehr sagen, nicht wahr? Haben Sie etwas herausgefunden?«, fragte er an die beiden gewandt.

Sidana schlug ihren Notizblock auf. »Eine Frau hat zu Protokoll gegeben, dass eine riesige unsichtbare fliegende Untertasse in der Bahnhofshalle erschienen sei, die dann in einer himmlischen Wolke davonschoss«, berichtete sie, ohne eine Miene zu verziehen.

»Medikamente?«, fragte Kincaid ebenso todernst nach.

»Ähm, Valium und irgendein Antipsychotikum. An den Namen konnte sie sich nicht erinnern.«

»Na, das überrascht mich nicht.« Kincaid fragte sich, was er wohl anstellen müsste, um seiner DI einmal ein Lächeln zu entlocken. »Sie können sich die Videos anschauen, aber wenn es ein unsichtbares UFO war, werden Sie es wohl kaum sehen können.«

Ein paar Leute lachten, doch Sidana war nicht darunter. Es war nicht seine Absicht gewesen, sie zur Zielscheibe eines Scherzes zu machen, er hatte nur die angespannte Atmosphäre ein wenig auflockern wollen.

»Sie müssen dann noch Ihre Notizen eingeben, damit Simon sie verarbeiten kann, aber vorher möchte ich Sie bei den Vernehmungen dabeihaben.«

»Sir?«

Er berichtete von den sechs Demonstranten. »Sie müssen sich aber zuerst die Aufnahmen der Überwachungskameras anschauen, ob mit oder ohne Raumschiff. Sie können das tun, während ich alles für die Vernehmungen vorbereite.« Stirnrunzelnd überlegte er einen Moment und sagte dann: »Zuerst die Mädchen.« Er sah Nick Callery an, der noch kein Wort gesagt hatte, seit sie sich die Videos angesehen hatten. Callery war ein bisschen grün im Gesicht. »Wollen Sie dabei sein?«, fragte Kincaid.

Callery zuckte mit den Achseln. »Ich denke, ich werde das Ganze durch die Scheibe beobachten. Ich kann Ihnen ja Bescheid sagen, wenn etwas Interessantes für mich dabei ist.«

»Was ist mit mir, Chef?«, fragte Sweeney.

»Sie können DCI Callery Gesellschaft leisten. Rufen Sie unten im Gewahrsamstrakt an und sagen Sie dem Sergeant, er soll Vernehmungsraum A fertig machen. Lassen Sie uns mit dem asiatischen Mädchen anfangen.«

Abgesehen von Iris war sie die Einzige in der Gruppe, die spontan und unmissverständlich ihre Trauer bekundet hatte.

Kincaid nutzte die Gelegenheit, um sich kurz in sein Büro zurückzuziehen und Gemma anzurufen. »Gibt's was Neues von Melody oder Tam?«, fragte er, als sie sich meldete.

»Doug hat angerufen. Er war auf dem Weg zur Notaufnahme im UCL, um Melody zu besuchen. Und ich habe mit Michael gesprochen. Andy und Caleb hatten ihn auch schon angerufen. Er war mit Louise unterwegs zum Chelsea and Westminster. Warte mal einen Moment, ja?«, sagte sie. Er hörte, wie eine Tür leise geschlossen wurde. »Ich konnte dich vorhin nicht nach Tam fragen, weil die Kinder im Zimmer waren. Wie schlimm ist es?«

»Ich weiß es nicht.« Kincaid rieb sich über den inzwischen schon deutlich spürbaren Bartschatten an seinem Kinn. »Das Einzige, was ich sicher weiß, ist, dass er Verbrennungen erlitten hat und dass die Sanitäter sich sehr intensiv mit ihm beschäftigt haben. Sie haben ihm Morphium gegeben und ihn mit Sauerstoff beatmet.« Er dachte an das Video zurück, und ihm wurde klar, dass er es sich noch einmal ansehen musste, um vielleicht genauer zu erkennen, was mit Tam passiert war – das Opfer hatte zwischen ihm und der Kamera gestanden.

»War er bei Bewusstsein?«

»Ja. Er hat mich erkannt. Und meine Hand gedrückt.« Kincaid räusperte sich.

»Ich komme mir so nutzlos vor«, sagte Gemma. »Ich würde ja gerne wenigstens bei Melody vorbeischauen, aber ich kann die Kinder nicht allein lassen.«

»Und Wes …«

»Er arbeitet heute Abend im Café, aber er hat uns vorher Essen gebracht.« Sie seufzte. »Ich muss immer wieder denken – wenn Melody noch ein bisschen näher dran gewesen wäre …«

»Tu das nicht. Und es ist gut, dass sie dort war. Es hätten

noch mehr Menschen schwere Verletzungen erleiden können, wenn sie nicht so besonnen reagiert hätte. Verdammt mutig, was sie getan hat. Aber sag ihr nicht, dass ich das gesagt habe.«

Gemma lachte, was genau seine Absicht gewesen war. Er malte sich aus, wie sie lächelte und sich eine verirrte Haarsträhne aus dem Gesicht strich, und er wünschte sich plötzlich sehr, er wäre zu Hause. »Ich muss Melody noch offiziell vernehmen«, sagte er, »aber das mache ich wahrscheinlich erst morgen. Ich höre gar nicht das übliche Tohuwabohu im Hintergrund«, fügte er hinzu. »Was hast du gemacht – dich im Klo eingeschlossen?«

»Wie hast du das erraten?«

»Ich kenne die Plagegeister zu gut. Wie geht's dem kleinsten Engel?«

»Besser. Himmlisch geradezu.«

»Gib ihr einen Kuss von mir. Es wird …«

»Spät. Ich weiß«, sagte Gemma mit resignierter Zärtlichkeit. »Du passt auf dich auf, ja?«

»Ich bin wieder auf dem Revier.« Es war keine richtige Antwort, und er wusste, dass sie das auch wusste und dass ihre Frage auf mehr abzielte als nur seine Sicherheit. »Mach dir keine Sorgen, Schatz. Ich glaube, das war eine einmalige Geschichte. Ich werde hoffentlich bald mehr wissen. Aber warte nicht auf mich.«

»Duncan …«, sagte Gemma, als er gerade auflegen wollte. »Ähm, wenn du dann nach Hause kommst – die Kinder haben eine kleine Überraschung.«

»Was denn? Hat Toby das Haus in Brand gesteckt?«

»Ganz so schlimm ist es nicht.« Ihre Stimme klang jetzt so, als müsste sie ein Lachen unterdrücken. »Du darfst die Hunde nicht ins Arbeitszimmer lassen. Toby und Kit haben eine Katze nach Hause gebracht. Mit Jungen.«

Während Jasmine Sidana das Aufzeichnungsgerät einschaltete und sich selbst und Kincaid für das Band identifizierte, studierte er die junge Frau, die ihm am Tisch gegenübersaß. Sie trug ein Sweatshirt in Übergröße und eine ärmellose Daunenweste, die sie partout hatte anbehalten wollen, obwohl der Vernehmungsraum gut geheizt war. In dieser nüchternen Umgebung wirkte sie noch zerbrechlicher als zuvor in der Wohnung.

»Würden Sie uns bitte für das Band Ihren Namen nennen?«, forderte er sie auf.

Ihre dunklen geschwungenen Augenbrauen zogen sich zusammen. »Cam Chen. Das ist keine Abkürzung für Camilla, also nennen Sie mich auch nicht so.« Sie verdarb die Wirkung ihrer Bemerkung ein wenig, indem sie laut schniefte.

Kincaid nickte. »Schon verstanden.« Er hatte sie ein wenig provozieren wollen, weil er wissen wollte, ob ihr Wutausbruch gegen Matthew Quinn in der Wohnung ihrem normalen Verhaltensmuster entsprach. Offenbar hatte sie eine streitlustige Ader.

»Gut, also Cam. Darf ich Sie Cam nennen?«

Sie nickte. »Von mir aus.«

»Wo kommen Sie her?«

Die Brauen zogen sich noch enger zusammen. »Aus Wimbledon. Aber ich wohne hier in London.«

»In der Caledonian Road?«

Cam zuckte mit den Achseln. »Ich habe ein Zimmer an der Uni – am UCL –, aber da gefällt es mir nicht. Die Wohnung ist besser.«

»Was studieren Sie?«

Nach kurzem Zögern antwortete Cam widerwillig: »Sozialanthropologie.«

»Da hat man gute Chancen auf dem Arbeitsmarkt, oder?«

»Quatsch.« Sie funkelte ihn an. »Meine Eltern sind Zahnärzte. Alle beide. Jeden Tag stehen sie auf und gehen in dieselbe stinklangweilige Praxis und machen die gleichen stinklangweiligen Sachen. Warum sollte ich mich auf so was einlassen?«

Kincaid fielen eine Reihe von Gründen ein. Ein schönes Zuhause. Finanzielle Sicherheit. Die Möglichkeit, seine Kinder auf die Universität zu schicken. Und vielleicht gefiel ihnen ja ihre Arbeit. Aber all das sagte er nicht. Stattdessen fragte er: »Sie studieren also die soziale Dynamik einer Protestgruppe?« Es war nur ein Versuchsballon, doch zu seiner Überraschung errötete Cam Chen und wandte den Blick ab. Er wartete ab, sah zu, wie sie ihren Becher mit Tee aus der Kantine hob und ihn gleich wieder hinstellte.

»Das ist das Thema meiner Abschlussarbeit«, flüsterte sie.

»Wissen die anderen das?«, fragte Kincaid.

Cams Wangen färbten sich noch dunkler. »Gott, nein. Matthew würde mich auf der Stelle rausschmeißen.«

»Weiß es sonst noch jemand?«

Cam schüttelte den Kopf.

»Wieso haben Sie sich dann in der Gruppe engagiert, wenn Sie gar nicht an die Sache glauben?«

»Ich hab nie gesagt, dass ich nicht daran glaube. Das tue ich sehr wohl. Das Crossrail-Projekt ist scheiße. Warum so viel Geld rausschmeißen, nur um noch mehr Leute durch London zu transportieren? Und dieses ganze angebliche grüne Engagement von Crossrail? Alles Bullshit. Schönfärberei, um die Profitgier von Unternehmern zu kaschieren. Das sind nämlich die Einzigen, die von solchen Projekten profitieren – die Bauunternehmer und die beteiligten Firmen. Sie garnieren das Ganze mit kleinen Zuckerstückchen wie ›Schaffung von Naturschutzgebieten‹, womit sie aber nur die Öffentlichkeit täuschen.« Cam hatte sich jetzt vorgebeugt, die Finger fest um den Teebecher geklammert. »Sie behaupten, sie würden nur ein einziges denkmalgeschütztes Gebäude abreißen. Und das sollen wir ihnen glauben?«

»Woher wissen Sie das alles?«, fragte Kincaid.

»Matthew kennt Leute.« Cam schien jetzt nicht mehr ganz so selbstsicher.

»Leute in anderen Gruppen?«

»Also … ja.«

»Sie haben uns noch nicht erzählt, wie es zu Ihrer Beschäftigung mit dem Thema kam. Was war zuerst da – die Idee für die Abschlussarbeit oder die Gruppe?« Kincaid konnte Sidanas Ungeduld spüren.

Cam zögerte, dann antwortete sie: »Die Gruppe. Ich war mit Matthew in einem Seminar. Als er von seinen Plänen erzählt hat, da war er so … leidenschaftlich.«

»Haben Sie sich in ihn verliebt?«

»Ach was.« Cam verzog das Gesicht. »Ich habe mich bloß … gelangweilt.«

»Matthew ist auch Student?«

Sie schüttelte den Kopf. »War. Bautechnik. Er hat das Studium abgebrochen.«

»Kein Job?«

»Nein. Aber er scheint ganz gut klarzukommen.«

Kincaid fragte sich, ob Matthew Quinn mit Drogen handelte. So wie die Wohnung aussah, bezweifelte er, dass irgendjemand aus der Gruppe Rauschgift konsumierte, aber das hieß nicht, dass auch niemand dealte.

»Hat der Rest der Gruppe sich auch so gefunden – über die Universität?«

»Zum Teil. Trish hat ihren Job verloren, als Crossrail den Laden abgerissen hat, in dem sie arbeitete. Wir haben davor demonstriert, und sie hat uns angesprochen. Sie tat Matthew leid. Das hat er jedenfalls behauptet. Ryan sagte immer, Matthew mag es, wenn die Leute ihn nett finden. Ryan …« Sie verzog das Gesicht, als ob sie gleich in Tränen ausbrechen würde. »Wieso reden wir eigentlich über Matthew, wo doch Ryan – wo Sie doch glauben, dass Ryan tot ist?«

»Erzählen Sie mir von Ryan«, sagte Kincaid. »Wie ist er zu der Gruppe gestoßen?«

Cam rieb sich mit dem Handrücken über die Augen, dann nahm sie einen kleinen Schluck von ihrem Tee, der inzwischen sicherlich eiskalt war. »Es war im Sommer«, sagte sie mit zitternder Stimme. »Matthew war bei einer Anti-Atom-Demo am U-Bahnhof Islington und hat Flyer verteilt. Haben Sie gewusst, dass Züge mit hochradioaktiven verbrauchten Brennelementen die North London Line benutzen?«

Kincaid hatte es nicht gewusst, doch er nickte.

»Jemand hat ihn Matthew vorgestellt. Matthew hat ihm von Crossrail erzählt, und er war interessiert. Von da an kam er öfter bei uns vorbei. Er … wusste viel.«

»Was wusste er?«, fragte Kincaid nach, als sie zögerte.

»Über Protestaktionen. Wie man so was organisiert. Professionell, meine ich.« Cam zuckte mit den Achseln. »Nach einer Weile hat er angefangen, über Nacht zu bleiben.«

»Er war also kein Student?«

»Nein, nein. Ryan war schon ganz schön rumgekommen. Am Jahrestag von Fukushima hat er gegen das AKW Hinkley Point protestiert. Und noch jede Menge andere wichtige Sachen.« Mit gerunzelter Stirn fügte sie langsam hinzu: »Ich habe mich manchmal schon gefragt, warum er sich mit so einer kleinen Gruppe wie unserer abgibt, aber er sagte, was wir tun, könnte noch mal ganz wichtig werden.«

»Wissen Sie sonst noch irgendetwas über ihn? Wo er herkam? Über seine Familie?«

»Nein. Ryan hat über so was nicht gesprochen. Und wir haben ihn nicht gefragt.«

»Können Sie uns eine Beschreibung geben? Alter? Größe? Augenfarbe?«

»Warum? Können Sie nicht einfach …« Cam wurde blass. »O Gott …«

»Sagen Sie es uns einfach«, forderte Kincaid sie behutsam auf. »Das Erste, was Ihnen in den Sinn kommt.«

»Er ist« – Cam schluckte und trank noch etwas Tee – »er ist, keine Ahnung, so um die dreißig, mittelgroß. Fit – fitter als der ganze Rest von uns, vielleicht mit Ausnahme von Matthew. Braune Haare – hellbraun, vielleicht war er als Kind sogar blond. Er hatte sie immer kurz geschnitten. Dreitagebart, wissen Sie? Meistens war es nur so ein Schatten. Blaue Augen, so richtig blau. Und … er lächelt – lächelte – nicht sehr oft, aber wenn, dann ist es, als ob die Sonne aufgeht.« Tränen begannen über ihre Wangen zu fließen. »Mir wird ganz übel. Wer soll … Muss ihn nicht jemand identifizieren? Ich kann es immer noch nicht glauben. Ryan würde nie so etwas … Idiotisches tun.«

»Erzählen Sie mir von heute«, sagte Kincaid. »Die Rauchbombe – war das Ryans Idee?«

»Nein. Es war Matthew, der damit ankam. Matthew fand, dass wir nicht genug Aufmerksamkeit von den Medien bekämen. Sie haben gestritten. Wir haben alle gestritten. Aber Ryan hat Matthew schließlich überzeugt. Er sagte, wenn einer von uns es machen sollte, dann er, denn er sei schon vorbestraft, da wäre es nicht so schlimm, wenn er festgenommen würde.«

Iris hatte das Gleiche gesagt. Als er sich zu Sidana umblickte, sah er, dass sie sich eine Notiz machte.

»Aber es war Matthew, der die Rauchbombe hatte?«

»Ja. Er hat sie uns gezeigt. Es war eine Büchse, ungefähr so groß.« Cam hielt ihre Hände etwas weiter als die Länge einer Faust auseinander. »Sie war so tarngrün, und es stand ›SMO-KE‹ darauf.«

»Hat Matthew gesagt, wo er sie herhatte?«

»Von jemandem, den er bei einer Demo kennengelernt hatte. Es ist ja alles Mögliche im Umlauf, wissen Sie?«

Das wusste Kincaid nur zu gut. Das Gespräch mit Matthew Quinn würde interessant werden.

»Und wie sah der Plan aus?«, fragte er.

»Wir wollten es während des Auftritts der Band machen. So ein neues Duo. Es war die Eröffnungsveranstaltung des Musikfestivals, und wir wussten, dass Kameras vor Ort sein würden. Ryan ist früher aufgebrochen, um sich den Platz zu sichern. Und dann, wenn wir die Plakate auspackten, sollte er die Rauchbombe zünden.«

»Und was haben Sie gedacht, was dann passieren würde?« Kincaid musste sich Mühe geben, sein Erstaunen über so viel Naivität zu verbergen.

»Wir fanden – Matthew fand –, dass es eine super Idee wäre. Ryan könnte sich im Schutz des Rauchs davonschleichen. Und wir kämen dann in die Nachrichten. Wir würden nicht zugeben, dass wir irgendetwas damit zu tun hatten, aber wir würden die Publicity kriegen, die wir wollten.«

Kincaid fragte sich, ob Cam Chen sich einmal überlegt hatte, was ihre Eltern, das Zahnarztpaar aus dem Londoner Speckgürtel, denken würden, wenn sie sie in den Nachrichten sähen. Er fragte: »Haben Sie gesehen, wie Matthew Ryan die Rauchbombe übergab?«

»Ich … nein.« Cam wirkte plötzlich verunsichert und mehr denn je wie ein kleines Kind. »Sie waren im Schlafzimmer. In der Wohnung.«

»Matthew hätte Ryan also alles Mögliche geben können.«

»Nein!« Cam schob ihren Stuhl so ruckartig zurück, dass die Beine auf dem Fliesenboden quietschten. »Sie können nicht denken, dass Matthew Ryan etwas antun wollte. Matthew ist vielleicht ein Arschloch, aber so etwas würde er nie tun.«

»Haben Sie irgendeinen Grund zu der Annahme, dass Ryan sich selbst etwas antun wollte?«

»Ich … Nein. Natürlich nicht. Es muss ein Unfall gewesen sein.«

Aber Kincaid hatte ihr Zögern bemerkt. Er wartete ab und hoffte inständig, dass Sidana sich still verhalten und nicht dazwischenfunken würde.

»Er … Nein, das würde er nicht tun.« Cams Stimme hatte einen flehentlichen Unterton. »Das hätte er ganz bestimmt nicht getan.«

Kincaid lehnte sich über den Tisch, gerade weit genug, um eine vertrauliche Atmosphäre zu schaffen. »Aber Sie halten es doch für möglich. Warum?«

»Er … hatte sich total verändert, seit Wren verschwunden war.«

»Wer war Wren?«

»Ein – bloß ein Mädchen. Auch so einer von Matthews ›Sozialfällen‹. Sie gehörte nicht zur Gruppe, obwohl sie zu Demos und so mitgegangen ist. Sie war obdachlos, und Matthew hat ihr ein Dach über dem Kopf verschafft. Dafür war sie dankbar.«

Wieder wartete Kincaid.

»Ryan mochte sie«, sagte Cam zögerlich. »Bei ihr war er anders.«

»Waren sie ein Paar?«

»Ich … Ich weiß es nicht. Nicht vor der Gruppe jedenfalls. Aber ich dachte immer …« Ihre Stimme hatte einen wehmütigen Klang.

»Waren Sie in ihn verliebt? In Ryan?«, fragte Sidana in so teilnahmsvollem Ton, dass Cam ihr einen verblüfften Blick zuwarf.

»Wir waren alle in Ryan verknallt. Alle Frauen in der Gruppe. Und die Typen wären alle gerne so gewesen wie er. Aber irgendwie sind wir … nicht an ihn rangekommen. Nur Wren hat das geschafft.«

»Was ist aus Wren geworden?«, fragte Kincaid.

Cam rutschte auf ihrem Stuhl hin und her. Ihre Hand zuckte und stieß den Becher um, der abgestandene Tee ergoss sich über die Tischplatte wie eine braune Amöbe. »O Gott. Entschuldigung.« Sie blickte sich hektisch nach etwas um, womit sie den verschütteten Tee aufwischen könnte.

Neben dem Aufnahmegerät stand eine Schachtel mit billigen Papiertaschentüchern – immer praktisch für weinende Zeugen. Sidana zog einen Packen heraus und wischte damit den Tee auf, während Cam sich bemühte, ihr zu helfen.

»Cam.« Kincaids strenger Ton veranlasste das Mädchen, sich zurückzulehnen und die Hände in den Schoß zu legen. »Was ist aus Wren geworden? Sagen Sie es mir.« Er konnte ihre dunklen Augen nicht lesen.

Kincaid dachte schon, dass sie nicht mehr antworten würde. Aber endlich sagte sie: »Es war an Neujahr. Sie ist gegangen, und sie ist nicht mehr wiedergekommen.«

7

Hardys Biografen spekulieren, inwieweit diese schauer-
liche Erfahrung die Neigung des Schriftstellers verstärkt
haben könnte, den Totenschädel unter der Haut des Le-
bendigen zu sehen.

Simon Bradley, *St. Pancras Station*, 2007

Doug Cullen hasste Krankenhäuser. Allerdings hatte er auch
nie viel darüber nachgedacht, bis ihn im vergangenen Januar
ein gebrochener Knöchel gezwungen hatte, zum ersten Mal
eine Nacht dort zu verbringen. Es war zum Glück bei dieser
einen geblieben, allerdings war ihm wegen allerlei langwieri-
ger Komplikationen die Ambulanz inzwischen vertrauter, als
ihm lieb war. Die verzögerte Heilung seines Sprunggelenks
hatte zur Folge, dass er auch jetzt, zwei Monate nach seinem
Unfall, noch zum Schreibtischdienst verdonnert war.

Und sein Fuß steckte immer noch in einer Orthese, was es
ihm nicht gerade leichter machte, per U-Bahn von A nach B
zu kommen. Er war von seinem Haus in Putney zu Fuß zur
Station Putney Bridge gegangen und hatte dann noch zweimal umsteigen müssen, und als er an der Haltestelle Euston
Square die Straßenebene erreichte, tat sein Knöchel wieder
weh. Als er aus der verglasten Vorhalle ins Freie trat, ließ ein
bitterkalter Windstoß ihn zusammenfahren.

Ein Blick die Euston Road hinunter in östlicher Richtung
zeigte ihm, dass der Verkehr sich zwischen den Bahnhöfen

Euston und St. Pancras noch immer staute. Was für ein Chaos. Und Melody war mittendrin gewesen …

Mit einem Schauder wandte er sich in die andere Richtung, sah kurz zu dem Hochhaus aus Glas und Stahl auf, in dem das University College Hospital untergebracht war, und überquerte humpelnd die Gower Street.

Der Eingang der Notaufnahme war leicht zu finden. Hineinzukommen erwies sich schon als wesentlich schwieriger. Er musste erst dem Drachen am Empfang seinen Dienstausweis vorzeigen, um ins Allerheiligste der Notaufnahme durchgelassen zu werden. Die gestresste, aber etwas hilfsbereitere Stationsschwester wies ihm den Weg zu der mit einem Vorhang abgetrennten Bettnische.

Er zögerte einen Moment, doch da es nichts gab, an das er hätte klopfen können, zog er den Vorhang ein Stück zur Seite und spähte hinein. Melody lag mit einem Kissen unter dem Kopf auf einer Fahrtrage, und er sah zu seiner Erleichterung, dass sie noch ihre Straßenkleidung trug. Ein offener Krankenhauskittel hätte ihn in die tiefste Verlegenheit gestürzt.

Sie hatte einen Sauerstoffschlauch in der Nase. Ihr Gesicht war rußverschmiert, ihre Augen rot gerändert, doch davon abgesehen wirkte sie putzmunter. Und genervt.

Doch ihre Miene hellte sich auf, als sie ihn sah. »Doug! Was machst du denn hier? Wie hast du …«

»Duncan hat es mir erzählt. Ich wollte nur mit eigenen Augen sehen, wie es dir geht. Blumen hab ich allerdings keine mitgebracht«, fügte er hinzu und hob entschuldigend die Schultern.

Die Erinnerung an das ziemlich jämmerliche Sträußchen, das sie ihm mitgebracht hatte, als er sich den Knöchel gebrochen hatte, entlockte ihr ein Grinsen. »Setz dich.« Sie wies gebieterisch auf einen Plastikstuhl, die einzige Sitzgelegenheit weit und breit. Er sah, dass sie einen Sauerstoffsensor am Zeigefinger hatte.

Er nahm ganz vorsichtig Platz, um nur ja nicht an die einschüchternde Batterie von Apparaturen zu stoßen, die hinter der Fahrtrage aufgebaut war. »Ich dachte, du könntest vielleicht Hilfe brauchen, um nach Hause zu kommen. Oder zumindest moralische Unterstützung«, fügte er hinzu und deutete auf seinen Knöchel, »da ich ja in puncto körperliche Unterstützung selbst ein bisschen eingeschränkt bin. Ich hab auch mit Gemma gesprochen. Sie wäre gerne gekommen, aber sie muss auf die Kinder aufpassen.«

»Ich kann noch nicht nach Hause.« Melodys Stimme klang gepresst. »Sie sagen, ich muss über Nacht bleiben. Sie werden mich auf ein Zimmer verlegen, sobald eins frei wird.«

»Aber du wirkst doch ganz fit.« Sein Blick ging zu dem Sauerstoffapparat, der in der Ecke leise vor sich hin blubberte.

»Sie machen sich Sorgen wegen einer eventuellen Rauchvergiftung. Offenbar ist weißer Phosphor stark toxisch, und sie müssen sich meine Blutwerte anschauen. Sie haben aber nicht gesagt, was sie machen wollen, wenn die Ergebnisse nicht gut sind.« Melody blinzelte und griff nach dem Wasserbecher, der auf dem Teewagen neben der Liege stand.

Doug versuchte sich zu erinnern, wann er Melody je verängstigt erlebt hatte. Sie war eine Frau, die sich jeder Situation unerschrocken stellte, und er konnte sie nur immer wieder um ihr Selbstvertrauen beneiden.

»Ich bin sicher, es ist alles in Ordnung«, sagte er ein wenig zu forsch.

»Ja. Ich auch.« Diesmal wirkte ihr Lächeln unsicher. »Darin sind wir beide nicht besonders gut, nicht wahr? Im Aufmuntern von Patienten, meine ich.«

Sie waren schon ein seltsames Freundespaar. Als ihre jeweiligen Vorgesetzten, Kincaid und Gemma, sie im Zuge einer Ermittlung einander vor die Nase gesetzt hatten, waren sie sich auf Anhieb unsympathisch gewesen. Er fand sie eingebildet und arrogant, für sie war er – wie sie ihm mehr als einmal ins Gesicht gesagt hatte – ein selbstgerechter Kotzbrocken. Ganz allmählich hatten sie eine Art unsicheren Frieden geschlossen, und daraus hatte sich dann zu ihrer beider Überraschung etwas Komplizierteres entwickelt – eine Art von Freundschaft, die sie beide als geborene Einzelgänger nie so erwartet hätten.

»Ich würde sagen, das ist doch eher eine gute Sache«, antwortete Doug jetzt. »Dass wir darin so wenig Übung haben. Ähm, kann ich dir irgendwas besorgen?«

»Ich nehme mal an, dass sie hier eine Zahnbürste für mich haben werden, und ich habe nicht vor, länger als unbedingt nötig zu bleiben.«

»Soll ich deine Eltern anrufen?«

»O Gott, nein.« Die Vorstellung schien Melody mehr zu entsetzen als die möglichen medizinischen Komplikationen. »Das fehlt mir gerade noch, dass mein Vater hier reinplatzt und erwartet, dass alles nach seiner Pfeife tanzt. Und ich kann nur inständig hoffen, dass er mich nicht in den Nachrichten sieht.«

Kincaid hatte Doug nur gesagt, dass Melody in der Notaufnahme durchgecheckt werden müsse. »Was? Wieso solltest du in den Nachrichten …«

Der Vorhang wurde beiseitegezogen. Doug drehte sich um und rechnete damit, eine Schwester oder einen Arzt zu sehen, doch es war Andy Monahan. Er sah schlimmer aus als Melody, blass und mit zerrauften Haaren. »Doug.« Andy streckte die Hand aus.

Doug stand auf und schüttelte sie. »Hallo, Andy.«

Das war nun allerdings eine peinliche Situation. Doug war

sich nicht sicher gewesen, ob seine Freundschaft mit Melody ihre Beziehung mit Andy Monahan überleben würde. Nicht, dass er Andy nicht mochte – es wollte ihm einfach nicht in den Kopf, dass die beiden – nein, er wollte gar nicht erst darüber nachdenken. Er merkte, wie er errötete, und er ärgerte sich über den leisen Anflug von Eifersucht, der ihn überkam.

Aber wenn er irgendwelche Zweifel daran gehabt hätte, was die beiden füreinander empfanden, hätte die Art, wie sie sich über die sterilen Apparaturen hinweg anschauten, sie gewiss ausgeräumt.

»Du willst wissen, warum sie fürchtet, sie könnte in den Nachrichten kommen?«, fragte Andy. Er schüttelte den Kopf, als Doug ihm den Stuhl anbot, und trat an die Trage, um Melody einen Schmutzfleck von der Stirn zu wischen. Die Geste wirkte intimer als ein Kuss. »Hat sie dir gesagt, was sie getan hat? Sie ist *in* das Feuer gelaufen. Sie hat versucht, diesem Verrückten zu helfen, der sich angezündet hatte. Sie hätte …«

»Andy. Es ist mein …«

»Job«, beendete Andy den Satz für sie. »Ich weiß. Aber ich hätte irgendwie nie gedacht …«

Melody griff nach Andys Hand und drückte sie. »Wie geht es Tam?«

Andy sank auf den Stuhl, den er zuvor abgelehnt hatte, als ob seine Knie plötzlich eingeknickt wären, doch er ließ Melodys Hand nicht los. »Die Verbrennungen sind schmerzhaft, aber das kann man behandeln. Die Ärzte sagen allerdings, dass Verbrennungen durch weißen Phosphor schwere Organschäden verursachen können. Und dass es Tage dauern könnte, bis sie wissen, wie schlimm es wirklich ist.«

Der Blick, den Melody Doug zuwarf, machte deutlich, dass sie nicht vorhatte, Andy zu erzählen, warum sie wirklich über Nacht hierbleiben sollte, und dass es nicht allein um die Folgen der Rauchvergiftung ging. »Michael und Louise?«, fragte sie.

»Sind bei ihm. Aber Tam liegt auf der Intensivstation, also können sie ihn nur abwechselnd besuchen. Louise weigert sich, nach Hause zu fahren, also habe ich gesagt, ich schau schnell bei ihnen vorbei und versorge die Hunde.«

Tam und sein Lebensgefährte Michael, ein Landschaftsarchitekt, hatten die Wohnung neben der von Louise Phillips, der Anwältin, die zusammen mit Charlotte Maliks verstorbenem Vater eine Kanzlei geführt hatte. Die drei waren zu einer ungewöhnlichen kleinen Familie zusammengewachsen, enger verbunden als die meisten Blutsverwandten, die Doug erlebt hatte.

»Wenn Tam irgendetwas passiert ...« Andy beendete den Satz nicht. Er blickte von Melody zu Doug, und seine Stimme bebte vor Zorn. »Wie kann ein Mensch so etwas tun? *Warum* tut jemand so etwas?«

Kincaid hatte alle anderen bis auf Matthew Quinn von Jasmine Sidana und Sweeney vernehmen lassen und selbst nur mit Nick Callery durch den Einwegspiegel zugeschaut. Sidana hatte ihre Sache gut gemacht. Alle hatten die gleiche Geschichte erzählt wie Iris: dass Matthew die Rauchbombe bei einer Protestveranstaltung gekauft habe.

Auch in anderen Punkten stimmten ihre Aussagen überein: Sie alle hatten geglaubt, es sei eine Rauchbombe; Ryan hatte sich erboten, sie zu zünden; sie hatten nur auf ihr Anliegen aufmerksam machen wollen; und keiner von ihnen, am allerwenigsten Ryan, hatte je die Absicht gehabt, irgendjemandem zu schaden.

Alle bis auf Trish Hollingsworth waren entweder ehemalige Studenten oder noch an der Uni eingeschrieben. Dean

Gilbert, der junge Mann mit der Brille und dem Ziegenbart, der die Plakate getragen hatte, studierte Werbewirtschaft, Lee Sutton, der vollbärtige Knabe, Computerwissenschaft. Sie wohnten alle in Matthews Wohnung, offenbar auf seine Kosten, da keiner von ihnen einer regelmäßigen Arbeit nachzugehen schien.

Auch Matthew nicht, wie es aussah. Als Kincaid und Sidana im Vernehmungsraum gegenüber von ihm Platz genommen hatten, fragte Kincaid: »Wie sind Sie eigentlich an die Wohnung in der Caledonian Road gekommen? Es ist ja wohl nicht direkt ein besetztes Haus.«

Quinn hob die knochigen Schultern. »Das muss ich Ihnen nicht sagen.«

Kincaid behielt den Plauderton bei. »Füttern Sie die ganze Gesellschaft auch durch? Muss ja ganz schön teuer sein.«

»Ich habe ein bisschen Geld«, antwortete Quinn nach einer Weile widerwillig. »Und die meisten kriegen hier und da was von ihren Eltern. Nicht, dass Sie das irgendwas anginge.«

Kincaid fiel auf, dass Quinn, der sich doch zuvor so streitlustig gezeigt hatte, nicht mehr nach einem Anwalt verlangt hatte. Er fragte sich, was der Grund war.

»Also, jetzt erzählen Sie mir mal von der Rauchbombe«, sagte er. »Wessen Idee war das?«

»Meine.« Er schien tatsächlich ein wenig stolz darauf zu sein, selbst angesichts der fatalen Folgen der heutigen Aktion.

»Aber irgendwo mussten Sie die Idee doch herhaben.«

Quinn zuckte wieder mit den Achseln. »Rauchbomben werden öfter bei Protestaktionen eingesetzt.«

»Dann hat also irgendjemand Sie auf die Idee gebracht.«

»Nein.«

»War es Ryan Marsh?«

»Nein, das habe ich Ihnen doch gesagt.« Quinn rutschte auf

seinem Stuhl hin und her, als ob er versuchte, seinen überlangen Körper irgendwie auf dem normal großen Stuhl unterzubringen. Seine Knie stießen gegen die Unterseite der Tischplatte. »Kann sein, dass wir darüber geredet haben. Ich erinnere mich nicht. Ryan hat eine Menge coole Sachen gemacht.«

»Also haben Sie versucht, ihn zu beeindrucken?«

»Nein«, blaffte Quinn ihn an. »Er fand die Idee bescheuert. Aber ich war … Ich dachte …« Zum ersten Mal schien Matthew Quinn den Tränen nahe. »Ich habe gesagt, wir sollten es trotzdem durchziehen. Ich begreife nicht, wie das passieren konnte.«

»Sie waren sich absolut sicher, dass es nur eine Rauchbombe war?«

»Natürlich war ich mir sicher«, brauste er auf. »Wieso hätte ich etwas anderes denken sollen? Es stand ja drauf, und ich hatte Videos gesehen …«

Sidana beugte sich vor und brachte es fertig, mit einem ganz leichten Zucken der Mundwinkel völlige Ungläubigkeit zu signalisieren. »Wie konnten Sie sicher sein, dass das, was Sie auf einem Video gesehen hatten, auch das war, was Sie gekauft hatten?«

Quinn gab keine Antwort.

»Wo hatten Sie das Ding her?«, fragte Kincaid.

Quinn schien sich wieder sperren zu wollen, doch dann murmelte er: »Halt von irgendeinem Typ.«

Kincaid zog eine Braue hoch. »Name?«

»Mann, ich erinnere mich nicht. Das war einfach ein Typ, den ich bei einer Demo getroffen hatte. Zu der Zeit hatte ich noch keine Ahnung, was ich damit machen würde.«

»Es war einfach etwas, was man so im Haus hat, wie ein Mixer?« Sidanas Sarkasmus war beißend.

»Nein. Nein, es war … Ich hatte gesehen, wie die Dinger

bei Protesten eingesetzt wurden. Ich war mir nur nicht sicher, wann der richtige Zeitpunkt dafür wäre.«

Kincaid war für den Moment ganz zufrieden damit, Sidana die Rolle des bösen Bullen zu überlassen, und er bemühte sich, seinen Ton neutral zu halten. »Wie kamen Sie zu dem Entschluss, dass heute der richtige Zeitpunkt wäre?«

»Die Band. Es war die Band. Wir wussten, dass die Presse dort sein würde.«

»Herrgott«, murmelte Kincaid halblaut, was ihm einen überraschten Blick von Sidana einbrachte. Wenn Andy das je erführe, würde er sich selbst für Tams Verletzung verantwortlich fühlen.

»Ich habe im Internet etwas darüber gelesen, wie man eine Rauchbombe einsetzt«, fügte Quinn in selbstzufriedenem Ton hinzu.

»Das müsste dann ja noch in Ihrem Browserverlauf zu finden sein?«

Quinn sah Kincaid an, als ob der gerade etwas vollkommen Unverständliches gesagt hätte. »Aber Sie können nicht meinen Computer beschlagnahmen …«

»O doch, das können wir.« Kincaid konnte nicht umhin, angesichts von Quinns offensichtlicher Bestürzung eine gewisse Genugtuung zu empfinden. »Das ist Teil des Durchsuchungsbeschlusses. Jeder Computer in der Wohnung wird ins kriminaltechnische Labor gebracht, und nichts ist je endgültig gelöscht. Das wissen Sie doch, nicht wahr?«

»Aber Sie haben nie irgendetwas von einem Durchsuchungsbeschluss gesagt«, entgegnete Quinn trotzig.

Kincaid schielte zu Sidana. Sie schien ebenso perplex wie er selbst. »Matthew.« Er beugte sich vor und wartete, bis Quinn seinen Blick erwiderte. »Darf ich Sie Matthew nennen? Es hat einen Toten gegeben. Ein Mensch ist auf sehr qualvolle und schreckliche Weise gestorben, ob es nun ein Unfall, Selbstmord oder Mord war, und weitere Personen sind zum Teil schwer verletzt worden. Sie haben zugegeben, dass Sie den Brandsatz, der dafür verantwortlich war, gekauft haben. Selbstverständlich werden wir Ihre Wohnung durchsuchen. Und wir werden Sie alle hierbehalten, so lange, bis wir Antworten auf unsere Fragen haben.«

»Wie kann ein Mensch so unbedarft sein?«, fragte Kincaid, als er und Sidana die Einsatzzentrale betraten, gefolgt von Nick Callery und DC Sweeney.

Sidana runzelte die Stirn. »Er ist wie ein kleiner Junge, der Terrorist spielt.«

»Was ihn keinen Deut weniger gefährlich macht«, sagte Callery. »Und ich glaube, er ist bei Weitem nicht so beschränkt, wie er tut.«

»Er hat noch immer nicht nach einem Anwalt verlangt«, fügte Kincaid hinzu. »Etwa, weil er beschlossen hat, weiter den verwirrten kleinen Jungen zu mimen?«

Doch auch die anderen hatten darauf verzichtet, selbst nachdem ihnen mitgeteilt worden war, dass sie über Nacht in Haft bleiben würden. Es war denkbar, dass sie einfach nicht die Mittel hatten, oder vielleicht war ihnen nicht klar, dass sie einen Pflichtverteidiger verlangen konnten, doch Kincaid war nicht überzeugt, dass eine dieser Erklärungen auf Matthew Quinn zutraf.

»Wir haben vierundzwanzig Stunden«, erklärte er dem Team, als Simon Gikas zu ihnen stieß. »Weniger als vierundzwanzig Stunden«, korrigierte er sich nach einem Blick auf seine Uhr, »um uns etwas einfallen zu lassen, das uns erlaubt, sie länger festzuhalten. Ich will alles wissen, was es über Matthew Quinn zu wissen gibt. Und über die anderen.

Wir werden den Durchsuchungsbeschluss nicht vor morgen früh bekommen. Ich will, dass dann alle frisch und ausgeruht sind, also tun Sie heute Abend noch mal Ihr Bestes, aber sehen Sie zu, dass Sie auch ein bisschen Schlaf bekommen.« Er wandte sich Callery zu. »Wissen Sie etwas Neues von St. Pancras?«

»Die Züge fahren wieder. Aber der betreffende Bereich der Halle ist nach wie vor abgesperrt und wird so lange bewacht, bis die Spurensicherung auch das letzte Molekül in Augenschein genommen hat.« Callery deutete einen militärischen Gruß an. »Ich muss los. Habe noch einiges zu erledigen.« Er schlenderte zur Tür hinaus.

Kincaid zog eine Braue hoch, sagte aber nichts. Es war nach zehn Uhr. Der Bahnhof war fast fünf Stunden geschlossen gewesen. Die Folgen der Verspätungen, die sich nicht nur auf den Rest des Landes, sondern auch auf die Verbindungen zum europäischen Festland auswirken würden, könnten noch tagelang zu spüren sein.

An Simon gewandt sagte er: »Ich will, dass jemand die Aufnahmen der Überwachungskameras so weit wie notwendig zurückverfolgt. Das Opfer ist nicht aus dem Nichts aufgetaucht. Er muss irgendwo von einer Kamera erfasst worden sein, und ich will sein Gesicht sehen. Simon, können Sie das organisieren …«

»Chef«, unterbrach ihn Gikas. »Ich habe etwas sehr Merkwürdiges festgestellt. Die Leute haben alle behauptet, Ryan Marsh sei ein bekannter Aktivist gewesen, der schon mal bei Demonstrationen verhaftet wurde, nicht wahr? Tja, aber für einen Ryan Marsh sind keinerlei Festnahmen registriert. Und ich kann auch in den öffentlichen Datenbanken keinen Ryan Marsh finden, auf den die Beschreibung unseres Opfers zutreffen könnte.«

Nachdem Kincaid jedem im Team eine Aufgabe zugewiesen hatte, verließ er das Revier Holborn und stand eine Weile unschlüssig fröstelnd im Wind. Dieser Fall nahm immer absonderlichere Formen an, und er hätte sich zu gerne mit jemandem darüber ausgetauscht. Doch wenn er nach Hause käme, würde Gemma sicherlich schon schlafen – das hoffte er jedenfalls –, nachdem sie die Kinder ins Bett gebracht hatte.

Er hätte einen Wagen anfordern können, mit dem er zu dieser späten Stunde schneller zu Hause gewesen wäre als mit der U-Bahn, oder er könnte ein Taxi nehmen, aber auch diese Idee verwarf er gleich wieder. Er brauchte Zeit zum Nachdenken.

Sein Telefon klingelte. Eine unerwünschte Störung, es sei denn, es wäre Gemma oder jemand mit Neuigkeiten über Tam.

Doch ein Blick aufs Display verriet ihm, dass es Doug Cullen war – und plötzlich wusste er genau, was er jetzt brauchte.

»Wo bist du?«, fragte er, bevor Doug etwas sagen konnte.

»In der Euston Road. Ich komme gerade aus dem Krankenhaus.«

»Hör zu, es ist noch nicht zu spät, und du hast es nicht allzu weit. Nimm dir ein Taxi, und wir treffen uns in einem Pub in der Lamb's Conduit Street. Es heißt Perseverance.« Er legte auf, ohne Doug eine Chance zur Widerrede zu geben.

Es war nur eine kurze Strecke, und obwohl Kincaid zu Fuß ging, war er als Erster dort. Das Pub war an der Ecke Lamb's Conduit und Great Ormond Street. Es war ein einfaches, behagliches Lokal, das tagsüber oft von Ärzten und Pflegepersonal aus dem nahen Great Ormond Street Hospital bevölkert war, doch zu dieser späten Stunde an einem Mittwochabend war nicht viel los.

Kincaid hatte in der Zeit, seit er in Holborn arbeitete, Gefallen an dem Pub gefunden, wenngleich er festgestellt hatte, dass die meisten seiner Kollegen das Lamb bevorzugten, das ein Stück weiter die Straße entlang lag.

Und da er auch eine Vorliebe für das amerikanische Sierra-Nevada-Bier entwickelt hatte, das es hier vom Fass gab, bestellte er sich am Tresen ein Pint, während er auf Doug wartete. Und als sein Blick auf die Schiefertafel mit den Speisen fiel, wurde ihm schlagartig bewusst, dass er seit Stunden nichts mehr gegessen hatte und sein Magen knurrte.

»Bekomme ich noch was zu essen?«, fragte er die Barkeeperin, eine hübsche junge Frau, deren Namen er noch nicht in Erfahrung gebracht hatte.

»Tut mir leid, nach zehn gibt's nichts mehr. Die Küche hat geschlossen.« Er musste ganz verzweifelt dreingeschaut haben, denn nach einer Weile fügte sie hinzu: »Aber es ist noch ein bisschen Steak Pie übrig. Ich kann Ihnen eine Portion in die Mikrowelle schieben, aber Pommes gibt's keine.«

»Steak Pie klingt gut. Fantastisch sogar.« Er grinste sie an, und sie lächelte zurück.

»Okay. Bin gleich wieder da.«

Ein kalter Windstoß wehte durch das Lokal, und er hörte Doug Cullen sagen: »Lässt mal wieder deinen Charme spielen, wie?« Er trat zu Kincaid an den Tresen.

»Na, immerhin hab ich es geschafft, noch etwas zu essen zu bekommen.« Unbeeindruckt von Dougs Bemerkung klopfte Kincaid ihm so fest auf die Schulter, dass er zusammenzuckte.

»Was trinkst du?«, fragte Doug.

»Ale aus dem Wilden Westen Colorados. Ich geb dir eins aus, wenn die Bedienung zurückkommt.« Dabei nahm er einen großen Schluck.

Doug sah ihn an, als ob Duncan schon einen in der Krone hätte. »Amerikanisches Bier? Aber sonst geht's dir gut?«

»Bestens.« Kincaid tat das Thema mit einer Handbewegung ab. »Wie geht es Melody? Warst du bei ihr?«

»Sie ist … Ich hoffe, sie ist bald wieder auf dem Damm.« Die Lichtreflexe auf den Gläsern von Dougs goldgeränderter Brille verbargen seine Augen. »Sie behalten sie über Nacht da, um ihre Blut- und Sauerstoffwerte zu überwachen. Sie hat möglicherweise so viel von dem Scheißzeug eingeatmet, dass es sie vergiftet hat.«

»Verdammt.« Kincaids Anflug von guter Laune verpuffte gleich wieder. »Und Tam?«

»Andy ist auch aufgetaucht, als ich bei Melody war, er kam direkt von der Notaufnahme im Chelsea and Westminster, wo Tam liegt. Hört sich nicht gut an. Es ist nicht die Verbrennung selbst, es ist das Gift des weißen Phosphors, das seine Organe angreift.«

Die Barkeeperin kam mit einer dampfenden Portion Steak Pie und einer sorgfältig arrangierten Salatgarnitur aus der Küche zurück. »Keine Pommes, aber ich habe Ihnen einen kleinen Salat dazu gemacht.« Sie stellte ihm mit einer schwungvollen Bewegung den Teller hin.

»Wunderbar. Sie sind ein Engel.« Kincaid schenkte ihr noch ein Lächeln und deutete auf sein Glas. »Wie wär's, wenn Sie noch so eins für meinen Freund hier zapfen?« Während sie das Glas füllte, legte er das Geld für die Getränke und das Essen hin und deutete mit einem Nicken auf einen nahen Tisch.

Sie setzten sich einander gegenüber, zwischen sich eine flackernde Kerze. Kincaid hatte den Appetit verloren, aber er wusste, dass er etwas essen musste. Er betrachtete seinen Freund, während er wartete, dass die Pastete ein bisschen abkühlte. »Du humpelst.«

»Bin zu viel in der Kälte rumgelaufen. Ganz schlecht für den verdammten Knöchel.«

Kincaid wusste, dass Doug sich wie er darüber Gedanken machte, wohin er versetzt würde, wenn sein Knöchel endlich verheilt wäre.

Doug bestätigte seine Vermutung, indem er fragte: »Und wie ist dein neuer Sergeant?«

»Erstens ist er eine sie, und zweitens würde sie dich mit ihren Blicken töten, wenn sie hören würde, dass du sie als Sergeant bezeichnest.«

»Verzeihung. Deine neue *DI* also.«

Kincaid probierte seine Pastete. Sie war immer noch so heiß, dass er sich die Zunge verbrannte. Seufzend legte er die Gabel wieder hin und runzelte nachdenklich die Stirn. »Sie ist ein komischer Vogel, diese Jasmine Sidana. Heute bei den Vernehmungen war sie wirklich gut – absolut auf Draht. Und sie war nett zu Melody. Aber mich kann sie überhaupt nicht leiden.«

»Dann hat dein Charme also ausnahmsweise mal versagt.«

»Offensichtlich. Und wenn ich je eine zuverlässige rechte Hand nötig gehabt habe, dann in diesem Fall.«

Kincaid griff wieder nach seiner Gabel und aß langsam, während er Doug alles erzählte, was sie bisher über den Fall wussten. Er erwähnte auch die Zusammenarbeit mit dem SO15, vertreten durch DCI Nick Callery. Er schloss mit der Tatsache, dass das mutmaßliche Opfer, Ryan Marsh, in Wirklichkeit gar nicht polizeibekannt war, wo es doch gerade dieses Gerücht war, das ihm in der Gruppe so viel Glaubwürdigkeit verschafft hatte. Und dass der Fallmanager in den öffentlichen Datenbanken keine Person dieses Namens gefunden hatte, die mit der Beschreibung des Opfers übereinstimmte.

»Ein Deckname?«, mutmaßte Doug und kippte das letzte Drittel seines Biers hinunter. »Nicht übel, das Zeug«, fügte er hinzu, sein leeres Glas in der Hand wiegend.

Die Barkeeperin kam an ihren Tisch. »Letzte Bestellung, meine Herren. Darf's noch mal dasselbe sein?«

Kincaid überlegte, dass er ja nicht mit dem Auto unterwegs war, und wenn er ohnehin den ganzen Weg bis Notting Hill mit dem Taxi fahren musste, sollte es sich schließlich auch lohnen. »Warum nicht?«, sagte er. »Machen Sie uns noch zwei.« Als Doug protestieren wollte, fiel er ihm ins Wort. »Du kannst ruhig noch eins trinken. Du fährst mit deinem Hinkebein nicht mit der U-Bahn oder dem Nachtbus nach Hause. Du kannst auf Kosten der Met ein Taxi nehmen. Ich rechne es als Beratungskosten ab.« Er merkte, dass er nur halb im Scherz gesprochen hatte.

Die Gespräche mit Doug fehlten ihm. Doug fehlte ihm, Punktum – und er fragte sich, ob mit seinem Freund wirklich alles in Ordnung war. Doug wirkte abgemagert, sein Gesicht unter dem jungenhaften Blondhaar und der Harry-Potter-Brille abgespannt. Aber vielleicht war es nur die Sorge um Melody.

»Also«, fuhr er fort, als das zweite Bier vor ihnen stand, »ein Deckname – das ist eine Möglichkeit. Aber ich frage mich die ganze Zeit, warum ein angeblich so erfahrener Aktivist sich mit so einer popeligen kleinen Protestgruppe abgegeben haben soll. Nach allem, was wir in Erfahrung gebracht haben, war er einige Jahre älter als alle anderen, und die Gruppe hat noch nie irgendetwas Bemerkenswertes auf die Beine gestellt.«

»Vielleicht steckt mehr dahinter, als man auf den ersten Blick meint, obwohl sie mir nach einem ziemlich unorganisierten Haufen klingen«, meinte Doug. Die Kerze flackerte noch ein letztes Mal auf und erlosch, ein Rauchschleier stieg zwischen ihnen auf. »Oder vielleicht musste dieser Ryan Marsh untertauchen, und die Gruppe hat ihm die Gelegenheit dazu verschafft.« Doug trank noch einen Schluck Bier und nickte beifällig, bevor er sich wieder dem Thema zuwandte. »Aber was mir wirklich zu denken gibt, ist das Fehlen von Aufzeichnungen. Ich habe die letzten eineinhalb Monate mit dem Eingeben von Daten zugebracht, und ich kann dir sagen, dass es höchst selten vorkommt, dass jemand überhaupt nirgendwo in den öffentlichen Datenbanken auftaucht. Auch Decknamen werden in der Regel früher oder später vom System erfasst.«

Kincaid runzelte die Stirn. »Aber wie ist es dann möglich, dass dieser Kerl so vollkommen unsichtbar ist?«

Das Pub hatte sich jetzt geleert, nur die Barkeeperin war noch am anderen Ende des Tresens damit beschäftigt, saubere Gläser ins Regal zu stellen. Dennoch senkte Doug die Stimme und blickte sich im Lokal um, ehe er sagte: »Und wenn seine Daten bewusst gelöscht wurden?«

8

»Wir, einst betrauert, liegen jetzt
vermischt wie Menschen-Mus,
und eins zum andern ruft entsetzt:
Bin ich's, oder bist du's?«

Thomas Hardy, *Der eingeebnete Friedhof,* 1882

Das Getriebe von Jasmine Sidanas Honda-Limousine knirsch-
te, als sie auf dem Westway von einer Ampel losfuhr und hoch-
schaltete. In Shepherd's Bush angekommen, bog sie nach Süden ab und dann wieder nach Westen in Richtung Hounslow,
wo sie in einem großen freistehenden Haus mit ihren Eltern
und ihrer Großmutter lebte.

»Gehen Sie nach Hause und ruhen Sie sich ein bisschen
aus«, hatte Superintendent Kincaid gesagt, dann war er vollkommen unbekümmert aus der Einsatzzentrale geschlendert.
Als er an diesem Morgen übernächtigt und verspätet zum
Dienst erschienen war, hatte sie sich gefragt, ob er vielleicht
trank. Und am Abend dann hatte sie gesehen, wie er nach dem
Verlassen des Reviers schnurstracks auf das Pub zugegangen
war. Sie wusste, dass sich alle über sie lustig machten, weil sie
keinen Alkohol trank, aber sie machte wenigstens ihre Arbeit
ordentlich.

Wieder eine Ampel. Diesmal versuchte sie das Knirschen
auf ihre Zähne zu beschränken. »Gehen Sie nach Hause, ruhen Sie sich ein bisschen aus.« Was dachte er sich eigentlich

dabei? Wenn sie das Sagen hätte, hätten sie alle die Nacht durchgearbeitet. Sie hätte den Durchsuchungsbeschluss in die Tat umgesetzt, sobald er vorlag, ganz gleich, wie spät es war oder wie erschöpft sie waren.

»Arrogantes Arschloch«, sagte sie laut, und das Schimpfwort fühlte sich in ihrem Mund fremd an. »Arschloch«, wiederholte sie mit Nachdruck, und dann, weil's so schön war, noch einmal: »Blödes Arschloch.« Es war auf merkwürdige Weise befriedigend, aber es konnte ihre gerechte Entrüstung nicht dämpfen.

Er hatte alle wichtigen Vernehmungen an sich gerissen und ihr die anderen hingeworfen wie einen abgenagten Knochen.

Und dann die Art, wie er die andere Frau manipuliert hatte. Jasmine hatte deutlich gemerkt, wie er sich über Cam Chen lustig machte, mit ihrer bürgerlichen Herkunft und ihren ehrgeizigen, gut verdienenden Eltern.

Was musste er dann von ihr denken? Davon, dass ihre Eltern beide Ärzte waren und dass sie mit fünfunddreißig immer noch bei ihnen wohnte? Aber brave Punjabi-Töchter nahmen sich nun mal keine eigene Wohnung, selbst wenn sie sich das leisten konnten. Brave Punjabi-Töchter schlossen ihre Berufsausbildung ab und heirateten dann einen geeigneten Kandidaten. Nur dass Jasmine noch keinen gefunden hatte, der es wert schien, für ihn ihre Karriere aus dem Blick zu verlieren. Männer wollten immer nur über sich und ihre Leistungen reden, und Detective Superintendent Kincaid war da offensichtlich keine Ausnahme.

Sie fragte sich, was er wohl angestellt hatte, um diese Zurückstufung zu verdienen – vom Leiter des Morddezernats bei Scotland Yard zum Chef eines Bezirks-Sondereinsatzteams.

Und sollte er diesen Fall verbocken, dann würde sie schon

dafür sorgen, dass keine Zweifel daran aufkamen, wessen Schuld es war. Als sie in Hounslow ankam, summte sie bereits fröhlich vor sich hin.

Er war untergetaucht.

Wer achtete schon in so einer bitterkalten Londoner Nacht auf einen Allerweltstypen mit dunklem Kapuzenpulli und Rucksack auf dem Rücken?

Den Kopf gesenkt, die Kapuze weit nach vorne gezogen, verließ er ohne übertriebene Eile den Bahnhof St. Pancras International, bevor die Polizei begann, die Evakuierten abzuriegeln.

Und dann ging er immer weiter, durch Bloomsbury, Covent Garden, Soho, mischte sich unter die Menschenmengen, wann immer es ging. Auf keinen Fall würde er in einen Bus oder eine U-Bahn steigen – die Kameras, die gottverdammten Kameras waren überall.

Einmal zögerte er – in Holborn, wo er an die Wohnung dachte, die er in Hackney unter einem anderen Namen gemietet hatte. Es war eine ganz normale Wohnung in einer ganz normalen Siedlung, ein Unterschlupf, den er für sicher gehalten hatte. Doch jetzt wusste er, dass er sich nicht darauf verlassen konnte, dass er sich auf gar nichts verlassen konnte.

Was zum Teufel war dort passiert?

Er fröstelte – es war ebenso sehr der Schock wie die Kälte. Immer wieder schossen ihm die Bilder durch den Kopf, er wurde sie einfach nicht los.

Wenn sie ihn eliminieren wollten, warum sollten sie dann diesen Weg wählen? Es sei denn, sie hätten sich bewusst für Feuer entschieden, eine Art perverse Rache für das, was er zu tun versäumt hatte. Eine Woge der Übelkeit überkam ihn. Er wankte, und ein Passant wich ihm aus, wahrscheinlich hielt er ihn für betrunken. Nur ja nicht auffallen, Herrgott noch mal, das war das Letzte, was er jetzt gebrauchen konnte.

Er musste sich zusammennehmen, musste nachdenken.

Nach Hackney konnte er also nicht gehen.

Und nach Hause konnte er weiß Gott auch nicht. Bei dem Gedanken traten ihm die Tränen in die Augen. Als er sie wegwischte, war seine Faust mit Ruß verschmiert. Er kramte sein blaues Taschentuch hervor, spuckte darauf und rubbelte sein Gesicht ab. Ein schmutziges Gesicht war etwas, woran die Leute sich erinnerten.

Er ging weiter. Leicester Square. Piccadilly. Die Nebenstraßen von Westminster. Er verlor das Gefühl in den Füßen und Händen. Endlich, als er fand, es sei spät genug, überquerte er an der Vauxhall Bridge den Fluss. Er hatte ein Auto in einer Mietgarage südlich des Flusses stehen. Steuer und Versicherung waren bezahlt, die Prüfplakette aktuell, alles unter einem anderen Decknamen. Er war sehr, sehr vorsichtig gewesen, und dies war eine Sache, von der Uncle nichts wusste, so hoffte er wenigstens.

Als er die Garage erreichte, verharrte er fünf Minuten lang, beobachtete die Umgebung und lauschte aufmerksam. Er hörte das Trippeln einer Ratte und roch die feuchtkalte Luft, die vom Fluss herwehte, aber sonst war da nichts. Mit einem kleinen Seufzer der Erleichterung nahm er die Mini-Taschenlampe aus der Tasche und hielt sie zwischen den Zähnen, während er das Rolltor aufschloss.

Kein Aston Martin DB5 wartete auf ihn. Das Auto war ein zehn Jahre alter Ford Mondeo, dunkelblau, nichts Ausgefallenes, aber auch keine schrottreife Klapperkiste. Gewöhnlich. Der Wagen war mit einer dünnen Staubschicht bedeckt, und bei diesem Wetter wäre er im Nu mit Spritzwasser verdreckt, was alles zur Tarnung beitrug.

Zuerst überprüfte er die Notvorräte im Kofferraum. Dosen- und Trockennahrung. Wasser. Eine Überlebensausrüstung. Eine Walther 9 mm mit Munition. Und in einer kleinen Reißverschlusstasche: Bargeld. Geld, das nicht zu ihm zurückverfolgt werden konnte. Das musste reichen.

Der Mondeo sprang beim ersten Versuch an – er hatte die bes-

te Batterie eingebaut, die es zu kaufen gab. Der Tank war voll, der *Reifendruck perfekt.*

Es gab keinen Grund mehr, die Sache hinauszuschieben. Dennoch blieb er, nachdem er aus der Garage gefahren war und das Tor hinter sich wieder verschlossen hatte, noch eine Weile bei laufendem Motor im Wagen sitzen.

Er brauchte Zeit zum Nachdenken, um genau zu rekonstruieren, was passiert und wer dafür verantwortlich war. Erst dann konnte er hoffen, sich selbst und seine Familie zu schützen. Und es gab nur einen Ort, an dem er sich lange genug sicher fühlen konnte, um das zu tun.

Er legte den Gang ein und fuhr nach Westen.

Gemma erwachte und war sich nicht sicher, ob es ein Traum oder ein reales Geräusch war, was sie aus dem Schlaf gerissen hatte. Etwas Schweres, Warmes lag an ihre Seite geschmiegt, und sie brauchte einen Moment, um zu merken, dass es nicht Duncan war, sondern Geordie. Der Cockerspaniel hatte Duncans Abwesenheit ausgenutzt und war von seinem gewohnten Platz am Fußende des Betts nach oben gekrochen, um es sich neben ihr bequem zu machen.

Das Licht, das im Bad nebenan brannte, verbreitete einen schwachen Schein, der gerade eben die vertrauten Umrisse der Möbel erkennen ließ. Die Digitaluhr auf Duncans Nachttisch zeigte 1:15 Uhr.

Jetzt war sie hellwach. Sie setzte sich auf und lauschte aufmerksam. Hatte sie eben Duncan nach Hause kommen gehört? Oder hatte Charlotte gehustet?

Lautlos stieg sie aus dem Bett und zog ihren Bademantel an. Geordie schnarchte seelenruhig weiter, während sie aus dem Schlafzimmer schlich und auf Zehenspitzen in den ersten Stock hinunterging. Die Zimmer der Kinder waren dunkel. Gemma konnte Charlottes leicht rasselnden Atem durch die offene Tür hören, aber wenigstens hustete sie nicht mehr, die Ärmste.

Tess schlief sicher bei den Jungs und hoffentlich ebenso tief und fest wie Geordie. Das fehlte noch, dass die Hunde mit ihrem Gebell mitten in der Nacht die ganze Nachbarschaft aufweckten.

Gemma wusste, dass manche von Kits Schulkameraden ihn schon damit aufzogen, dass er sich mit seinem kleinen Bruder ein Zimmer teilte. Aber Gemma hatte mit ihrer Schwester in einem Zimmer geschlafen, bis sie von zu Hause ausgezogen war, und die selbstverständliche Annahme von Mittelschicht-Familien, dass jedes Kind ein Recht auf sein eigenes Zimmer hatte, konnte sie noch nie nachvollziehen. Zum Glück schien es Kit nichts auszumachen, solange Toby nur die Finger von seinen Sachen ließ.

Sie nahm an, dass sie sich mit ihrem und Duncans Gehalt durchaus eine nette Doppelhaushälfte mit vier Schlafzimmern irgendwo in einem Vorort leisten könnten, aber sie war nicht bereit, für ein zusätzliches Schlafzimmer dieses Haus aufzugeben. Immer vorausgesetzt, dass sie überhaupt die Wahl hatte.

Die Sorge, die sie schon seit Wochen beschäftigte, brach mit erneuter Wucht über sie herein. Duncan hatte noch nichts von Denis Childs gehört, es hatte auch keine Nachrichten von Denis' Schwester Liz aus Singapur gegeben, und sie hatten immer noch nicht in Erfahrung gebracht, ob Liz in einen Unfall verwickelt gewesen war. Von den fünf Jahren, über die sie den Mietvertrag mit Liz und deren Mann abgeschlossen hatten, war noch nicht die Hälfte verstrichen, aber wenn Liz etwas zugestoßen war …

Gemma konnte den Gedanken nicht ertragen, dieses Haus zu verlieren. Es kam ihr vor, als wäre ihr Herz untrennbar damit verwoben. Das Haus war ein Spiegel all dessen, was sich in ihrem Leben verändert hatte, seit sie hier eingezogen waren. Sie hatte ein Kind verloren, ein anderes war ihr geschenkt worden. Dann die Ehe, die sie nicht geplant hatte und ohne die sie sich ihr Leben inzwischen nicht mehr vorstellen konnte. Neue berufliche Herausforderungen für sie und Duncan und eine Zukunft, die ungewiss schien. Unerwartete Krankheitsfälle – ihre Mutter, dann Louise und jetzt Tams schwere Verletzung. Das Haus war zu ihrer Festung, ihrem Rettungsanker geworden.

Gemma schüttelte den Kopf und stieg leise die Stufen zum Erdgeschoss hinunter. Sorge dich nicht vor der Zeit, hätte ihre Mutter gesagt. Und sie hatten weiß Gott schon genug Sorgen, mit Tam *und* Melody im Krankenhaus.

Unten war auch alles still. Doch im Schein der Dielenlampe sah sie Duncans Mantel am Haken neben der Tür hängen. Er war also zu Hause. Wieso war er dann nicht ins Bett gekommen?

Sie warf einen Blick ins Wohnzimmer – vielleicht hatte er sich ja auf dem Sofa ausgestreckt, um sie nicht zu wecken. Aber auf dem Sofa lag nur Sid, der sie mit seinen grünen Augen schläfrig anblinzelte und sich noch enger zusammenrollte.

Sie ging zur Terrassentür und fand sie verschlossen; allerdings konnte sie sich auch nicht vorstellen, warum Duncan um diese nachtschlafende Zeit in den Garten gehen sollte.

Und dann, als sie gerade in der Küche nachschauen wollte, sah sie den Lichtstreifen unter der Tür des Arbeitszimmers. Sie hatte die Schreibtischlampe mit dem grünen Schirm brennen lassen, für den Fall, dass sie nach der geretteten Katze sehen müsste. Vorsichtig öffnete sie die Tür, schlüpfte hinein und zog sie hinter sich wieder zu.

Ihr Mann lag auf der Seite am Boden, gleich neben dem

Karton mit der Katzenmutter und ihren Jungen. Er trug noch immer seinen guten grauen Anzug und die Schnürschuhe. Seine Bartstoppeln schimmerten im Lampenschein, und sie sah, wie sich sein Brustkorb hob und senkte. Er schlief fest.

Doch das Geräusch, das den Raum füllte, war nicht sein Atmen, sondern das tiefe, gleichmäßige Schnurren der Katze.

9

*Man muss zugeben, dass St. Pancras sich um die Mitte
des 19. Jahrhunderts nicht gerade als Standort für den
Neubau eines Bahnhofs anbot.*

bbc.co.uk/London/St. Pancras

Gemma weckte ihn mit einer leichten Berührung an der
Schulter. Als er erschrocken hochfuhr, musste sie sich zusammennehmen, um nicht zu lachen. »Willst du es dir nicht ein
bisschen bequemer machen?«, meinte sie.

»Ich wollte gar nicht einschlafen.« Kincaid wirkte desori-
entiert und hatte eine leichte Bierfahne. Er deutete auf die
Katze. »Aber sie schien sich so zu freuen, dass ich ihr Gesellschaft leiste.«

Gemma kniete sich neben ihn und streichelte die Katzenmutter an der schneeweißen Stelle unterm Kinn. »Sie ist
wirklich süß, nicht wahr?« Die schlafenden Kätzchen hatten
sich zu einem unentwirrbaren Pelzknäuel zusammengeku-
schelt. »Ich mag mir gar nicht vorstellen, was passiert wäre,
wenn die Jungs sie nicht gefunden hätten.«

»Aber der Schuppen ist doch immer verschlossen – ah, verstehe.« Er fuhr sich mit der Hand durchs Haar und wirkte
schon ein wenig wacher. »Jetzt haben sie die Liste ihrer Hel-
dentaten also noch um einen Einbruch bereichert, stimmt's?«

»Und dabei wirklich saubere Arbeit geleistet«, bestätigte
Gemma. »Für dieses Mal sollen sie noch ungeschoren da-

125

vonkommen, aber auf jeden Fall müssen sie sich beim Gärtner entschuldigen und ihm helfen, das Vorhängeschloss auszutauschen.«

»Was machen wir denn nun mit den kleinen Biestern? Ich meine die Katzen, nicht die Jungs«, fügte Kincaid grinsend hinzu.

»Bryony hat gesagt, sie könnte uns helfen, sie unterzubringen.«

»Das dürfte den Kleinen ganz und gar nicht gefallen.«

»Sie sind ganz vernarrt in die Kätzchen«, gab Gemma zu. »Aber ich habe nicht die Absicht, so eine verrückte Katzenlady mit sechs Stubentigern im Haus zu werden.« Warum, so fragte sie sich, waren es eigentlich immer »verrückte Katzenladys« und nie »verrückte Katzenmänner«? Waren Männer immun gegen das Katzensammler-Syndrom?

»Ich finde, das würde dir gar nicht so schlecht stehen.«

Gemma boxte ihn in die Schulter. »Nie-*mals*.« Dann zögerte sie und fügte hinzu: »Aber vielleicht könnten wir …« Sie schüttelte den Kopf. Das war der reine Wahnsinn. »Nein«, fuhr sie mit fester Stimme fort, »es ist noch zu früh, darüber nachzudenken. Aber fürs Erste sind wir wohl oder übel ihre Adoptiveltern. Bryony hat versprochen, dass sie morgen noch mal vorbeischaut und unsere Mama hier nach einem Chip abscannt.«

»Bryony war hier?«, fragte Kincaid.

»Bryony und Wes haben bei der großen Rettungsaktion mitgewirkt. Und Wes hat uns etwas von Ottos Bœuf Stroganoff mitgebracht. Hast du Hunger?«

»Ich habe in dem Pub bei uns um die Ecke was gegessen. Ich hab mich da mit Doug auf ein Glas Bier getroffen – er kam gerade von Melody. Er sagte, sie würden sie über Nacht dabehalten.«

»Ich weiß.« Gemma fröstelte. »Sie hat mich angerufen. Sie hat mir auch erzählt, was Andy über Tam gesagt hat. Wie furchtbar, dass es gerade Tam erwischt hat. Und ich will mir gar nicht erst vorstellen, was Melody oder Andy hätte zustoßen können. Habt ihr schon einen Verdacht, wer es gewesen sein könnte oder was das Motiv war?«

»Ist noch zu früh.« Sein Ton verriet ihr, dass er nicht in der Stimmung war, über den Fall zu reden.

»Na, dann komm mit ins Bett.«

»Das klingt doch wesentlich verlockender als eine Nacht im Katzenzimmer.« Er stand auf, streckte sich und ergriff dann ihre Hand, um sie hochzuziehen. »Aber zuerst will ich noch bei den Kindern reinschauen.«

Da wusste sie, dass es diesmal besonders schlimm gewesen sein musste.

Trotz der kurzen Nacht war Kincaid am nächsten Morgen vor acht im Büro. Simon Gikas tauchte auch bald auf und schwenkte den Durchsuchungsbeschluss.

»Ich habe einen Schlosser organisiert«, sagte er. »Wie wollen Sie die Sache angehen, Chef? Wie soll das Suchteam wissen, was wem gehört – falls die Leute nicht so freundlich waren, ihre Habseligkeiten mit großen Namensschildern zu versehen?«

Jasmine Sidana kam in die Einsatzzentrale. Sie wirkte ein wenig gehetzt, und Kincaid hätte schwören können, dass sie nicht begeistert war, ihn schon so früh hier anzutreffen.

Kincaid hatte bereits auf dem Weg in die Arbeit über die Frage nachgedacht, die Gikas gerade gestellt hatte. Er hatte heute Morgen das Auto genommen, weil er sich bei den anstehenden Terminen nicht auf die U-Bahn verlassen wollte. »DI Sidana, guten Morgen.« Er schenkte ihr sein strahlendstes

Lächeln. »Ich möchte, dass Sie sich, während die Suchaktion läuft, mit einem Mitglied der Gruppe in einen Vernehmungsraum setzen. Cam wäre wohl die beste Wahl, denke ich. Simon und die Kollegen von der Spurensicherung sollen Ihnen Digitalfotos schicken, und Sie lassen sich dann parallel zur Durchsuchung von Cam die Gegenstände identifizieren.«

»Aber …«

»Ich weiß, es ist keine todsichere Methode, aber ich will nicht, dass einer von ihnen in die Wohnung zurückkehrt, ehe wir sie durchsucht haben.«

»Ich meinte, dass ich davon ausgegangen war, dass ich die Suchaktion leite.« Ihre Miene war verbissen, und sie wippte ungeduldig auf den Fußballen. Er fürchtete fast, dass sie gleich hier vor allen Kollegen handgreiflich werden würde. War sie bei seinem Vorgänger auch so widerspenstig gewesen? Und wenn ja, hatte er es ihr durchgehen lassen?

Er war jedoch entschlossen, dem einen Riegel vorzuschieben. Immer noch mit freundlicher Miene erwiderte er: »Und *ich* finde, dass Sie sich nützlicher machen können, indem Sie eine Zeugin vernehmen.« Er wandte sich wieder zu Gikas um. »Haben Sie was von DCI Callery gehört?«

»Er wird sich mit Ihnen an der Wohnung treffen«, antwortete Gikas mit einem argwöhnischen Seitenblick zu Sidana.

»Was ist mit den Aufnahmen der Überwachungskameras?«

»Wir haben ein Dutzend Personen gefunden, auf die Ryan Marshs Beschreibung passen könnte. Aber ich schätze, wenn wir mit allen Videos durch sind, werden wir mindestens noch mal ein Dutzend haben, die man so beschreiben könnte: ›männlich, kurzes braunes Haar, blaue Augen, mittelgroß, durchschnittliche Statur, Jeans, Rucksack und dunkles Kapuzenshirt.‹ Und wir haben kein Foto von Marsh, das wir für eine Gesichtserkennung benutzen könnten.«

»Zeigen Sie alles Cam«, wies Kincaid Sidana an. »Wenn sie ihn nicht identifizieren kann, lassen Sie auch die anderen einen Blick darauf werfen. Wenn wir einen Treffer haben, schicken Sie mir das Bild. Sweeney kann Ihnen helfen, sobald er kommt.« Er wandte sich wieder an Gikas. »Hatten Sie inzwischen mehr Glück bei der Recherche zu dem geheimnisvollen Mr Marsh?«

Gikas schüttelte den Kopf. »Wir haben noch ein paar weitere Ryan Marshs gefunden. Aber von denen wird keiner vermisst, die Beschreibung passt auch bei keinem, und sie sind allesamt nicht verdächtig, ein Doppelleben als Aktivisten zu führen.«

Bevor sie am Abend zuvor das Pub verlassen hatten, hatte Kincaid Doug gebeten, ein paar inoffizielle Nachforschungen anzustellen. Vielleicht war er ja nach den Ereignissen des vergangenen Herbstes in Henley und seiner Versetzung, für die es immer noch keine Erklärung gab, ein wenig paranoid, aber diese ganze Geschichte mit einem Opfer, über das sich keinerlei Aufzeichnungen finden ließen, machte ihn verdammt nervös, und er war nicht bereit, vor Gikas und den übrigen Mitarbeitern irgendwelche Mutmaßungen anzustellen.

»Na schön«, sagte er an Gikas gewandt. »Simon, könnten Sie in Vernehmungsraum A einen Monitor aufstellen? Und Jasmine, wenn Sie Cam als Erstes die Überwachungsvideos zeigen könnten. Wir schicken dann die Fotos aus der Wohnung, sobald wir sie haben.«

Er hatte ohne nachzudenken ihren Vornamen benutzt, doch sie beschäftigte sich demonstrativ mit dem Aufräumen ihres Schreibtischs und gab keine Antwort.

Das war einfach albern, dachte er. Aber auch wenn sie sich wie ein Kind benahm, würde er sie nicht wie eines behandeln. Er musste davon ausgehen, dass sie ihren Job machte, und er würde sich jetzt auf seinen eigenen konzentrieren. Er nahm seinen Mantel vom Haken und ging zur Tür.

Im kalten grauen Morgenlicht sah das Haus in der Caledonian Road noch weniger einladend aus als zuvor. Der Eisregen hatte aufgehört, was Kincaid dankbar registrierte, aber der sibirische Wind wehte noch immer, als ob er seine ganze Kraft auf London konzentriert hätte.

Nick Callery wartete schon, er stampfte mit den Füßen und trank Kaffee aus einem Styroporbecher. Hinter ihm standen der uniformierte Constable, der über Nacht vor der Wohnung postiert gewesen war, sowie ein Mann in einem dicken Parka mit schütterem Haar und einem Metallkoffer in der Hand.

»Die Hähnchenbude hat schon auf«, begrüßte Callery ihn. Er hielt seinen Becher hoch. »Der Kaffee wird Sie nicht umbringen, und wenigstens ist er heiß. Das ist Mel.« Er deutete mit einem Nicken auf den anderen Mann.

»Der Schlosser«, sagte Mel. »Sehr erfreut.«

Kincaid zog seine Handschuhe aus, um ihm die Hand zu schütteln. »Kann ich Ihnen auch einen Kaffee mitbringen? Ich nehme an, wir warten noch auf die Spurensicherung.«

»Ist angeblich unterwegs«, antwortete Callery.

Nachdem Mel den angebotenen Kaffee akzeptiert hatte, betrat Kincaid das Schnellrestaurant. Schon zu dieser frühen Stunde war der Laden von einem Geruch nach heißem Fett erfüllt, der ihm die Kehle zuschnürte. Was für einen Magen musste man haben, um Brathähnchen zum Frühstück zu essen?

Doch dann warf er einen Blick auf die Speisekarte und sah, dass es auch Sandwiches mit Speck und Ei gab. Und Pommes frites dazu. Das erinnerte ihn daran, dass er auf das Frühstück verzichtet und es Gemma überlassen hatte, die Kinder zu versorgen und in die Schule zu schicken.

Der arabisch aussehende Mann mittleren Alters hinter dem Tresen trug einen Bauch vor sich her, der darauf hindeutete, dass er sein kulinarisches Angebot selbst nicht verschmähte. Doch die Schürze, die sich über seine umfangreiche Leibesmitte spannte, war sauber wie auch der Tresen und das, was Kincaid von der Küche sehen konnte. »Ich hätte gerne ein Sandwich mit Speck und Ei, ohne Pommes frites. Und zwei Becher Kaffee.«

»Ich bereite den Speck und die Eier frisch zu«, sagte der Mann. »Wenn es Ihnen nichts ausmacht, einen Moment zu warten?«

Kincaid sah, dass hinter dem Tresen eine Grillplatte stand. »Kein Problem.«

Der Mann, in dem Kincaid den Eigentümer vermutete, legte zwei Scheiben Frühstücksspeck auf die heiße Oberfläche, schlug ein Ei auf und schnitt dann ein Brötchen in zwei Hälften, die er dazulegte. Anschließend füllte er zwei Styroporbecher mit Kaffee und verschloss sie mit Plastikdeckeln. »Milch und Zucker sind dort drüben.« Er wies auf eine Seitentheke, während er Kincaid die Becher reichte.

Kincaid nahm seinen Kaffee ohne alles. Er hatte Mel nicht gefragt, aber der Schlosser könnte ja selbst hineingehen und sich nehmen, was er brauchte. »Danke«, sagte er und nahm die Becher. »Bin gleich wieder da.«

Er ging hinaus und gab Mel seinen Kaffee. Der Schlosser nippte vorsichtig daran, dann zog er überrascht die Augenbrauen hoch. »Nicht übel.«

»Drin gibt's Milch und Zucker.«

Mel schüttelte den Kopf. »Ich trinke ihn am liebsten schwarz wie die Nacht.«

»Mag sonst noch jemand ein Speck-Ei-Sandwich?«

Mel und Callery lehnten ab, und Kincaid ging wieder hinein. Von der Spurensicherung war noch nichts zu sehen, und er war froh, der Kälte zu entfliehen.

»Guter Kaffee«, sagte er zu dem Inhaber.

»Wo ich herkomme, kennen wir uns mit Kaffee aus«, sagte der Mann, während er geschickt den Speck und die Eier wendete.

»Und das wäre wo?«

»Marokko. Aber ich bin schon seit dreißig Jahren in London, und diesen Laden habe ich seit zehn Jahren.«

»Wissen Sie irgendetwas über diese WG im zweiten Stock?«, fragte Kincaid.

Der Mann sah ihn durchdringend an. »Sind Sie Polizist?«

Kincaid nickte. »Detective.«

»Ich hatte mich schon gefragt, was das gestern Abend für ein Trubel war, und als ich dann heute früh hier ankam, stand ein Polizist vor der Tür. Ich hab ihm heimlich einen Kaffee in die Hand gedrückt, als ich aufgemacht habe«, fügte er augenzwinkernd hinzu, dann sagte er: »Sind eigentlich ganz ruhige Leute. Was haben sie denn ausgefressen?«

»Das wissen wir noch nicht so genau. Gehört Ihnen dieses Haus?«, fragte Kincaid und nahm das eingepackte Sandwich.

»Mir? Nein. Es gehört einer Immobiliengesellschaft. KCD Inc., das steht für King's Cross Development, und das heißt, wenn dieses Gebäude der Abrissbirne zum Opfer fällt, muss ich mir was Neues suchen. Oder in Rente gehen.«

Eine Immobiliengesellschaft? Interessant. Kincaid tippte eine Notiz in sein Handy, bevor er sein Sandwich auswickelte. Er biss hinein und nuschelte mit vollem Mund: »Mhm, köstlich.« Das Ei und der Speck waren auf den Punkt gebraten.

»Danke.« Der Inhaber wischte sich die Hände an seiner Schürze ab und streckte die rechte über den Tresen aus. »Ich heiße Medhi. Medhi Atias.«

Kincaid stellte seinen Kaffee ab und schüttelte Atias die Hand. »Duncan Kincaid. Dieses Haus soll also den Sanierungsmaßnahmen weichen?«

»Sollte es schon vor Jahren. Aber die Arbeiten in King's Cross sind nicht so schnell vorangegangen, wie die Planer sich das vorgestellt hatten. Ganz in meinem Sinne – hier gibt's nicht viel Konkurrenz, und die Firmen, die sich in dem Viertel angesiedelt haben, bringen mir Kundschaft. Es gibt das Driver für gehobene Ansprüche, aber nicht so viele Lokale, die einfaches, aber anständiges Essen servieren.«

»Mehr als anständig, wenn Sie mich fragen.« Kincaid hatte sich wie ein Verhungernder über sein Sandwich hergemacht. Nun schob er sich den letzten Bissen in den Mund und fischte eine Visitenkarte aus seinem Geldbeutel. »Ich nehme an, dass wir noch eine Weile in der Wohnung oben ein und aus gehen werden.« Durch das Fenster konnte er sehen, wie der Transporter der Spurensicherung vorfuhr. »Ich hoffe, wir verderben Ihnen nicht das Geschäft. Falls Ihnen doch noch irgendetwas Ungewöhnliches einfällt, das Sie da oben beobachtet haben, können Sie mich jederzeit anrufen.«

Atias nahm die Karte, las sie und bekam ganz große Augen. »Sie haben gar nicht gesagt, dass Sie Detective Superintendent sind.« Sein Ton war plötzlich argwöhnisch. »Ich hoffe, es ist nichts Schlimmes passiert da oben.«

»Nicht da oben«, antwortete Kincaid unverbindlich. »Soweit wir wissen.«

Als die Kriminaltechniker aus ihrem Transporter stiegen, erkannte Kincaid das Team wieder, das gestern Abend den Tatort im Bahnhof untersucht hatte. »Haben Sie die ganze Nacht durchgearbeitet?«, fragte er, als die Männer zu ihnen traten.

»Wir sind gerade fertig geworden«, antwortete der mit dem

rotblonden Bart. Scott, so hatte er sich vorgestellt. »Aber da wir schon mal in der Gegend waren und weit und breit kein anderes Team verfügbar war, haben wir gesagt, wir übernehmen das hier auch noch.« Er wirkte müde, genau wie sein Kollege, der größer, dünner und glatt rasiert war.

»Scott – ist das Ihr Vor- oder Nachname?«, fragte Kincaid.

»Letzteres. Mit Vornamen heiße ich Arthur, da werden Sie verstehen, dass ich ›Scott‹ vorziehe. Das ist Chad Mills.« Scott deutete auf seinen Kollegen. »Was haben Sie hier für uns? Steht es im Zusammenhang mit dem armen Kerl drüben im Bahnhof?«

Kincaid erläuterte, was sie bisher in Erfahrung gebracht hatten und wie er bei der Tatortsicherung vorgehen wollte, während Mel, der Schlosser, sich am Haustürschloss zu schaffen machte.

Nach wenigen Sekunden hatte er es geknackt und schüttelte den Kopf. »Was manche Leute so für Vorstellungen von Sicherheit haben«, murmelte er. Kincaid, Callery und die zwei Kriminaltechniker folgten ihm nach oben und warteten im ersten Stock, während er sich die Wohnungstür vornahm. Sein abschätziges *Ts-ts* war noch eine Treppe tiefer zu hören. »Bitte sehr, die Herren«, sagte er, als sie in den zweiten Stock hinaufstiegen. »Die Tür hat ein Schnappschloss, also passen Sie auf, dass Sie sich nicht aussperren.« Er drückte Kincaid eine Karte in die Hand. »Rufen Sie einfach an, falls Sie noch irgendwas brauchen.«

In der Wohnung war es eiskalt, und im grauen Licht, das durch die schmutzigen Straßenfenster einfiel, wirkte sie längst nicht mehr so ansprechend wie noch am Abend zuvor.

Kincaid und Callery zogen Latexhandschuhe an und schlüpften in Überschuhe aus Papier, während die Kriminaltechniker die volle Schutzausrüstung anlegten. »Wir waren gestern Abend schon in der Wohnung«, erklärte Kincaid. Er und Callery blieben an der Tür stehen und sahen sich um, während Scott und Chad Mills ihren Spurensicherungskoffer öffneten und ihre digitalen Spiegelreflexkameras einschalteten.

Kincaid sah die Schlafsäcke, die ihm schon am Abend zuvor aufgefallen waren. Jemand hatte sie unter das Sofa gestopft, und ein paar weitere lagen zusammengefaltet in einer anderen Ecke des Wohnzimmers. An der Wand standen auch mehrere Reisetaschen und Einkaufsbeutel aus grobem Stoff. Ein aufgeklappter Laptop stand auf dem Couchtisch, daneben lag ein Stapel Zeitungen und Zeitschriften, alles dem Anschein nach ganz normale Publikationen. Verschiedene Oberbekleidungsstücke hingen an Garderobenhaken, die ihm zuvor nicht aufgefallen waren. Sofa und Couchtisch standen auf einem zerschlissenen Teppich, aber im restlichen Zimmer lagen die stark abgenutzten und zerkratzten Holzdielen blank.

Außer in der Küchenecke gab es keinerlei Schränke, was die Durchsuchung wesentlich erleichterte. Das einzige Problem war herauszufinden, was wem gehörte.

»Ich kann Ihre Identifizierungsfotos mit meiner Handykamera schießen«, erbot sich Scott. »Dann müssen Sie nicht auf die Datenübertragung warten. Sie brauchen ja wohl nicht die Detailgenauigkeit, die man mit der Spiegelreflex bekommt. Wie viele Personen wohnen hier?«

»Sechs, nehmen wir an«, antwortete Kincaid. »Plus das Opfer. Da wir ihn noch nicht zweifelsfrei identifiziert haben, hoffen wir, hier etwas zu finden, was uns dabei hilft.«

Er fragte sich, wie die WG-Bewohner darüber entschieden, wer wo schlief, ob es Paare gab, die zusammen schliefen, ob irgendjemand das Schlafzimmer mit Matthew teilte und wie sie mit dem einen Bad zurechtkamen. Der Gedanke an die

Kämpfe, die er mit seiner Schwester um die Badbenutzung ausgefochten hatte, als sie beide Teenager waren, entlockte ihm ein Lächeln. Callery sah ihn fragend an.

»Finden Sie irgendwas komisch?«, fragte er.

Kincaid schüttelte den Kopf. »Ich habe mich nur gefragt, wie so viele Leute es geschafft haben, auf diesem beschränkten Raum zu leben, ohne sich gegenseitig umzubringen.«

»Wer sagt, dass sie das nicht getan haben?« Callery ging zum Couchtisch und berührte den Laptop mit einer behandschuhten Fingerspitze. Auf dem Bildschirm erschien die Kennwortabfrage. »Ein Fall für die Fachleute.« Er zuckte mit den Achseln. Sie hatten auch nicht damit gerechnet, so einfach Zugang zu erhalten. »Schauen wir sicherheitshalber nach, ob sie da im Nebenzimmer keine Bombenfabrik haben, okay?«

Jasmine Sidana saß in Vernehmungsraum A gegenüber von Cam Chen, die nach ihrer Nacht im Gewahrsamstrakt deutlich mitgenommen aussah.

Jasmine wischte sich ein verirrtes Haar von der frisch gestärkten weißen Bluse und strich ihren Rock glatt, dann richtete sie den Blick auf den Computerbildschirm, der so aufgestellt war, dass sie ihn beide sehen konnten.

Nachdem sie das Aufzeichnungsgerät eingeschaltet, die Anwesenden identifiziert sowie Zeit und Datum genannt hatte, sagte sie: »Cam, verstehen Sie, was wir hier vorhaben? Wir haben da verschiedene Digitalfotos, und Sie müssen uns etwas zu den Gegenständen in der Wohnung sagen. Wir müssen klären, was davon Ryan Marsh gehörte.«

Cam starrte sie an. »Ich kann Ihnen alles sagen, was Sie wissen wollen. Wir besitzen alle nicht viel – Matthew lässt das nicht zu. Aber ich kann Ihnen nicht sagen, welche Sachen Ryan gehören.«

»Warum nicht?« Jasmine fragte sich, ob die junge Frau aus einem verbohrten und fehlgeleiteten Verständnis von Loyalität handelte.

»Weil Ryan nie irgendetwas in der Wohnung zurückgelassen hat«, sagte Cam. »Nicht mal seine Zahnbürste.«

Im Schlafzimmer der Wohnung hatten sie nichts gefunden bis auf das Doppelbett – in dem Matthew, wie Kincaid vermutete, diagonal schlafen musste, um hineinzupassen –, einen Kleiderschrank, eine ramponierte Kommode und diverse Kleidungsstücke, die nach der Größe zu schließen offensichtlich Quinn gehörten. Das angrenzende Bad hatte auch nicht mehr zu bieten: Eine Flasche Shampoo und eine mit Duschgel standen auf dem Rand der sauber geputzten Badewanne. Im Spiegelschrank fanden sich Zahnbürste, Zahnpasta und Rasierzeug, wiederum alles offenbar von einer einzigen Person, vermutlich Quinn, dazu diverse frei verkäufliche Medikamente, Pflaster und eine Pinzette.

Falls sich irgendwo Spuren von weißem Phosphor oder anderen Sprengstoffen befanden, wäre es an den Kriminaltechnikern, sie zu identifizieren.

»Wenn er tatsächlich Bomben bastelt oder Terroristen Unterschlupf gewährt, dann wohl kaum hier«, meinte Callery. Bald darauf verzog er sich und begann schon im Gehen in sein Mobiltelefon zu sprechen.

Kincaid nahm einen Anruf von Simon Gikas an, der weitergab, was Cam Sidana gesagt hatte. Nachdem er das Gespräch beendet hatte, stand Kincaid noch eine Weile da und überlegte, während er zusah, wie die Kriminaltechniker systematisch Fotos machten und Faserspuren sicherten.

Matthew Quinn entpuppte sich mehr und mehr als ein kleiner Despot, der die anderen im wahrsten Sinne des Wortes in seiner Wohnung kampieren ließ, abhängig von seiner Wohltätigkeit. Warum? Und warum hatte Ryan Marsh sich das gefallen lassen? Und wer hatte eine Phosphorgranate in diese scheinbar harmlose Gruppe eingeschmuggelt, die kaum mehr als amateurhafte Protestaktionen zustande zu bringen schien?

Als sein Telefon klingelte, meldete er sich sofort. Er hatte mit Gikas gerechnet, doch es war Rashid Kaleem, der aus der Leichenhalle des Royal London Hospital anrief.

»Ich denke, Sie sollten mal vorbeikommen und sich unser Opfer anschauen«, sagte Rashid.

Am Morgen musste Melody noch allerlei Untersuchungen über sich ergehen lassen. Nachdem man ihr Blut abgenommen und ihre Sauerstoffwerte überprüft hatte, wurde sie kurz vor zehn endlich entlassen. Sie hatte gerade den scheußlichen Krankenhauskittel, den sie ihr im Zimmer gegeben hatten, gegen ihre eigenen Kleider getauscht, als es an der Tür klopfte.

Andy steckte den Kopf herein und trat dann sichtlich erleichtert ins Zimmer. »Oh, gut, du bist präsentabel.«

»Würde es dich stören, wenn ich es nicht wäre?«, fragte sie und warf ihm einen belustigten Blick zu, während sie an einem Schmutzfleck an ihrem Pullover rubbelte. Bildete sie sich das nur ein, oder hing in ihren Kleidern der Geruch von Feuer und verbranntem Fleisch?

»Natürlich nicht. Es ist nur …« Er deutete auf die Krankenhausutensilien, die ihr Bett umgaben. »Ich wollte nicht …«

»Ich weiß.« Melody betrachtete ihn. Auch er trug noch dieselben Kleider wie gestern, einschließlich der himmelblauen Strickjacke unter seiner Caban-Jacke. Er wirkte müde und abgespannt, die Haut unter seinen Augen hatte einen bläulichen Schimmer. »Hast du überhaupt geschlafen?«, fragte sie.

»Hab mich in der Wohnung von Tam und Michael ein bisschen aufs Sofa gehauen. Die Hunde haben sich gefreut, mich zu sehen.«

Melody sank auf die Kante des Krankenhausbetts, ihre Knie waren plötzlich weich. »Hast du Tam heute Morgen gesehen? Wie geht es ihm?«

»Ich komme gerade aus dem Chelsea and Westminster. Unverändert, eigentlich. Er ist immer noch auf Intensiv, und sie müssen nach wie vor seine Organfunktionen überwachen. Angeblich ist es noch zu früh, um zu sagen, wie schlimm es wirklich ist.«

»Was ist mit Michael und Louise?«

»Michael hat Louise endlich überreden können, nach Hause zu gehen und sich ein bisschen auszuruhen. Er ist auch kurz heimgefahren, um die Hunde zu versorgen. Und um sicherzustellen, dass Louise auch schön brav ist«, fügte er mit der Andeutung eines Lächelns hinzu.

»Da beneide ich ihn nicht drum«, meinte Melody und erntete damit wieder ein Lächeln. Sie griff nach ihren Stiefeln.

»Dann haben sie dich also entlassen?«, fragte Andy.

»Ich muss heute Abend noch mal zu weiteren Blutuntersuchungen herkommen, aber ich darf gehen, ja.«

»Ich bring dich nach Hause.« Er straffte entschlossen die Schultern, als ob ihm die Aussicht, sich nützlich machen zu können, den dringend benötigten Auftrieb gegeben hätte.

Es tat Melody leid, ihn enttäuschen zu müssen, doch sie sagte: »Ich gehe nicht nach Hause. Duncan will sicher einen Bericht von mir.« Da kam ihr eine Idee. »Kann ich bei dir duschen und mich umziehen? Dann kann ich von dort nach Holborn gehen.«

Das Haus, in dem Andy wohnte, stand in einer Nebenstraße nahe der Kreuzung Oxford Street und Tottenham Court

Road, und es würde mit Sicherheit irgendwann den Bauarbeiten für das Crossrail-Projekt zum Opfer fallen. Melody wunderte sich eigentlich, dass es noch nicht zum Abbruch freigegeben war. Im Schlafzimmer seiner Zweizimmerwohnung im ersten Stock hatte Andy sich eine Gitarrenwerkstatt eingerichtet, ein ausklappbarer Futon im Wohnzimmer diente ihm als Bett. Der restliche Platz wurde weitgehend von noch mehr Gitarren und Verstärkern eingenommen – und von Andys dickem roten Kater Bert.

Aber trotz des schmuddeligen Gebäudes und der beengten Verhältnisse hatte Melody schon bald festgestellt, dass sie sich hier viel wohler fühlte als in ihrer eigenen, viel hübscheren Wohnung in Notting Hill. Sie schlief öfter hier als in ihrem eigenen Bett, benutzte seinen Kühlschrank mit und hatte auch Platz für einen Teil ihrer Garderobe gefunden, sodass sie sich nicht schämen müsste, wenn sie das Haus verließ.

Und sie musste feststellen, dass sie gerade heute absolut keine Lust hatte, allein nach Hause zu gehen.

»Du hast doch nicht ernsthaft vor, heute in die Arbeit zu gehen, nach dem, was du durchgemacht hast?«, fragte Andy und runzelte die Stirn.

»Es ist mein Job«, wiederholte Melody ihre Worte von gestern Abend.

»Aber es ist nicht dein Fall.«

Sie dachte an den Rauch und den Gestank und die panischen Gesichter der Menschen, als sie sich ihren Weg durch das Gedränge gebahnt hatte. Sie dachte an den Mann, der unter unvorstellbaren Qualen vor ihren Augen verbrannt war, an die Schreie der Verletzten, an den barmherzigen Samariter, der ihr geholfen hatte, an Tam.

»Doch, jetzt schon.«

»Der arme Kerl.« Rashid Kaleem saß am Schreibtisch seines winzigen Büros ganz hinten im Untergeschoss des Royal London Hospital. Unter seinem weißen Laborkittel trug er eines seiner üblichen T-Shirts mit Rechtsmediziner-Humor. Dieses hier war noch verstörender als die anderen: Es zeigte auf schwarzem Hintergrund die in der Mitte gespaltenen Knochen eines Brustkorbs. Ein stilisiertes Herz hing außerhalb der Rippen in der Luft, und darunter stand: VERLIER NICHT DEIN HERZ.

»Rashid, Sie sollten wirklich mal über Ihren Modegeschmack nachdenken«, bemerkte Kincaid, während er sich wie üblich suchend nach einer Sitzgelegenheit umsah. Sämtliche horizontalen Flächen im Raum waren von Papieren, Büchern und Computerbildschirmen eingenommen. Schließlich nahm er mit der Kante eines überquellenden Aktenschranks vorlieb.

»Wirklich?« Rashid zog sein T-Shirt von der Brust weg und betrachtete es. »Das hier gefällt mir eigentlich ganz gut. Ihr Freund da drin könnte jedenfalls froh sein, wenn seine Rippen auch nur halb so gut aussähen.« Er blickte auf und deutete zum Obduktionssaal am Ende des Flurs.

Kincaid konnte es immer schon riechen, wenn er das Kellergeschoss betrat – den stechenden Geruch von Chemikalien, der den leisen, süßlichen Hauch von Tod und Verwesung überlagerte. Rashid war wohl schon daran gewöhnt.

»Wollen Sie Ihren Selbstmordattentäter sehen?« Rashid stand auf und streifte den Laborkittel ab. Während er ihn an einen Haken hängte, der aus einem seiner Heavy-Metal-Poster ragte, fügte er hinzu: »Ist verdammt kalt hier unten. Da ist man froh um jede zusätzliche Schicht. Außerdem sehe ich mit dem Kittel wichtig aus.«

»Ich kann wohl schlecht nein sagen, oder?«

»Meine Beschreibung allein würde ihm nicht gerecht werden. Aber Sie müssen die volle Montur anlegen. Und ein Atemschutzgerät. Glauben Sie mir, den wollen Sie lieber nicht riechen. Und was von ihm übrig ist, ist mit weißem Phosphor getränkt, also sollten Sie auch besser keine Kontamination riskieren.«

Sie zogen sich im Vorraum um, dann folgte Kincaid Rashid in den eigentlichen Sektionsraum. Als er sah, was da auf dem Tisch lag, war er sehr froh um die Atemschutzmaske.

Die Leiche sah noch viel schlimmer aus, als er sie in Erinnerung hatte, was vielleicht daran lag, dass nach dem Entfernen der Kleidungsreste einzelne Knochen blank lagen, oder auch daran, dass Rashid den Brustkorb aufgesägt hatte und die Rippenfragmente einen viel schockierenderen Anblick boten als die makellosen weißen Streifen auf Rashids T-Shirt.

Und hier fiel es besonders grotesk auf, dass der Leiche die Hände fehlten.

»Und Sie sind sicher, dass es sich um einen Mann handelt?«, fragte Kincaid. Seine Stimme war durch die Atemmaske verfremdet.

»Nach der Schädelform, den Resten des Beckengürtels, der Größe und den Überresten der Schuhe zu schließen: ja, jedenfalls zu neunundneunzig Prozent.« Rashids Aussprache war klar und deutlich, trotz der Verzerrung durch das Mundstück der Maske. »Nach meiner groben Schätzung war er um die eins achtzig groß und wahrscheinlich zwischen zwanzig und dreißig Jahre alt.«

»Sehr hilfreich.« Kincaid ließ seinem Sarkasmus freien Lauf. »Keine besonderen Kennzeichen?«

Selbst durch die Schutzbrille hindurch konnte er sehen, wie Rashid die Augen rollte. »Träumen Sie ruhig weiter. Und Fingerabdrücke gibt es auch keine, wie Sie sehen.«

»Zahnstatus?«

Rashid schüttelte den Kopf. Er trat näher an die Leiche heran und deutete mit einem behandschuhten Finger darauf. »Sie können sehen, dass er die Granate ungefähr auf Hüfthöhe gehalten hat, als sie losging. Vielleicht hatte er sie in der Hosentasche und nahm sie erst in letzter Minute heraus. Die Druckwelle der Explosion war hauptsächlich nach oben gerichtet, sie hat ihm die Hände, die Brust und einen Teil des Gesichts weggerissen. Ich bezweifle, dass selbst ein forensischer Odontologe mit dem, was von seinen Zähnen übrig ist, noch irgendetwas anfangen könnte.«

»War der Mann weiß?«

»Wie gesagt, von den Gesichtsstrukturen ist wenig übrig geblieben, deshalb lässt es sich kaum mit Sicherheit sagen. Aber ich halte es für wahrscheinlich, solange Sie keine Indizien haben, die dagegen sprechen. Aber es gibt auch gute Nachrichten.« Rashid streckte wieder einen behandschuhten Finger aus. »Da die Wucht der Explosion nach oben gerichtet war und unser Knabe ziemlich schwere Stiefel trug, war noch genug Gewebe von seinen Fußsohlen da, um eine gute DNS-Probe zu gewinnen.«

Kincaid betrachtete die Gegenstände auf dem zweiten Tisch, die auf den ersten Blick wie eine Ansammlung von verbrannten Gummifetzen aussahen. Bei genauerem Hinsehen konnte er sich vorstellen, dass das eine oder andere Stück einmal zu einem Stiefel gehört hatte.

»Die Kriminaltechnik wird Ihnen wahrscheinlich mehr über die Stiefel sagen können«, bemerkte Rashid, während er Kincaids Blick folgte. »Die andere gute Nachricht ist, dass er einen Rucksack getragen hat. Weil der Brandsatz vor seinem Körper explodierte, konnte der Rucksack die Haut an seinem Rücken weitgehend schützen, als die Flammen ihn einhüllten. Ich konnte dort eine DNS-Probe nehmen, und ich werde mir das, was von der Haut übrig ist, auch noch einmal genauer anschauen.«

DNS könnte hilfreich sein, dachte Kincaid – vorausgesetzt, sie hatten etwas, womit sie sie vergleichen konnten. Aber die Tests brauchten Zeit, deswegen nützten ihm die DNS-Proben im Moment gar nichts.

»Konnten Sie den Inhalt des Rucksacks identifizieren?«, fragte er. Er dachte an Cam Chens Aussage, dass Ryan Marsh immer alle seine Habseligkeiten mitgenommen habe, wenn er die Wohnung verließ.

»Kaum. Ich habe aus der geschmolzenen Masse so viele Proben von nicht-organischem Material gesammelt, wie ich konnte. Auch dazu wird das Labor Ihnen Genaueres sagen können.«

»Nichts, was vielleicht ein Schlafsack gewesen sein könnte? Oder Kleidung?«

Rashid schüttelte wieder den Kopf. »Eher nicht, nein.«

»Irgendwelche Fragmente von der Granate?«

»Ich konnte jedenfalls keine finden. Vielleicht haben die Kollegen von der Spurensicherung mehr Glück.«

Kincaid stand da und starrte das verkohlte Wrack an, das noch vor weniger als vierundzwanzig Stunden ein Mensch gewesen war. Wenn das Ryan Marsh war und wenn er seine Sachen aus der Wohnung mitgenommen hatte, dann waren sie offenbar nicht in seinem Rucksack gewesen, als die Granate explodiert war.

Blieb also die Frage, was aus ihnen geworden war.

10

Die Midland Railway hatte schon seit den 1840er Jahren Zugverbindungen nach London betrieben, und die Zunahme des Verkehrs hatte zu chronischen Staus und Verspätungen geführt. Als das Parlament 1846 den Antrag auf eine weitere Linie in die Londoner Innenstadt bewilligte – die sogenannte Great Northern Line –, bezahlte Midland Railway 20 000 Pfund für das Recht, diese Strecke zu betreiben. Jetzt konnte man sich auf den Bau eines neuen Bahnhofs konzentrieren.

bbc.co.uk/London/St. Pancras

Als Gemma Charlotte wecken ging, stellte sie fest, dass die Stirn des Mädchens warm und ihr Gesicht leicht gerötet war. Sie setzte sich aufs Bett und legte ihr die flache Hand unter dem weißen Baumwollschlafanzug auf die Brust, um festzustellen, ob ihre Atmung erschwert war.

Zwar spürte sie kein verräterisches Rasseln in den Bronchien, doch als Charlotte die Augen aufschlug, streckte sie die Arme nach Gemma aus und verzog weinerlich das Gesicht. »Mummy«, flüsterte sie, »ich hab bös geträumt. Ich hab geträumt, dass den Kätzchen was passiert ist.«

»Den Kätzchen geht's prima.« Gemma strich Charlotte die zerzausten Haarsträhnen aus dem Gesicht. Ihre Hand wirkte blass auf Charlottes goldfarbener Haut. »Ich habe gerade nach ihnen gesehen.«

»Ganz bestimmt?«

»Ganz bestimmt.«

»Ich will sie sehen«, sagte Charlotte, doch statt aus dem Bett zu springen, kuschelte sie sich an Gemma und schloss wieder schläfrig die Augen.

»O je«, murmelte Gemma. Der Husten schien sich zwar gelegt zu haben, aber die ganze Aufregung gestern mit der Katzenmutter und den Kätzchen war wohl etwas zu viel gewesen. Und es war klar, dass Charlotte heute nicht in die Vorschule gehen würde.

»Willst du noch ein bisschen länger im Schlafanzug bleiben?«, fragte Gemma und drückte Charlotte einen Kuss auf den Lockenschopf. »Ich bring dir Toast, und dann darfst du die Kätzchen sehen. Bryony kommt auch vorbei, um sie sich anzuschauen.«

»Muss ich denn nicht in die Schule?«, fragte Charlotte.

»Ich glaube, heute darfst du bei Betty bleiben, Schatz.«

Charlotte zog die Stirn in Falten. »Oliver ist bestimmt traurig, wenn ich nicht da bin.«

»Das ist er sicher. Aber erst musst du wieder ganz gesund werden, damit du ihn morgen sehen kannst. So, und jetzt kuschel dich noch ein bisschen unter die Decke – ich muss erst ein paar Sachen organisieren.«

Und sie hatte eine Menge zu organisieren, dachte Gemma, nicht nur für Charlotte, sondern auch für sich selbst. Am Abend hatte sie schon ihre Vorgesetzte, Detective Superintendent Krueger, angerufen, um ihr zu sagen, was Melody zugestoßen war und dass sie am Morgen bei ihr vorbeischauen wollte. Aber zuerst musste sie noch einen anderen Besuch machen.

Caleb Hart saß allein und mit gesenktem Kopf im Wartebereich der Verbrennungsstation im Chelsea and Westminster

Hospital. »Caleb? Mr Hart?«, sprach Gemma ihn ein wenig zögerlich an, denn bei ihrer letzten Begegnung mit Caleb Hart hatte sie ihn als Verdächtigen in einem Mordfall vernommen.

Im Gegensatz zu Tam, der meist aussah, als ob er einfach irgendetwas angezogen hätte, was ihm so aus dem Kleiderschrank entgegengefallen war, ob es nun zu seiner verblichenen Wollmütze mit Schottenkaro passte oder nicht, wurde Caleb Hart dem Image eines Musikmanagers durchaus gerecht. Schlank und durchtrainiert, mit modischem Kurzhaarschnitt und Ziegenbärtchen, trug er Designerklamotten und eine schicke Brille. Heute Morgen jedoch waren seine Kleider zerknittert und seine Augen rot gerändert.

Er blickte verwirrt zu ihr auf. »Ach, Inspector James – Gemma, nicht wahr? Tam spricht ständig von Ihnen und der kleinen Charlotte.«

Sie hockte sich auf die Kante des Stuhls neben ihm. »Wie geht es ihm heute Morgen?«

»Die Schmerzen von seinen Verbrennungen haben sie mit Medikamenten ganz gut in den Griff bekommen. Aber was ihnen wirklich Kummer macht, ist die Vergiftung durch die Chemikalie«, antwortete Caleb mit rauer Stimme.

»Sind Sie die ganze Nacht hier gewesen?«, fragte sie.

Caleb nickte und sagte: »Ich habe Michael versprochen hierzubleiben, damit er nach Hause fahren und sich ein bisschen frisch machen kann.«

Gemma erinnerte sich, dass Caleb, seinem hippen Auftreten zum Trotz, als Sponsor bei den Anonymen Alkoholikern aktiv war – er war es also gewohnt anzupacken, wenn Hilfe gebraucht wurde. Jetzt seufzte er. »Ich werde schon den ganzen Morgen mit SMS von einem Produzenten bombardiert, der die beiden gestern Abend gesehen hat und mit ihnen eine

Demosession machen will – und auch noch ausgerechnet in den berühmten Abbey Road Studios. Aber Andy ist unter diesen Umständen nicht bereit dazu, und ich denke, Poppy wird es auch nicht sein.«

Gemma hatte Poppy noch nicht persönlich getroffen, obwohl sie das virale Video des Duos schon so oft gesehen hatte, dass sie ihr wie eine gute Bekannte vorkam. »Würden Sie denn wollen, dass sie es machen?«, fragte sie Caleb.

Er antwortete mit einem müden Schulterzucken. »Ich verstehe ja ihre Gefühle. Aber es geht um ihre Karriere, und Tam würde sich nichts mehr wünschen, als dass sie eine solche Chance bekommen.«

»Meinen Sie, ich kann zu ihm?«

Caleb sah auf seine Uhr. »Ich denke, inzwischen werden sie Sie wohl für ein paar Minuten reinlassen. Wie ansprechbar er ist, hängt wohl von seinen Schmerzmedikamenten ab.«

Gemma stand auf, und Caleb erhob sich mit ihr, während er die Hand ausstreckte. »Sehr freundlich von Ihnen, dass Sie gekommen sind.«

Sie zögerte, dann sagte sie: »Es tut mir leid. Wegen der Sache damals. Ich habe nur …«

»Ihre Arbeit gemacht«, beendete Caleb den Satz für sie.

Tam sah besser aus, als Gemma erwartet hatte. Er lag auf Kissen gestützt in seinem Krankenbett, und trotz einiger kleiner Brandwunden und Kratzer wirkte seine Gesichtsfarbe recht gesund. Das Merkwürdigste war, ihn ohne seine Schottenmütze zu sehen. Mit seinen kurz geschorenen schütteren Haaren wirkte er irgendwie nackt.

Die Stationsschwester hatte ihr zehn Minuten gewährt, und so setzte sie sich auf den einzigen verfügbaren Stuhl am Bett und versuchte nicht daran zu denken, wie sie ihre Mutter im Krankenhaus besucht hatte. Deren Leukämie war seit dem vergangenen Herbst in Remission, aber dennoch machte Gemma sich permanent Sorgen um sie.

Nach einer Weile änderte sich Tams Atemrhythmus, seine Lider zuckten, und er schlug die Augen auf. »Gemma?«

»Hallo, Tam. Ich schau nur vorbei, um zu sehen, wie es dir geht.« Sie tätschelte die Hand, die neben dem lose über seine Taille gebreiteten Tuch lag.

»Ich seh nicht gerade blendend aus, was, Mädel?«, flüsterte er und verzog das Gesicht. »Ich hasse es, anderen zur Last zu fallen. Und niemand sagt mir irgendwas. Ist Melody …«

»Melody geht es gut«, versicherte Gemma ihm.

»Ist sonst noch jemand …« Seine Miene war gequält.

Sie schüttelte den Kopf. »Nein. Außer dem Mann mit der Bombe hat es keine Toten gegeben.«

»Mann?« Tam sah sie blinzelnd an.

»War es denn kein Mann?«, fragte Gemma verwirrt.

»Nein. Das war ein junger Bursche.«

Gemma starrte ihn verblüfft an. »Du hast ihn gesehen?«

Tam nickte. »Ich hatte kurz von der Bühne weggeschaut. Keine Ahnung, warum – vielleicht irgendeine Bewegung in der Menge. Und da hab ich ihn gesehen: einen Jungen mit einem Rucksack auf dem Rücken. Ich weiß noch, dass ich dachte, er sieht aus wie einer von den Jungs in der Band, wenn sie irgendeinen Unsinn im Kopf haben.«

»Nicht, als ob er Angst hätte?«

»Nein. Eher ein bisschen nervös und aufgeregt. Und dann … Es war so hell …« Tam zuckte zusammen und hob eine Hand, mit der er an dem Laken auf seinem Bauch herumzupfte. »Und plötzlich habe ich gebrannt. Wer hätte gedacht, dass irgendwas so verdammt wehtun kann?« Er war blass geworden, und seine Stirn glänzte vor Schweiß.

Gemma tätschelte behutsam seine Hand. »Ruh dich jetzt erst mal aus, Tam. Ich geh die Schwester holen. Wenn es dir ein bisschen besser geht, wird Duncan dich bestimmt auch besuchen.«

Er schloss die Augen und sank auf das Kissen zurück. Sie dachte schon, er sei wieder eingenickt, doch als sie aufstand, wandte er den Kopf zu ihr und sagte: »Magst du mir einen Gefallen tun, Mädel?«

»Natürlich, Tam. Was immer es ist.«

»Sieh zu, dass Michael und Louise gut auf sich achtgeben.«

Als sie in den Wartebereich zurückkam, war Caleb auf seinem Stuhl eingeschlafen, sein Kopf hing schlaff zur Seite. Sie weckte ihn nicht, sondern eilte gleich zum Ausgang und tauchte in das Gewühl auf der Fulham Road ein.

Sie wollte Duncan anrufen und ihm erzählen, was Tam über das Opfer gesagt hatte, ob man sich nun darauf verlassen konnte oder nicht. Doch ehe sie dazu kam, klingelte ihr Telefon. Es war Shara MacNicols, die Detective Constable aus ihrem Team im Revier South London, das den Hinweisen zum Mord an Mercy Johnson nachging.

»Chefin«, sagte Shara, »wir brauchen Sie. Ich habe noch mal mit Mercys Freundinnen gesprochen, und eines der Mädchen hat zugegeben, dass sie auf ihrem Handy ein Foto von Mercy hat, das sie im Gespräch mit Dillon Underwood zeigt. Ich bringe sie aufs Revier, und Sie sollten so schnell wie möglich dazukommen.«

Kincaid verließ das Royal London Hospital mit mehr Fragen als zuvor. Er sann über Rashids Befunde nach, während er auf der Whitechapel Road westwärts in Richtung Holborn fuhr; doch als er an der Brick Lane vorbeikam, schweiften seine Gedanken – wie immer, wenn er in diesem Teil des East End war – zu Charlotte ab und zu den Ereignissen, in deren Folge sie zu ihnen gekommen war. Das Haus ihrer Eltern in der Fournier Street war inzwischen verkauft worden, und der Erlös hatte es Kincaid und Gemma ermöglicht, Charlotte in einer Vorschule unterzubringen, in der sie sich wohlfühlte.

Und das brachte ihn zu Tam. Er hatte an diesem Morgen noch keine Gelegenheit gehabt, sich nach Tams Zustand zu erkundigen, und er nahm sich vor, das nachzuholen, sobald er auf dem Revier wäre. In diesem Moment klingelte sein Telefon. Als er sah, dass es sein Bezirkskommandant war, schaltete er die Freisprechanlage ein und nahm den Anruf an.

»Sir.«

»Wo sind Sie?«, fragte Chief Superintendent Faith ohne jegliche Vorrede.

»Ich komme gerade aus dem Obduktionssaal im Royal London und bin auf dem Weg zum Revier.«

»Konnte der Rechtsmediziner irgendwelche eindeutigen Aussagen zu unserem Opfer machen?«

Eindeutig war eindeutig nicht das Wort, das Kincaid in den Sinn gekommen wäre. »Nein, Sir. Und auch keine Identifizierung.«

»Nun, dann können Sie nur hoffen, dass Ihnen noch etwas einfällt, was Sie den Medien präsentieren können. Sie haben nämlich um zwölf eine Pressekonferenz.«

»Sir?« Kincaid runzelte die Stirn. »Was ist mit dem SO 15?«

»Der Assistant Commissioner Crime hat gerade angerufen. Die Anweisung kommt von ganz oben. Der Deputy Commissioner ist nicht der Ansicht, dass der Fall die Einbindung des SO 15 rechtfertigt. Er will, dass er als nicht natürlicher Todesfall behandelt wird, also fällt er in unsere Zuständigkeit. Oder besser gesagt in Ihre. Obwohl ich nicht glaube, dass der AC Special Operations von der Entscheidung allzu begeistert war.« Die beiden Abteilungen der Metropolitan Police, Crime und Special Operations, waren berüchtigt für ihre Kompetenzstreitigkeiten.

Kincaid hätte gerne gewusst, was Nick Callery seinen Vorgesetzten berichtet hatte.

»DCI Callery wird bei der Pressekonferenz dabei sein«, fuhr Faith fort, als ob er Kincaids Gedanken gelesen hätte. »Es ist wichtig, der Öffentlichkeit zu versichern, dass unserer Einschätzung nach weitere Vorfälle dieser Art unwahrscheinlich sind.«

Kincaid kam zwar allmählich zu der Überzeugung, dass der Unglückliche, der dort in der Leichenhalle lag, einzig und allein die Absicht gehabt hatte, sich selbst zu verbrennen, doch bei dem Gedanken, der Öffentlichkeit irgendwelche Zusicherungen zu machen, war ihm alles andere als wohl. Zumal, solange sie das Opfer noch nicht identifiziert hatten.

Nachdem Chief Superintendent Faith aufgelegt hatte, kam der Verkehr bei Aldgate nur noch stockend voran, und schließlich ging es gar nicht mehr weiter. Kincaid schielte nervös auf die Uhr am Armaturenbrett und trommelte mit den Fingern aufs Lenkrad. Dann beschloss er, die Zeit zu nutzen, indem er Doug Cullen anrief.

»Kannst du reden?«, fragte er, als Doug sich meldete.

»Das fragst du den Mann, der mit seinem Computer im Verlies eingesperrt ist?« Doug war nicht der Typ, der es mit Humor nehmen konnte, wenn er bei Scotland Yard zur Dateneingabe verdonnert wurde.

»Ich meine es ernst.«

»Okay.« Doug klang plötzlich hellwach. »Es ist außer mir niemand im Zimmer. Was gibt's? Geht es um Melody?«

»Nein. Ich meine, ich habe nichts gehört.« Kincaid fuhr

wieder ein paar Zentimeter weiter. »Erinnerst du dich an unser Gespräch gestern Abend?«

»Du meinst euren großen Unbekannten?«

»Unseren großen Unsichtbaren, wohl eher.« Kincaid erzählte ihm von der Durchsuchung der Wohnung und von Rashids Erkenntnissen – oder vielmehr dem Fehlen von Erkenntnissen – nach der Obduktion. »Dieser Typ hat nichts hinterlassen, und er hatte auch nichts bei sich. Kein Handy, keine Kreditkarten, keine Zahnbürste. Wer lebt denn so? Womit haben wir es hier zu tun?« Nach kurzem Zögern sprach er die Befürchtung aus, die er schon seit einer Weile hegte. »Ein Spion?«

Am anderen Ende war es still. Dann senkte Doug die Stimme, obwohl er Kincaid versichert hatte, dass er allein sei, und sagte: »Oder ein verdeckter Ermittler.«

Das war eine Vermutung, die Kincaid ganz gewiss nicht mit der Öffentlichkeit teilen würde – und vorläufig auch nicht mit irgendjemandem im Team.

Was in aller Welt hätte ein verdeckter Ermittler in einer Gruppe wie der von Matthew Quinn verloren gehabt?

In Holborn angekommen, meldete er sich als Erstes bei Simon Gikas, dem Fallmanager.

»Gibt's was Neues von der Wohnungsdurchsuchung?«

»Sie sind immer noch dabei, die Gegenstände den einzelnen Gruppenmitgliedern zuzuordnen. Aber Bomben haben sie bis jetzt keine gefunden und auch kein Material zum Bau von Bomben oder Granaten.«

»Drogen?«

»Einer der Jungs – Lee, glaube ich – hatte eine kleine Menge Gras. Vielleicht sieben oder acht Gramm. Offensichtlich für den persönlichen Konsum und kein Hinweis auf Handelsabsicht. Hat die Obduktion eine Identifizierung gebracht?«

Kincaid schüttelte den Kopf. »Es ist nicht genug von ihm übrig. Dr. Kaleem hofft, ein paar DNS-Proben zu bekommen, aber wir brauchen etwas, womit wir sie abgleichen können.« Er blickte sich in der Einsatzzentrale um. »Wo ist Sidana?«

»Bereitet mit Sweeney die Pressekonferenz vor.« Gikas sah auf seine Uhr. »Und Sie haben noch zehn Minuten.«

»Verdammt«, brummte Kincaid und sprintete los zur Herrentoilette. Er wusch sich die Hände, kämmte seine Haare und zog die Krawatte stramm. Nur gut, dass er heute Morgen seinen besten Anzug angezogen hatte. Doch als er sich etwas eingehender im Spiegel betrachtete, fiel ihm auf, dass seine Augen verschattet waren. Er sah haargenau so aus, als ob er einen Teil der zu kurzen Nacht auf dem Fußboden bei den Katzen geschlafen hätte.

Achselzuckend machte er sich auf den Weg zum Besprechungsraum. Sidana und Sweeney hatten einen Tisch mit zwei Stühlen und Mikrofonen aufgebaut. Die ersten Reporter trudelten schon ein, und Nick Callery war ihm ebenfalls zuvorgekommen. Auch heute war er wie aus dem Ei gepellt.

»Sie führen das Wort, wie's aussieht«, murmelte Callery, als Kincaid Platz nahm. »Ich bin nur zur Dekoration hier.« Er wirkte ungerührt, doch Kincaid erinnerte sich an seinen abrupten Aufbruch aus der Wohnung in der Caledonian Road. Welches Interesse hatte Callery an dem Fall?, fragte er sich. Und war er froh, draußen zu sein, oder nicht?

Nachdem Ruhe eingekehrt war, stellte Kincaid sich den Fragen der Presse.

Nein, sie hatten das Opfer noch nicht identifiziert. Nein, sie hatten keine Hinweise auf einen Terroranschlag oder sonstige terroristische Aktivitäten gefunden. Sie behandelten die Sache als einen nicht natürlichen Todesfall, und die Mordkommission würde die Ermittlungen übernehmen. Er selbst würde sie leiten.

Ja, er würde mit Detective Chief Inspector Callery von der Abteilung Special Operations in Verbindung bleiben für den Fall, dass im Zuge der Ermittlungen Informationen über terroristische Aktivitäten ans Licht kommen sollten. Ja, sämtliche Züge fuhren wieder normal, dank dem professionellen Einsatz der British Transport Police.

»Gehen Sie davon aus, dass es sich bei dem Opfer um einen Selbstmörder handelt?«, fragte die Reporterin einer großen Tageszeitung.

»Das können wir im Moment noch nicht mit Sicherheit sagen«, antwortete Kincaid. »Nähere Informationen werden erst nach der gerichtlichen Untersuchung der Todesursache verfügbar sein.« Er hasste diesen Polizeisprech, doch es war immer noch besser, als zu sagen: »Wir haben keinen blassen Schimmer, Leute.«

Eine Reporterin in der hintersten Reihe hob die Hand. Sie war, Gott bewahre, von der Zeitung, die Melodys Vater gehörte. »Laut unseren Informationen hat es im Zusammenhang mit dem Bombenanschlag Verhaftungen gegeben.«

»Lassen Sie uns ein paar Dinge klarstellen«, entgegnete er scharf. »Erstens: Es war keine Bombe. Das Opfer hatte offenbar einen Brandsatz bei sich, keinen Sprengsatz. Zweitens: Wir haben niemanden verhaftet. Es gibt jedoch mehrere Zeugen, die uns bei unseren Ermittlungen behilflich sind.«

Wie war das denn durchgesickert?, fragte er sich. Eines wusste er sicher: Melody war nicht die undichte Stelle. Sie hätte alles getan, damit ihr Vater nicht erfuhr, dass sie irgendwo in der Nähe der gottverdammten Granate gewesen war.

Sidana stand am anderen Ende des Raums hinter den sitzenden Reportern. Sie nickte ihm unauffällig zu und fuhr sich mit der flachen Hand über die Kehle.

»So, meine Damen und Herren. Ich danke Ihnen für Ihre Aufmerksamkeit.« Kincaid stand auf, und Callery tat es ihm gleich. Während sie den Besprechungsraum verließen, riefen die Reporter ihnen immer noch Fragen hinterher.

»Ihr Bezirkskommandant ist gar nicht aufgetaucht«, bemerkte Callery, als sie den öffentlich zugänglichen Bereich des Reviers verlassen hatten. »Ich dachte, die Uniform sollte die Öffentlichkeit beruhigen.«

»Vielleicht war es gerade die *Abwesenheit* von Uniformen, die das Publikum beruhigen sollte.« Kincaid warf ihm einen Seitenblick zu. »Haben Sie eine Ahnung, warum Special Operations sich von dem Fall zurückzieht?«

»Eine Vergeudung von Zeit und Ressourcen, laut dem Deputy Commissioner«, antwortete Callery mit einem Achselzucken, doch zum ersten Mal glaubte Kincaid in seinen grauen Augen so etwas wie eine Gefühlsregung aufblitzen zu sehen.

Callery klopfte ihm auf die Schulter. »Halten Sie mich auf dem Laufenden, ja?« Er lächelte. »Tja, wenigstens müssen Sie jetzt den Kopf hinhalten, wenn diese Sache in die Hose geht, und nicht ich.«

Zurück in der Einsatzzentrale, brachte Kincaid die nächste Stunde damit zu, mit Simon Gikas, Sidana und Sweeney die Informationen zu besprechen, die sie im Lauf des Vormittags gesammelt hatten.

»Was ist Ihr Eindruck von der Gruppe, nachdem Cam Ihnen etwas zu ihren Habseligkeiten erzählt hat?«, fragte er Sidana.

Sie schien einen Moment zu zögern, ehe sie sagte: »Also, eigentlich muss man fast Mitleid mit ihnen haben. Sie besitzen fast nichts. Haben kein regelmäßiges Einkommen. Sie scheinen alle von Matthew Quinns Almosen abzuhängen, und das kommt mir fast ein bisschen … unheimlich vor.«

»Hat er sie ausgesucht, weil sie in prekären Verhältnissen lebten?«, dachte Kincaid laut nach.

»Oder war es umgekehrt?«, meinte Sidana. »Vielleicht sind sie alle gewohnheitsmäßige Schnorrer und haben in ihm die ideale Melkkuh gesehen?«

Es war eine bedenkenswerte Perspektive, und Kincaid musste sich daran erinnern, dass Sidanas Antipathie gegen ihn noch lange nicht bedeutete, dass sie keine wertvollen Erkenntnisse beizusteuern hatte. Sie hätte es nicht zur DI gebracht, wenn sie in ihrem Job nicht gut wäre.

»Ich habe ein paar interessante Sachen herausgefunden.« Gikas tippte auf seinen Computerbildschirm. Seinem Spitznamen zum Trotz war Simon Gikas mit seinen dunklen Haaren und den tiefblauen Augen ein ausgesprochen attraktiver Mann. Die Kolleginnen überschlugen sich geradezu, um ihm zu Diensten zu sein, aber man musste auch zugeben, dass er sehr tüchtig war. »Wir haben zwei Laptops sichergestellt. Es war ein bisschen fragwürdig, ob der Durchsuchungsbeschluss das hergibt, aber da wir das SO15 mit im Boot hatten, konnten wir sie im Labor untersuchen lassen. Die hätte auch ein Zweijähriger knacken können.« Er schüttelte missbilligend den Kopf. »Der eine gehört Lee Sutton, der andere Matthew Quinn, aber ich gehe davon aus, dass die meisten Mitglieder der Gruppe sie mitbenutzt haben. Sutton ist viel in sozialen Netzwerken unterwegs, und er scheint nicht zu den Hellsten zu gehören.«

»Drogen?«, fragte Kincaid.

»Es gibt ein paar Hinweise, ja. Das eine oder andere Selfie beim Kiffen. Fotos von spontanen Raves, ein paar harmlose Pornos. Mehr oder weniger das Material, das man bei einem abgebrochenen Studenten erwarten kann. Aber bei Mr Quinn, da wird es wirklich interessant.«

»Na, nun sag schon«, drängte Sweeney, als Gikas innehielt. »Wir platzen gleich vor Neugier.«

»Sein Browserverlauf ist randvoll mit Besuchen auf Websites von Spinnern wie diesen Preppers, die sich auf den Weltuntergang vorbereiten. ›Das wahre Britannien wird aus der Asche wiederauferstehen – aber nur für die wenigen Auserwählten.‹«

»Natürlich«, murmelte Sidana halblaut.

»Und unter diesen Preppers finden sich nicht nur harmlose Möchtegern-Druiden«, fuhr Gikas fort, »sondern auch paramilitärische Knallköpfe.«

»Waffen?«, fragte Kincaid. »Munition?«

»Die ganze Palette. Das meiste ist nur Fantasie, aber es ist auch so widerlich genug.«

»Also gibt es Aufzeichnungen darüber, dass Quinn die Granate gekauft oder sich zumindest dafür interessiert hat?«

Gikas schüttelte den Kopf. »Nein. Aber …« Er legte wieder eine Kunstpause ein – offenbar genoss er es, die Kollegen auf die Folter zu spannen. »… er hat Bitcoins gekauft. Und was er damit gemacht hat, lässt sich unmöglich sagen.«

Kincaid fluchte. »Aber man kann doch sicher nachverfolgen …«

»Nein. Das ist ja gerade die Idee. Sie können an Glücksspielen teilnehmen, Sie können Drogen oder Diamanten kaufen. Sie können Waffen kaufen. Sogar einen Raketenwerfer, wenn Sie wollen. Und alles bleibt anonym. Es ist wie virtuelles Bargeld, in nicht nummerierten Scheinen.«

»Was ist denn mit dem persönlichen Kram auf seinem Computer?«, wollte Sweeney wissen.

»Im Gegensatz zu Sutton hat Mr Quinn einen Bogen um soziale Netzwerke gemacht. Seine Fotos sind alle von historischen Stätten in London und von Bauarbeiten. Die Kollegen sind natürlich noch nicht zu den Sachen vorgedrungen, die er gelöscht hat, aber zumindest auf den ersten Blick scheint er sehr vorsichtig gewesen zu sein.«

Die Sache gefiel Kincaid immer weniger. »Sie sagten doch, Sie hätten etwas Interessantes für uns?«

»Ah ja. Er hat seine Bankgeschäfte online gemacht. Unsere Experten haben gerade mal fünfzehn Minuten gebraucht, um sein Passwort zu knacken. Matthew Quinn bezahlt keine Miete – es sei denn, er zahlt sie in bar oder mit Bitcoins. Aber jeden Monat geht Geld auf seinem Konto ein. Immer die gleiche Summe, vom selben Konto, und es reicht, um ihm und seinen Spielkameraden ein ziemlich sorgenfreies Leben zu garantieren.«

»Wissen Sie, wo das Geld herkommt?«

»Laut den Protokollen der elektronischen Überweisungen von einer Firma namens KCD Inc.«

Kincaid musste einen Moment überlegen, warum ihm der Name so bekannt vorkam. Dann fiel es ihm ein: Medhi Atias, der Inhaber des Schnellrestaurants, hatte ihm erzählt, dass das Gebäude KCD gehöre. »King's Cross Development«, sagte er. Die anderen sahen ihn verständnislos an.

»Der Firma gehört das Haus. Das habe ich heute Morgen vom Inhaber der Hähnchenbude erfahren.« Immer noch fragende Blicke. »Der Imbiss ist im Erdgeschoss«, erklärte Kincaid. »Matthew Quinns Wohnung ist im zweiten Stock. Wieso also überweist der Vermieter Matthew Quinn jeden Monat Geld, wo es doch eigentlich umgekehrt sein müsste?«

»Fragen Sie doch Quinn«, sagte Sidana.

Kincaid dachte einen Moment nach. »Er muss es uns nicht sagen. Und warum ihm der Vermieter die Miete bezahlt, ist nicht unbedingt relevant für unsere Ermittlung, zumindest juristisch gesehen. Aber ich wüsste gerne die Antwort, und ich vermute, dass es bessere Wege gibt, das herauszufinden.« Die Enttäuschung stand seinen Mitarbeitern ins Gesicht geschrieben. Er kam ihnen zuvor, indem er sagte: »Ich werde sie laufen lassen. Und zwar alle. Es gefällt mir nicht, dass die Presse Wind davon bekommen hat, dass wir sie zur Vernehmung festhalten, und ich will mich nicht mit Anschuldigungen wegen Einschüchterung von Zeugen herumschlagen müssen, solange wir nicht den leisesten Schimmer haben, was hier eigentlich vorgeht. Simon, suchen Sie mir alles heraus, was es über KCD zu wissen gibt.«

Als Kincaid an seinem Schreibtisch saß, rief er gleich unten im Gewahrsamstrakt an und wies den Sergeant an, alle sechs Inhaftierten zu entlassen.

»Wollen Sie zuerst noch mit ihnen sprechen, Chef?«, fragte der Sergeant.

Kincaid überlegte einen Moment und sagte dann: »Nein. Entlassen Sie sie einfach.« Er wollte sie verunsichern, und je weniger Erklärungen sie bekamen, desto besser.

Und er wollte besser vorbereitet sein, bevor er sie noch einmal vernahm.

Er hatte sich gerade darangemacht, die Protokolle der Vernehmungen vom Abend durchzugehen, als sein Bürotelefon klingelte. Es war die Diensthabende vom Empfang, die ihm mitteilte, dass sie gerade Melody Talbot zu ihm hinaufgeschickt hatte.

Als er aufstand, sah er Melody schon durch die Einsatzzentrale kommen. Jasmine Sidana blickte auf und nickte ihr freundlich zu, was Melody mit einem Lächeln erwiderte. Er öffnete die Tür seines Büros und begrüßte Melody mit einer Umarmung, in die er seine ganze Erleichterung legte. Als er merkte, dass sein Team ihn mit unverhohlenem Interesse durch die Glaswand seines Büros beobachtete, ließ er sie los, bot ihr einen Stuhl an und schloss die Tür.

Statt ihrer gewohnten scharlachroten Wolljacke trug Melody eine übergroße marineblaue Caban-Jacke, die Kincaid von Andy kannte. Plötzlich durchzuckte ihn eine Erinnerung an den gestrigen Abend – Tam, wie er in der Bahnhofshalle auf dem Boden lag, zugedeckt mit etwas Rotem. Melodys Jacke – bespritzt mit Phosphor. Diese Jacke würde sie sicher nicht mehr tragen.

»Haben sie dich schon entlassen?«, fragte er. Und dann, etwas verspätet: »Kann ich dir etwas anbieten? Eine Tasse Tee?«

»Nein, ich bin wunschlos glücklich«, antwortete Melody, obwohl sie nicht so aussah. Sie trug kein Make-up, und ihre normalerweise tadellos gestylten dunklen Haare flatterten ihr in losen Strähnen ums Gesicht, als ob sie geduscht und anschließend das Kämmen vergessen hätte. »Ich muss heute Abend noch mal zu weiteren Untersuchungen ins Krankenhaus, aber ich hab nicht eingesehen, dass ich da so lange rumsitzen und Däumchen drehen soll.«

»Hast du was von Tam gehört?«

Sie schüttelte den Kopf. »Nicht, seit Andy heute Morgen bei ihm vorbeigeschaut hat. Die Ärzte meinen, seine Verbrennungen werden verheilen, aber man kann noch nicht sagen, wie viel Schaden der Phosphor angerichtet hat.« Bevor er seine nächste Frage stellen konnte, fuhr sie fort: »Ich habe in Andys Wohnung die Pressekonferenz gesehen. Habt ihr wirklich Verdächtige in Gewahrsam?«

»Nicht mehr.« Auf ihren fragenden Blick hin erklärte er, warum er die Gruppe auf freien Fuß gesetzt hatte.

Melody hörte aufmerksam zu. Als er ihr die Fotos der Aktivisten aus der Caledonian Road zeigte, runzelte sie die Stirn.

»Ich habe sie in der Menge nur flüchtig gesehen. Ich war mehr auf die Plakate konzentriert, und ich hatte Sorge, dass sie das Konzert stören würden. Aber den hier erkenne ich wieder, allein schon wegen seiner Größe und der lockigen Haare, obwohl er eine Strickmütze trug.« Sie tippte auf ein Foto und blickte dann zu Kincaid auf, um sich zu vergewissern. »Matthew Quinn?«

Er nickte, und sie sah die übrigen Fotos durch. »Und die hier.« Sie tippte auf Cam Chens Foto. »Aber der Rest … Ich kann's nicht sicher sagen.«

»Kannst du mir genau beschreiben, was passiert ist, von dem Moment an, als du den Bahnhof betreten hast?«, fragte er. Sie hatte ihm einen kurzen Bericht geliefert, als er am gestrigen Abend am Tatort eingetroffen war, doch da hatte sie unter Schock gestanden und sich Sorgen um Tam gemacht. »In allen Einzelheiten.«

Melody schien ihre Gedanken zu ordnen. »Ich war spät dran, weil es auf einer der U-Bahn-Linien wohl einen Selbstmord gegeben hatte und es deswegen zu Verspätungen kam. Ich hatte Andy versprochen, dass ich dort sein würde, und ich wollte ihn nicht enttäuschen. Andy und Poppy hatten schon angefangen zu spielen – ich konnte sie hören, als ich die Bahnhofshalle betrat. Ich habe vielleicht ein bisschen gedrängelt, um mir meinen Weg durch die Pendlerscharen zu bahnen. Ich war gerade am Rand der Menge angelangt, die sich um die Bühne versammelt hatte, als ich sah« – ihr Blick ging wieder zu den Fotos – »wie diese Leute ihre Plakate hervorholten. Ich war stinksauer. Als ich mich umschaute, sah ich eine Beamtin von British Transport auf sie zugehen.«

Kincaid nickte. »Colleen Rynski.«

»Also dachte ich mir, die wird schon mit ihnen fertig werden – ich hatte keine Lust, ausgerechnet während Andys und

Poppys Konzert die Polizistin rauszukehren und eine Szene zu machen.« Melody sank auf ihren Stuhl zurück, sie wirkte erschöpft. »Was mir im Nachhinein ziemlich albern vorkommt.«

»Sprich weiter«, ermunterte Kincaid sie.

»Ich sah Tam und Caleb vor dem Café stehen. Sie strahlten beide übers ganze Gesicht. Oder … warte mal …« Melody rieb ihre Hände an den Knien ihrer Jeans. »War das vor oder nach den Plakaten? Ich kann mich nicht erinnern.« Sie klang verzweifelt.

»Lass dir nur Zeit. Ich bin sicher, es wird dir wieder einfallen. Kommen wir noch mal auf Tam und Caleb zurück. Als du sie gesehen hast, hat da irgendetwas – oder irgendjemand – deine Aufmerksamkeit erregt, wenn auch nur für einen Augenblick?«

Melody schüttelte bekümmert den Kopf. »Nein. Ich habe nicht damit gerechnet … Ich dachte nicht daran … Ich habe mich wieder zur Bühne umgedreht, und ich weiß noch, dass ich hoffte, Andy würde mich dort am Rand der Menschenmenge stehen sehen. Und dann …« Sie hielt inne und schluckte. »Die Musik war laut. Aber ich habe es trotzdem gehört. Ein … Geräusch. Ich merkte, dass sich alle Köpfe in die gleiche Richtung drehten. Dann hörte ich die ersten Schreie. Ich drehte mich auch um – und da war er. Er brannte lichterloh.« Sie runzelte die Stirn. »Nein. Das ist nicht ganz richtig. Zuerst war ich mir nämlich gar nicht sicher, was es war, das Licht war so grell. Und dann sah ich die Umrisse eines Mannes in den Flammen.«

»Warum warst du so sicher, dass es ein Mann war? Du hast doch bestimmt sein Gesicht nicht gesehen?«

»Nein, ich – ich weiß es nicht. Das war einfach der Gedanke, der mir durch den Kopf schoss. Und dann brach er zusammen, direkt vor meinen Augen, und ich versuchte zu ihm vorzudringen, während die Leute in die andere Richtung drängten, um sich in Sicherheit zu bringen. Ich habe ihnen zugerufen, dass sie das Gebäude räumen sollen, aber es war alles voller Rauch, und aus den Lautsprechern kam dieses Feedback-Kreischen, und ich bin nicht sicher, ob irgendjemand mich gehört hat.

Ich bin mit einem Mann zusammengestoßen, und er packte mich ganz fest an der Schulter und sagte mir, ich solle zurückbleiben. Er hielt sich ein Taschentuch vors Gesicht, und ich sah, dass er auch auf das Opfer zuging. Ich habe mich identifiziert, und da rief er mir zu, ich sollte auch mein Gesicht bedecken, und dann … haben wir uns zusammen einen Weg durch die Menge gebahnt.«

Während Kincaid Melody beobachtete, wurde ihm bewusst, dass er sie noch nie als so unsicher empfunden hatte. Er dachte, dass es zum Teil an der Kleidung lag – normalerweise war sie so elegant gekleidet wie kaum eine ihrer Vorgesetzten. Aber selbst in ihrer Freizeit, wenn sie eher leger angezogen war, strahlte sie stets ein unerschütterliches Selbstbewusstsein aus, das durch ihre etwas reservierte Art noch mehr betont wurde.

Melody hatte die Prüfung bestanden. Sie hatte sich unerschrocken in das Chaos gestürzt – etwas, was alle Polizisten in ihrer Ausbildung lernten, doch man konnte nie wissen, ob man auch wirklich den Mumm dazu hatte, bis man tatsächlich mit einer Krisensituation konfrontiert wurde. Doch dieses Erlebnis schien sie tief erschüttert zu haben, und sie sah … krank aus. Mit einem kleinen Anflug von Panik fragte er sich, ob man ihr im Krankenhaus vielleicht eine falsche Entwarnung gegeben haben könnte, was die Auswirkungen der Phosphorvergiftung betraf, doch dann rief er sich zur Ordnung. Das war doch albern, natürlich verstanden die Ärzte ihr Handwerk …

»Duncan?«

Er zuckte zusammen und sah Melody an. »Entschuldige. Und was ist dann passiert?«

»Wir … Wir sind schließlich zu ihm vorgedrungen. Und« – sie zuckte mit den Achseln – »du hast es ja selbst gesehen. Wir konnten nichts mehr tun. Er – der Mann neben mir – sagte etwas …« Sie rieb sich das Gesicht. »Ich kann mich nicht erinnern. ›Zu spät‹ vielleicht? So etwas Ähnliches. Aber er hörte sich so … so … verzweifelt an, und einen Moment lang fürchtete ich, dass ich vor Schock in Ohnmacht fallen würde. Und dann der Geruch. Es war … entsetzlich. Dann wurde mir bewusst, dass ich immer noch Leute schreien hörte. Und dann sah ich, dass Tam in Flammen stand.« Melody räusperte sich. »Den Rest kennst du ja mehr oder weniger.

Ich habe versucht, den Tatort zu sichern und gleichzeitig Tam und den anderen Opfern zu helfen. Da war ein Mädchen, eine Kellnerin aus dem Café. Sie hat einen Feuerlöscher geholt und Menschen geholfen, die immer noch brannten. Ich würde ihr gerne danken.« Melody setzte sich ein wenig aufrechter hin.

»Und ich würde sie gerne befragen«, sagte Duncan. »Sie hat vielleicht vorher etwas beobachtet. Hast du ihren Namen erfahren?«

»Nein. Aber sie war hübsch, mit kurzen dunklen Haaren. Ich würde sie jederzeit wiedererkennen. Ich könnte mitkommen und mit ihr …«

Doch Kincaid schüttelte bereits den Kopf. »Es ist nicht dein Fall, Melody. Du weißt, dass ich dich nicht zu einer Zeugenbefragung mitnehmen kann.«

Melody ließ die Schultern sacken und starrte durch die Scheibe in die Einsatzzentrale. »Dein neues Team, natürlich. Deine DI hat sich gestern Abend am Tatort gut gemacht. Sehr kompetent.« Mit einem bedauernden Lächeln fügte sie hinzu: »Aber sie ist nicht Doug.«

»Nein.« Kincaid war froh, dass jemand Sidana sympathisch fand.

»Er würde es niemals sagen«, fuhr Melody fort. »Das wäre sehr unmännlich – aber du fehlst ihm.«

»Du meinst, ihm fehlt die ganze Action«, witzelte Kincaid, denn es war eine Sache, seinen Sergeant zu vermissen, aber eine völlig andere, es zuzugeben.

Er überlegte einen Moment. Er hatte Melody nur gesagt, was er auch dem Rest des Teams gesagt hatte. Aber wem konnte er vertrauen, wenn nicht ihr? »Ich habe Doug gestern getroffen«, sagte er. »Wir waren zusammen im Pub, nachdem er dich in der Notaufnahme besucht hatte.« Mit gesenkter Stimme erzählte er ihr anschließend von den Nachforschungen, die Doug für ihn über das Opfer, Ryan Marsh, angestellt hatte, und von dem Verdacht, der ihnen gekommen war und den die heutige Obduktion noch verstärkt hatte.

Melody starrte ihn mit großen Augen an. »Ein verdeckter …« Sie hielt sich für einen Moment den Mund zu, dann sagte sie nur kurz und knapp: »Scheiße.«

»Ja. Genau das habe ich auch gedacht. Matthew Quinn lernt bei einer Demo einen mysteriösen Fremden kennen. Der Fremde nennt sich Ryan Marsh und genießt angeblich großen Respekt in einschlägigen Kreisen – oder zumindest in der Gruppe –, weil er schon an vielen Protestaktionen beteiligt war. Nach ein paar weiteren Zufallsbegegnungen macht Ryan Marsh sich geschickt an Matthew Quinns kleine Gruppe heran, bis er schließlich – zumindest gelegentlich – auch in ihrer Wohnung übernachtet. Als Quinn eine Rauchbombe erwirbt – oder jedenfalls eine angebliche Rauchbombe –, die er bei einer Protestaktion einsetzen will, sagt Marsh, dass er das übernehmen werde, wobei in der Frage, ob die Rauchbombe Quinns oder Marshs Idee war, die Aussagen voneinander abweichen. Marsh erzählt ihnen, er sei wegen früherer Aktionen schon vorbestraft, und falls es zu einer Verhaftung käme, würden die anderen sauber bleiben.

Nur dass es dazu nichts in den Akten gibt. Keine Eintragung wegen einer Verhaftung. Auch keine Telefondaten, kein Führerschein, keine Versicherungsnummer, keine Kreditkarten.«

»Der Name ist nicht allzu selten.«

»Stimmt. Aber Doug ist sehr gründlich, und er hat alle anderen Träger dieses Namens ausschließen können wie auch mein Fallmanager Simon Gikas. Und warum hat Ryan Marsh sich die Mühe gemacht, nie irgendwelche Spuren oder persönlichen Gegenstände zu hinterlassen? Und nicht nur gestern – das wäre ja verständlich, wenn er vorhatte, sich das Leben zu nehmen –, sondern jedes Mal, wenn er die Wohnung verließ?«

Melody hüllte sich noch etwas enger in Andys große Jacke, obwohl es in Kincaids Büro warm war. »Warum sollte irgendjemand sich mit Quinns kleiner Gruppe abgeben? Wer würde sich die Mühe machen? Wenn es jemand von der Terrorismusbekämpfung wäre, hätte das SO15 den Fall nicht abgegeben. Vielleicht die Sitte oder das Drogendezernat?«

»Obwohl keine Drogen gefunden wurden, bis auf geringe Mengen für den persönlichen Gebrauch? Und auch keine Hinweise auf Glücksspiel oder Prostitution. Selbst wenn Matthew Quinn die Mädchen – oder die Jungen – auf den Strich geschickt hätte, wären das immer noch Peanuts.«

»Es ergibt keinen Sinn«, pflichtete Melody ihm nachdenklich bei. »Aber …« Sie beugte sich vor, und ihre Wangen bekamen ein wenig mehr Farbe. »Ich habe eine Idee. Kannst du mir die Fotos der Gruppe schicken?«

»Ja, aber …«

»Lass mich ein bisschen in den Fotoarchiven der *Chronicle* recherchieren. Nicht speziell zu Ryan Marsh, aber zu allem, woran Matthew Quinn oder seine Gruppe beteiligt gewesen sein könnten. Du sagst, sie haben gegen den Crossrail-Tunnelbau protestiert und gegen die Beschädigung von historischen Londoner Stätten. Wenn sie auf irgendwelchen Pressefotos zu sehen sind, bin ich sicher, dass ich sie finden kann, und es ist möglich, dass Marsh zusammen mit dem Rest der Gruppe fotografiert wurde.«

Kincaid schob die Fotos auf seinem Schreibtisch zu einem ordentlichen Stapel zusammen und dachte dabei über die Personen nach, die er vernommen hatte. »Es kann sein, dass sie ihn einfach nicht identifizieren *wollen*. Auf den Aufnahmen der Überwachungskameras, die wir ihnen heute Morgen gezeigt haben, hat angeblich niemand ihn erkannt. Da laufen irgendwelche gruppendynamischen Geschichten ab, die ich nicht verstehe.«

»Könnte jemand anders ihn identifizieren?«

Er blickte zu ihr auf, und ihm kam eine Idee. Medhi Atias, der Inhaber des Hähnchenrestaurants, der sie alle immer hatte kommen und gehen sehen. »Ja. Ja, ich glaube, da könnte es jemanden geben.«

»Prima.« Melody wollte aufstehen. »Ich werde dann …«

»Kannst du das machen, ohne dass jemand bei der Zeitung etwas mitbekommt?«

Sie nickte. »Sicher. Ich kann von meinem Laptop aus auf das Bildarchiv zugreifen.«

»Und sprich mit niemandem darüber, außer mit Doug. Auch nicht mit Andy.«

»Aber – du meinst doch nicht, dass ich nicht mit Gemma …«

»Nein, Gemma habe ich damit natürlich nicht gemeint. Allerdings hatte ich seit gestern Abend keine Gelegenheit mehr, mit ihr zu reden, also muss ich sie noch auf den neuesten Stand bringen.« Und da Melody nicht nur Gemmas Freundin, sondern auch ihre Untergebene war, konnte er sich vorstellen, dass Gemma nicht allzu begeistert wäre, wenn er Melody von ihren eigentlichen Aufgaben ab- und in diesen verworrenen Fall hineinzog. Aber er brauchte Hilfe, und solange er nicht wusste, womit er es zu tun hatte, wollte er lieber nicht über die offiziellen Kanäle gehen.

»Also gut«, sagte er. »Aber sei vorsichtig. Und pass gut auf dich auf, ja?«

Er hatte gerade Melody hinausbegleitet, als sein Bürotelefon klingelte. »Verdammt«, murmelte er, als er zu seinem Schreibtisch zurückeilte, um abzuheben. Er nahm an, dass es sein Chief Superintendent war – wenn nicht der AC Crime höchstpersönlich, der anrief, um ihm zu sagen, dass er die Pressekonferenz vermasselt habe, und einen Lagebericht verlangte.

Aber es war wieder die Diensthabende vom Empfang, und sie entschuldigte sich sogleich für die Störung.

»Tut mir leid, Sir, aber hier ist eine junge Frau, die ist ganz durch den Wind. Sie sagt, sie hat Sie im Fernsehen gesehen, in den Mittagsnachrichten, und sie will Sie unbedingt sprechen. Ihr Freund ist angeblich seit dieser Protestveranstaltung gestern Abend verschwunden, und sie befürchtet, dass ihm etwas zugestoßen ist.«

11

Wenn die Direktoren und Funktionäre der Midland Company ihre gesammelte Erfahrung mit der erklärten Absicht eingebracht hätten, für ihren Londoner Bahnhof denjenigen Standort zu wählen, der die größtmögliche Zahl von Problemen mit sich bringen würde, hätten sie kaum etwas Besseres finden können als den Ort, auf den letztlich ihre Entscheidung fiel, nämlich St. Pancras.

Jack Simmons und Robert Thorne, *St. Pancras Station*, 2012

Irgendwann vor Tagesanbruch stellte er den dunkelblauen Ford auf dem Parkplatz des Bahnhofs Didcot Parkway ab. An einem Bahnhof konnte man auch zu ungewöhnlichen Tages- oder Nachtzeiten ankommen oder abfahren, ohne dass es sonderlich auffiel, und auch ein Auto, das einige Tage lang dort stand, würde keinen Verdacht erregen.

Einige Tage … Wem wollte er etwas vormachen, nach dem, was in St. Pancras passiert war? Vielleicht würde es für immer sein. Aber er konnte nicht darüber nachdenken, noch nicht jedenfalls, und auf einem Bahnhofsparkplatz würde es wenigstens eine Weile dauern, ehe das Auto abgeschleppt wurde, und selbst dann würde man darin nichts finden, was mit ihm in Verbindung gebracht werden könnte.

Nachdem er sich rasch vergewissert hatte, dass niemand sonst in der Nähe war, verstaute er die Vorräte aus dem Kofferraum in seinem großen Rucksack. Dann wischte er alles, was er angefasst hatte, mit einem sauberen Tuch ab, verschloss den Wagen und steckte den Schlüssel ein.

Einen Moment lang stand er da, rückte das Gewicht des schwe-

ren Rucksacks auf seinen Schultern zurecht und blickte zu dem verlassenen Bahnsteig hinüber. Selbst in der Dunkelheit konnte er die Kühltürme des nahen Kraftwerks Didcot ausmachen. Irgendwie ironisch, hatte er doch selbst an den Protesten teilgenommen, die zur Stilllegung von Didcot A geführt hatten. Und was hatte das letzten Endes gebracht?

In der Ferne ertönte eine Zugsirene, das Geräusch herangetragen von einem bitterkalten Wind. Er fröstelte. Züge waren ihm jetzt ein Gräuel.

Er wandte sich ostwärts, in Richtung Themse, und marschierte los.

Als Gemma auf dem Revier ankam, erfuhr sie, dass DC Shara MacNicols die beiden Mädchen, Izzy Lamar und Deja Harriott, zusammen mit Izzys Mutter in den Familientrakt gebracht hatte, der für heikle Vernehmungen oder für Gespräche mit den trauernden Angehörigen von Opfern benutzt wurde.

Bei der ersten Runde von Vernehmungen nach Mercys Tod waren es diese beiden Mädchen gewesen, die zu Protokoll gegeben hatten, dass Dillon Underwood sich besonders für Mercy interessiert habe und dass sie glaubten, dass Mercy in ihn verliebt gewesen sei. Gemma warf einen Blick durch die Glastür des Raums, um ihre Erinnerung aufzufrischen. Izzy war weiß und ein wenig pummelig, ihre Brüste waren schon ziemlich entwickelt, ihre Kleider ein bisschen enger, als Gemma es für angemessen hielt. Sie hatte schulterlange schmutzig blonde Haare und trug nur einen Anflug von Make-up – die Sorte, die Gemma als Mädchen in der Hoffnung benutzt hatte, ihre Mutter würde es nicht merken. Natürlich hatte ihre Mutter sie nur einmal angeschaut und sie gleich ins Bad geschickt, um sich das Gesicht abzuschrubben. Später hatte Gemmas Schwester Cyn es irgendwie geschafft, mit den gleichen Experimenten ungeschoren davonzukommen.

Izzys Mutter, ebenfalls blond, jedoch aufgepeppt mit künstlichen Strähnchen, trug ein Kostüm in Dunkeloliv, das für ihren Teint nicht gerade vorteilhaft war. Sie wirkte müde und mitgenommen und machte den Eindruck, als ob sie im Moment nichts weniger interessierte als Izzys amateurhafte Versuche mit Rouge und Lippenstift.

Das andere Mädchen, Deja Harriott, war schwarz, dünn und schlaksig. Die Haare hatte sie zu einem festen Knoten zurückgebunden, und ihre Kleider sahen aus, als wäre sie aus ihnen herausgewachsen. Sie saß gegenüber von Mutter und Tochter, die Hände unbeholfen zwischen den Knien eingeklemmt.

»Die Mutter – wie heißt sie mit Vornamen?«, fragte Gemma Shara MacNicols.

»Emily«, antwortete Shara, ohne ihre Notizen zu konsultieren. »Sie arbeitet als Kreditsachbearbeiterin bei einer Bank. Sie hat sich bei uns gemeldet, nachdem Izzy zugegeben hatte, dass sie ein Foto auf ihrem Handy hat.«

»Und Sie haben das Foto gesehen? Sind Sie sicher, dass er es ist?«

»Ohne jeden Zweifel. Aber Mercy ist halb von der Kamera abgewandt.«

Gemma runzelte die Stirn. »Na schön. Dann wollen wir mal sehen, was sie uns zu sagen haben.«

Sie öffnete die Tür und trat ein, mit einem Lächeln auf den Lippen, von dem sie hoffte, dass es beruhigend wirkte. »Mrs Lamar, danke, dass Sie gekommen sind. Und euch auch vielen Dank, Mädchen.« Sie zog sich einen etwas ramponierten Konferenzstuhl heran und stellte ihn so, dass sie beiden Mädchen ins Gesicht sehen konnte. Izzy rutschte auf dem Sofa herum, wobei sie fast unmerklich von ihrer Mutter wegrückte. Bei genauerem Hinsehen stellte Gemma fest, dass Izzys Augen verquollen und gerötet waren – sie hatte geweint.

Gemma wandte sich an das andere Mädchen. »Deja, wo ist deine Mutter heute?«

»Sie unterrichtet«, flüsterte Deja. »Sie hat die neunte Klasse in Englisch an unserer Schule. Sie hat mir erlaubt, Izzy zu begleiten, solange Izzys Mutter auf mich aufpasst.«

»Ihr beide und Mercy, ihr wart alle in derselben Klasse, nicht wahr?«

Beide Mädchen nickten, und Izzy sagte: »In der siebten. Es ist voll kr...« Sie schielte zu ihrer Mutter, hustete und korrigierte sich dann: »... ganz schön stressig.«

»Ich weiß zu schätzen, dass du gekommen bist, Deja«, sagte Gemma, »aber ich kann dich nicht befragen, wenn deine Mutter nicht dabei ist.« Sie sah Shara an und fügte hinzu: »DC MacNicols, könnten Sie jemanden bitten, für Deja einen Becher heiße Schokolade aus dem Automaten zu holen? Sie kann im Vorraum warten.«

»Kann ich ...«, setzte Izzy an, verstummte aber, als sie den strengen Blick ihrer Mutter sah.

»Natürlich kannst du auch eine heiße Schokolade haben. Mrs Lamar, einen Kaffee für Sie?«

»Oh. Aber ich muss wieder in die Ar...« Emily Lamar sank auf ihren Stuhl zurück und seufzte. »Na gut. Mit Zucker, bitte.«

Als Gemma den Blick sah, den die beiden Mädchen wechselten, während Deja Shara nach draußen folgte, war sie froh, einen Vorwand zu haben, sie getrennt zu befragen. Hier lief irgendetwas ab, und Gemma vermutete, dass sie eher zur Wahrheit vordringen würde, wenn sie beide nacheinander vernahm. Sie wünschte, sie hätte mit Izzy sprechen können, ohne dass ihre Mutter dabei war, aber dann hätten sie nichts von dem, was das Mädchen ihr erzählte, vor Gericht verwenden können.

Gemma machte Small Talk, während sie darauf wartete, dass Shara zurückkam. Sie fragte Izzy, welches ihre Lieblingsfächer in der Schule seien, und hoffte, damit sowohl Izzy als auch der Mutter etwas von ihrer Anspannung nehmen zu können.

Nachdem Shara mit den heißen Getränken zurückgekommen war und ihr Notizbuch aufgeschlagen hatte, beugte Gemma sich zu dem Mädchen vor. »Izzy, warum hast du uns nicht von dem Foto erzählt, als wir das erste Mal mit dir gesprochen haben?«

»Als ich das gemacht hab, das war zwei Wochen vor …« Izzy brach ab, ihre Augen füllten sich mit Tränen.

»Vor Mercys Tod?«, fragte Gemma.

Izzy nickte. »Ich hatte vergessen, dass ich es gemacht hatte.« Gemma musste wohl skeptisch geschaut haben, denn Izzy fügte rechtfertigend hinzu: »Ich hab massenhaft Fotos auf meinem Handy. Und wir machen gerade ein Projekt im Kunstunterricht, deswegen hab ich noch mehr fotografiert als sonst.«

Gemma nahm Izzy nicht ab, dass sie das Foto einfach vergessen hatte, doch sie bedrängte das Mädchen nicht weiter. »Darf ich es mal sehen?«, fragte sie.

Widerstrebend zog Izzy ein iPhone aus der Tasche ihrer Jeans, schaltete es ein und wischte ein paarmal über das Display. »Da.«

Als Gemma das Telefon nahm, sah sie, dass der Bildschirm einen kleinen Sprung hatte. Auch wenn das Smartphone offensichtlich nicht neu war, musste sie doch über die Eltern staunen, die ihrer zwölfjährigen Tochter ein so teures Gerät kauften. Duncan und sie hatten Kit erst dieses Jahr ein billiges Handy mit einer begrenzten Zahl von SMS gekauft – und er war vierzehn.

Sie betrachtete das Foto. Es war aus einiger Entfernung aufgenommen und ein wenig unscharf, doch sie erkannte den Ort sofort wieder – es war vor dem Starbucks in der Nähe der U-Bahn-Station Brixton. Und der Mann auf dem Foto war unzweifelhaft Dillon Underwood. Der Zeitstempel bestätigte, dass es zwei Wochen vor dem Mord an Mercy aufgenommen worden war.

Als sie das Bild vergrößerte, konnte sie die andere Gestalt deutlicher sehen. Es war Mercy.

Dillon schien eindringlich auf sie einzureden, und er hatte die Hand nach ihr ausgestreckt. Mercy hatte den Kopf gesenkt, ihr Gesicht war halb hinter der Wolke ihrer Haare verborgen. Schon mit ihren zwölf Jahren war sie eine kleine Schönheit gewesen – aus einer gemischten Beziehung, wie Gemma aus ihrer relativ hellen Haut schloss, mit feinen Gesichtszügen und dunklen lockigen Haaren, die ihr bis auf die Schultern fielen.

Sie vergrößerte das Foto noch weiter und blickte dann zu Izzy auf. »Er gibt ihr gerade etwas. Was war das?«

»Wir glauben, dass es ein Handy war. Sie wollte es uns nicht sagen.«

Gemma wartete.

Nach einer Weile fuhr das Mädchen fort: »Sie hat gemeint, das geht uns nichts an.« Izzy klang gekränkt. »Wir waren ihre besten Freundinnen. Und sie hat gesagt, wenn wir es ihrer Mum erzählen, bringt sie uns um.«

»Und ihr fandet es nicht merkwürdig, dass sie so ein Geheimnis darum gemacht hat?«

»Na ja, irgendwie schon. Aber sie hatte sowieso schon Ärger …« Izzy schluckte und fuhr fort: »Sie hatte nämlich ihr Handy verloren. Es war kein iPhone, aber es war ein ziemlich cooles Teil, und sie sollte gut darauf aufpassen. Sie hatte ein Limit auf ihren SMS, und ihre Mum hat es kontrolliert.« Sie warf einen kurzen Seitenblick auf ihre Mutter, als ob sie hoffte, sie würde nicht auf dumme Ideen kommen. »Mercy war also klar, dass sie so bald kein neues Handy kriegen würde, und sie hatte Angst, dass ihre Mum ihr nicht den Computer kaufen würde, den sie sich wünschte, weil sie das Handy verloren hatte.«

Gemma dachte darüber nach. »Okay, aber das erklärt noch nicht, warum sie nicht wollte, dass du und Deja von dem Handy erfuhren.«

»Sie war schon seit ein paar Wochen – keine Ahnung – irgendwie komisch drauf. Seit sie angefangen hatte, sich Computer anzuschauen.«

»Und mit Dillon Underwood zu reden?«

Izzy nickte.

»Hat Dillon Underwood je mit euch geredet?«

»Nee. Nicht wirklich«, antwortete Izzy und zog die Mundwinkel nach unten. »Er hat Mercy immer irgendwie – weiß nicht, anders behandelt als uns. Aber sie war es schließlich auch, die den Computer wollte. Deja und ich – wir hatten ja beide schon ewig einen.« Sie zuckte mit den Achseln – die Verachtung der Besitzenden für die Besitzlosen.

»Wusste Dillon Underwood, dass Mercy ihr Handy verloren hatte?«

Izzy runzelte die Stirn. »Ich glaube schon. Sie dachte, dass sie es vielleicht im Laden hatte liegen lassen. Sie ist dann wieder rein, sie war ganz fertig und hat geheult.«

»Wie lange danach ist dieses Foto entstanden?« Gemma tippte mit dem Finger auf das Smartphone.

»Keine Ahnung. Vielleicht eine Woche.«

»Erzähl mir von dem Tag, an dem du das Foto gemacht hast.«

»Es war Mercys Idee. Sie meinte, wir müssten für unsere

Prüfung in Geschichte lernen und wir sollten uns im Starbucks treffen. Aber dann war sie irgendwie gar nicht bei der Sache. Sie hat sogar ihren Chai Latte über meine ganzen Hefte verschüttet. Wir dachten, sie hätte vielleicht wieder Streit mit ihrer Mum gehabt. Dann wollte sie plötzlich gehen und hat gesagt, wir sollten allein weitermachen, wir würden uns dann in der Schule sehen. Aber als wir uns noch mal umgedreht haben, hat sie mit ihm geredet.«

»Was hat sie dann gemacht?«, fragte Gemma.

»Sie hat uns 'ne volle Minute lang böse angeschaut, und wir dann so, nix da, wir lassen uns nicht wegschicken. Und da hat sie ihn dann einfach stehen lassen. Aber sie wollte nicht mit uns reden, und sie wollte uns auch nicht von dem Handy erzählen.«

Shara schaltete sich zum ersten Mal ein. »Aber woher wusste Dillon Underwood denn, dass Mercy an diesem Nachmittag im Starbucks sein würde? Glaubst du, dass sie mit ihm verabredet war und dass sie deshalb so unruhig war?«

»Ja, muss wohl so gewesen sein«, antwortete Izzy und nickte.

»Vom Festnetzanschluss von Mercys Mutter wurde weder sein Handy noch die Nummer des Ladens angerufen. Und auch keine unbekannten Nummern.« Shara tippte mit ihrem Stift auf das Notizbuch. »Hat sie irgendwann vor diesem Treffen mal dein Telefon benutzt, Izzy? Oder das von Deja?«

Izzy rutschte auf ihrem Platz hin und her. »Ja, hat sie. An dem Tag, nach der Schule. Sie hat eine SMS geschickt.«

»Izzy!« Emily war blasser und blasser geworden, während sie der Erzählung ihrer Tochter lauschte. »Warum hast du das denn niemandem erzählt?«

»Weil sie die SMS gelöscht hat, deswegen. Ich dachte – wir dachten, es macht doch keinen Unterschied.«

»Aber warum hast du uns nicht erzählt, dass du gesehen

hast, wie Mercy vor dem Elektronikladen mit diesem Mann gesprochen hat?«

»Weil … weil sie danach nicht mehr in den Laden gegangen ist. Und dann, nachdem sie … Wir hatten Angst …« Izzy stockte und brach ab.

»Sprich weiter«, forderte ihre Mutter sie mit sanfterer Stimme auf.

Jetzt brach es in einem Schwall aus Izzy heraus, als ob sich die Worte zu lange in ihr aufgestaut hätten. »Wir … wir dachten, wenn wir es jemandem gesagt hätten, dann wäre … dann wäre Mercy vielleicht nicht ermordet worden. Wir hatten Angst, dass es unsere Schuld ist.« Sie fing an zu weinen und rieb sich mit den Fingerknöcheln die Augen wie das Kind, das sie tatsächlich noch war.

»Oh, Schatz.« Emily Lamar nahm ihre Tochter in den Arm und tätschelte ihr den Rücken. »Das konntest du doch nicht wissen.«

Nachdem Gemma einen Blick mit Shara gewechselt hatte, ließ sie den beiden noch einen Moment Zeit und sagte dann so ruhig, wie sie nur konnte: »Izzy, wir brauchen dann dein Handy. Unsere Kriminaltechniker müssten in der Lage sein, die Nummer zu ermitteln. Und wir müssen auch noch deine Aussage zu Protokoll nehmen – und die von Deja, wenn ihre Mutter oder ihr Vater sie begleiten kann.«

»Aber …«

»Keine Sorge, das ist ganz einfach. Detective Constable MacNicols wird nachher anhand ihrer Notizen alles ins Reine tippen, was du uns erzählt hast. Dann kannst du es zusammen mit deiner Mutter lesen, und wenn ihr damit einverstanden seid, könnt ihr es beide unterschreiben.«

Sie stand auf und signalisierte damit das Ende der Befragung, doch Emily Lamar hielt sie zurück, indem sie ihr eine

Hand auf den Arm legte. »Detective, kann ich Sie kurz sprechen?«

»Natürlich.«

»Komm, Izzy«, sagte Shara. »Wir sehen mal nach deiner Freundin.« Sie führte Izzy hinaus.

Emily Lamar sah Gemma fest in die Augen. »Detective, muss ich Angst haben, dass dieses … Ungeheuer auch meiner Tochter etwas antut? Und Deja? Sagen Sie mir die Wahrheit.«

Gemma wollte unbedingt vermeiden, dass unter den Eltern im Viertel eine Panik ausbrach. So bunt gemischt Brixton auch war, die Leute hielten hier fest zusammen, und wenn Dillon Underwood von verängstigten Bürgern schikaniert oder verletzt würde, könnte das den Erfolg der polizeilichen Ermittlungen gegen ihn gefährden. Aber sie war selbst auch Mutter, und sie hatte die Pflicht, diese Mädchen zu schützen. Wenn Dillon Underwood tatsächlich Mercys Mörder war, konnte er nicht sicher sein, dass Mercy ihnen nicht irgendetwas erzählt hatte, was ihn belastete.

»Detective?«, wiederholte Emily.

»Mrs Lamar, Sie verstehen sicher, dass ich Ihnen offiziell nichts dazu sagen kann. Wir haben keine Beweise dafür, dass Underwood irgendetwas anderes getan hat, als Mercy Computer zu zeigen. Aber wenn Izzy und Deja meine Töchter wären, würde ich dafür sorgen, dass sie außerhalb der Schulzeiten immer beaufsichtigt werden. Aber bitte sprechen Sie mit niemandem darüber. Solche Gerüchte könnten unseren Ermittlungen schaden.«

Emily Lamar nickte. »Sie werden ihn fassen?«

»Ja. Das werden wir«, versicherte Gemma ihr mit einer Zuversicht, die sie nicht wirklich empfand.

Nachdem Gemma Emily hinausbegleitet hatte, traf sie Shara auf dem Flur. »Er hat sie sich gefügig gemacht«, sagte Gemma. »Sie von ihren Freundinnen abgeschottet und sich ihr Vertrauen erschlichen.«

»Und ihr verlorenes Handy …«

»Von dem sie glaubte, sie hätte es im Laden liegen gelassen …«

»Wetten, er hat es eingesteckt, als sie gerade abgelenkt war?«, vollendete Shara. »Wenn er das ist, was wir vermuten, muss die Versuchung unwiderstehlich gewesen sein. Fotos, SMS …«

»Und dann, als sie wegen des Verlusts so außer sich war, hat er vielleicht die unverhoffte Gelegenheit beim Schopf gepackt. Er schenkt ihr ein Handy, wahrscheinlich ein billiges Prepaid-Teil, und sagt ihr, dass sie es nur zur Kommunikation mit ihm benutzen darf, weil er sie sonst in Schwierigkeiten bringen würde«, spann Gemma den Gedanken fort. »Wir konnten uns nicht erklären, wie er an dem Abend, als sie ermordet wurde, ein Treffen mit ihr arrangiert hat. Jetzt können wir es uns wohl denken.«

»Und was ist nun aus ihrem Handy geworden?«, fragte Shara. »Es wurde keines bei der Leiche gefunden und auch nicht bei ihr zu Hause.«

»Er hat es eingesteckt.« In diesem Moment wusste Gemma es mit absoluter Gewissheit. »Nachdem er sie umgebracht hatte.«

Sie sahen einander an. Shara schüttelte den Kopf, so heftig, dass die roten Perlen an den Enden der vielen winzigen Zöpfchen in ihrem Haar hin und her flogen. »Er wäre nicht so dumm gewesen, es zu behalten.«

»Wahrscheinlich nicht. Aber hoffen dürfen wir es«, meinte Gemma. »Und mit dem Foto auf Izzys Handy können wir wenigstens einen Durchsuchungsbeschluss erwirken.«

Als der schwache Lichtschein, der die Morgendämmerung ankündigte, den Himmel im Osten erhellte, hatte er die Hauptstraße schon verlassen.

Er roch den Fluss, ehe er ihn sah, ein würziger, erdig-feuchter Geruch, den der kalte Wind mit sich führte. Sein Kanu war noch da, wo er es zurückgelassen hatte, gründlich getarnt im Unterholz an einer von Unkraut überwucherten Stelle nahe dem Flussufer. Er verstaute sein Gepäck, dann schleppte er das Kanu zum Ufer und schob es behutsam ins Wasser. Er zog es zu sich heran, stieg ein und wendete es, ehe er sich abstieß. Das Paddel legte er quer über den Bug, als das kleine Boot durch das Schilf aufs offene Wasser hinausglitt.

Am östlichen Himmel war jetzt zwischen Wolkenfetzen ein rosiger Schimmer zu sehen. Da erst fiel ihm auf, dass der Wind sich mit dem Anbruch der Dämmerung gelegt hatte. Kein Laut war zu hören, kein Vogelgezwitscher, kein Rauschen des Winds im Schilf. Die silberglänzende Fläche des Flusses breitete sich vor ihm aus wie poliertes Glas.

Die Stille hüllte ihn ein. Er hatte das Gefühl, in eine Art Zeit-Vakuum geraten zu sein. Für die Dauer dieses Augenblicks vergaß er, dass seine Hände und Füße vor Kälte schmerzten. Er vergaß alles, was passiert war, und alles, was ihm noch bevorstand.

Das Rosa des Himmels ging fast unmerklich in Gold über.

Dann schwankte das Schilfrohr, dunkle Wolken schoben sich vor die aufgehende Sonne, und die Strömung erfasste das Boot.

Das erste Wort, das Duncan in den Sinn kam, als er das Mädchen sah, war *ätherisch*.

Ihre Haut war bleich wie Alabaster und wirkte fast durchscheinend. Ihr Haar, das ihr wie Zuckerwatte über die Schultern fiel, war so hellblond, dass es fast weiß schien. Sie wirkte zierlich, selbst in ihrer gefütterten Jacke, und sah jünger als zwanzig aus – ihr Alter laut dem Ausweis, den sie am Empfang vorgelegt hatte.

Die Diensthabende hatte sie in den Besprechungsraum verfrachtet und ihr einen Tee gebracht – in einer Porzellantasse mit Untertasse sogar –, doch er stand noch unberührt vor ihr. Als sie zu ihm aufblickte, sah er, dass sie kein Make-up trug und dass ihre Augen von einem so hellen Blau waren, dass sie fast farblos wirkten.

»Ich bin Detective Superintendent Kincaid«, sagte er, während er sich auf den Stuhl gegenüber setzte. »Und Sie sind …« Er warf einen Blick auf die Notizen der Diensthabenden, obwohl das eigentlich nicht nötig war. »Ariel, stimmt's? Das klingt sehr nach Shakespeare.«

»Mein Vater ist Professor für Geschichte am UCL.« Ihre Stimme war leise, fast ein Flüstern. »Aber er liebt Shakespeare.«

»Meiner auch. Ich heiße übrigens Duncan.«

»Oh.« Sie lächelte und entspannte sich sichtlich. »Wie in *Macbeth*.«

»Tja, ich konnt's mir nicht aussuchen. Ist es Ihnen recht, wenn ich Sie Ariel nenne?« Er sah in den Notizen, dass sie mit Nachnamen Ellis hieß.

»Doch, ist schon in Ordnung.« Sie berührte die Tasse, hob sie aber nicht. »Ich trinke leider keinen Tee. Aber ich wollte nichts sagen.«

»Kein Problem, Ariel. Ich wusste ja gar nicht, dass unsere Diensthabende so stilvoll Tee servieren kann. Also, was kann ich für Sie tun?« Kincaid wollte hören, was sie zu sagen hatte, ohne dass er ihr irgendwelche Vorgaben machte.

Sie rutschte ein wenig auf ihrem Stuhl hin und her, erwiderte aber seinen Blick. »Jetzt, wo ich hier sitze, komme ich mir irgendwie idiotisch vor. Es ist wahrscheinlich gar nichts, und ich will mich nicht wie ein hysterisches Weib aufführen.«

»Erzählen Sie es mir doch trotzdem. Ich werde auch nicht denken, dass Sie hysterisch sind, versprochen.«

Ariel Ellis biss sich auf die Unterlippe, dann seufzte sie. »Es geht um meinen Freund. Er heißt Paul Cole. Wir hatten gestern Morgen einen kleinen … Streit. Ich wusste, dass er zu dieser Demonstration im Bahnhof gehen wollte, und seitdem habe ich ihn nicht mehr gesehen, und er hat auch nicht angerufen oder sich per SMS gemeldet. Als ich in den Nachrichten sah, dass es einen … Toten gegeben hatte, da bin ich wohl ein bisschen in Panik geraten. Heute Morgen bin ich dann zu - Matthews Wohnung gefahren, und da stand ein Polizist vor der Tür. Ich wusste nicht, was ich tun sollte. Dann habe ich Sie in den Nachrichten gesehen. Also dachte ich mir, dass ich am besten mit Ihnen reden sollte.«

»Dann kennen Sie also Matthew Quinn?«, fragte Kincaid.

Ariel zuckte mit den Schultern. »Matthew hat während seines Studiums auch Kurse bei meinem Vater belegt. Seine Ideen von wegen ›Rettet das historische London‹ hat er von Dads Führungen. Dad ist da ziemlich fanatisch.« Ariel zog die Brauen zusammen, die ebenso bleich waren wie ihre Haare, und Kincaid fiel auf, dass sie nichts tat, um sie hervorzuheben. Es verlieh ihrem Gesicht ein irgendwie unfertiges Aussehen. »Ich meine das im positiven Sinn«, fuhr sie fort. »Es ist Dads Leidenschaft, aber er würde nie irgendetwas Destruktives tun.«

»Ihr Vater würde also Demonstrationen nicht gutheißen?«

»Nicht, wenn jemand dabei verletzt werden könnte. Die Demonstrationen waren Matthews Idee. Er und mein Vater sind danach mehr oder weniger getrennte Wege gegangen.«

»Was ist mit Paul, Ihrem Freund? Ist er auch ein Student Ihres Vaters?«

»War. Daher kennt er Matthew und die anderen. Und mich natürlich. Paul ist immer noch an der Uni eingeschrieben, aber in letzter Zeit ist er nicht mehr hingegangen.«

»Die Uni – das ist das UCL?«, fragte Kincaid.

Ariel nickte. »Das ist ein Grund, weshalb ich mir Sorgen um ihn gemacht habe. Ich glaube, Pauls Dad ist ein ziemlicher Tyrann, und Paul war ganz mulmig bei dem Gedanken, was er tun würde, wenn er herausfände, dass Paul die Prüfungen nicht bestanden hatte.«

»Hat Paul bei Matthew gewohnt?«

»Ich weiß es nicht. Manchmal schläft er wohl dort. Aber er hat immer noch sein Zimmer im Studentenwohnheim.«

»Und Sie? Wohnen Sie bei Matthew?«

Ariel verzog das Gesicht und sagte: »Auf dem Boden schlafen und mich von Matthew herumkommandieren lassen? Nein danke. Ich wohne bei meinem Vater. Das ist übrigens gar nicht weit von hier. Cartwright Gardens.«

Kincaid machte sich eine Notiz. »Und Sie studieren noch?«

»Ich schließe gerade mein Kunststudium ab.«

»Dann erzählen Sie mir mal von diesem Streit.«

Ariel Ellis' Wangen liefen rosig an, was ihr gar nicht schlecht stand. »Es war nicht … Wir haben uns in letzter Zeit nicht so sonderlich gut verstanden. Ich fand, dass er sich von Matthew sein ganzes Leben verpfuschen ließ. Und dann bin ich …« Sie wurde noch röter. »Ich bin schwanger geworden. Es war so blöd. Mein Vater weiß gar nichts davon. Paul fand, wir sollten heiraten. Ich habe ihm gesagt, er soll keinen Unsinn reden. Ich war noch nicht bereit, eine Ehe einzugehen, und wovon hätten wir denn leben sollen? Er war furchtbar wütend. Und dann …« Ihre Augen füllten sich mit Tränen, doch sie unternahm keinen Versuch, sie wegzuwischen, selbst als sie ihr über die Wangen rannen. »Ich … ich hatte eine Fehlgeburt. Es war ein Kind, das ich gar nicht gewollt hatte, und ich hätte nie geglaubt, dass mich irgendetwas so furchtbar mitnehmen könnte.«

Kincaid dachte daran, wie es Gemma gegangen war – und auch ihm selbst –, als sie auf diese Weise ein Kind verloren hatten, obwohl auch diese Schwangerschaft nicht geplant gewesen war.

»Das tut mir so leid für Sie«, sagte er mit solcher Aufrichtigkeit, dass Ariel ihn verblüfft ansah.

»Sie verstehen das, nicht wahr?«

»Allerdings.« Er stand auf und holte ihr eine Schachtel Papiertaschentücher, die auf einem Tisch in der Ecke stand.

»Danke.« Ariel schenkte ihm ein unsicheres Lächeln, während sie sich ein Taschentuch nahm und ihre Augen trocknete. Er war sich nicht sicher, ob ihr Dank den Taschentüchern oder seiner Beileidsbekundung galt.

»Und Paul?«, fragte er. »Wie ging es ihm mit der Fehlgeburt?«

»Er …« Ariel knüllte das Taschentuch in der Faust zusammen. »Er … Er sagte, es wäre meine Schuld. Ich müsste irgendetwas gemacht haben. Ich habe gesagt, du bist verrückt, und er meinte nur, er würde mir schon noch zeigen, was verrückt ist. Er war so kindisch. Deswegen …« Sie schluckte. »O Gott. Er wird doch nicht …«

»Wussten Sie, dass Matthews Gruppe geplant hatte, in St. Pancras eine Rauchbombe hochgehen zu lassen?«

»Ich bin normalerweise nicht in die internen Entscheidungen der Gruppe eingeweiht. Aber gestern Morgen bin ich zu Matthews Wohnung gegangen, weil ich noch mal vernünftig mit Paul reden wollte, und da habe ich sie streiten gehört.«

»Wer hat gestritten?«

»Paul und Matthew. Paul wollte selbst die Rauchbombe zünden. Aber Matthew sagte, Ryan würde es machen. Dann ist Paul rausgestürmt.«

»Sie kennen also Ryan Marsh?«

Ariel nickte. »Er wohnt dort, jedenfalls zeitweise. Sogar Matthew denkt, dass Ryan der Größte ist, aber Ryan benimmt sich nie so, wissen Sie?«

Kincaid glaubte einen Anflug von Heldenverehrung aus ihren Worten herauszuhören. »War Paul eifersüchtig auf Ryan?«

»Es gefiel ihm nicht, wie alle zu Ryan aufschauten, wenn Sie das meinen.« Ariel drehte das inzwischen zerfledderte Taschentuch zwischen den Fingern. »Sie glauben doch … Sie glauben doch nicht, Paul könnte Ryan etwas angetan haben? War es – war Ryan …« Sie brach ab und schüttelte den Kopf.

Wenn Paul Cole derjenige gewesen war, der Ryan Marsh einen Brandsatz gegeben hatte, wo war er jetzt? Oder – Kincaid dachte über die andere Möglichkeit nach, die nicht minder erschreckend war. Was, wenn Paul Cole Ryan Marsh die Brandbombe *abgenommen* hatte? Er musste das, wenn irgend möglich, ausschließen.

»Ariel, Sie waren doch mit Paul intim.«

»Offensichtlich.« Es klang sarkastisch, mit einem Anflug von Verlegenheit.

»Hat Paul irgendwelche … unverwechselbaren Merkmale? Eine Tätowierung zum Beispiel? Oder wissen Sie, ob er sich irgendwann einmal einen Knochen gebrochen hat?«

»O Gott.« Ariel hielt sich eine Hand vor den Mund. »Sie meinen so etwas wie ein – wie heißt das immer im Fernsehen – ein besonderes Kennzeichen?«

»Ja. Gibt es da etwas?«, hakte Kincaid nach.

Ariel starrte ihn nur an, die blauen Augen weit aufgerissen.

»Was ist, Ariel? Wenn Sie helfen wollen, müssen Sie es mir sagen.«

»Ich kann mich nicht … Mir fällt da nichts … Oh.« Sie verharrte reglos, als ob sie plötzlich dem Grauen ins Auge blickte, dem sie bisher ständig ausgewichen war. »Ja. Er hat so ein Merkmal. Am Rücken, zwischen dem linken Schulterblatt und der Wirbelsäule. Paul hat da ein Muttermal.«

12

Auf dem Gelände befanden sich ein Kanal, ein Gas-
werk, eine uralte Kirche mit einem großen, überfüllten
Friedhof sowie Elendsviertel, die zu den scheußlichsten
in ganz London gehörten. Und mitten hindurch floss der
River Fleet.

Jack Simmons und Robert Thorne, *St. Pancras Station*, 2012

Kincaid hatte sich von Ariel Ellis ihre Kontaktdaten geben lassen und begleitete sie anschließend zum Ausgang. »Gehen Sie nach Hause«, sagte er. »Sie hören von mir. Versprochen.«

Als er ihr die Tür der Polizeiwache öffnete, zog sie sich eine Wollmütze über die Haare und schenkte ihm ein Lächeln. »Danke. Mir geht es jetzt schon besser, nachdem ich mir alles von der Seele geredet habe. Ich bin sicher, dass Paul wohlauf ist und ich mich gerade fürchterlich blamiert habe.«

Er hoffte, dass sie recht hatte. Aber nun hatten sie eine neue Spur, der sie nachgehen mussten, und er fragte sich, warum niemand von der Gruppe je Paul Cole oder Ariel Ellis erwähnt hatte. Bevor er mit seinem Team darüber sprach, zog er sich in sein Büro zurück und rief Rashid an. Als der Rechtsmediziner sich meldete, konnte Kincaid im Hintergrund Verkehrsgeräusche hören.

»Rashid, hier ist Duncan«, sagte er. »Ich wollte Sie bitten, bei unserem Opfer etwas zu überprüfen. Haben Sie an seinem Rücken etwas gesehen, das wie ein Muttermal aussah? Zwischen linkem Schulterblatt und Wirbelsäule?«

Er hörte gedämpfte Stimmen, dann war Rashid wieder da.

»Sorry. Bin gerade bei einem nicht natürlichen Todesfall in Dalton eingetroffen. Wird noch ein Weilchen dauern, bis ich wieder in London bin und ihn aus der Kühlung holen kann.«

»Sie haben nichts dergleichen bemerkt?« Er erzählte Rashid von Ariel Ellis und ihrem vermissten Freund.

»Möglich ist es«, antwortete Rashid nach einer kurzen Pause. »Die Haut war in diesem Bereich durch den Rucksack einigermaßen geschützt. Unter dem Mikroskop könnte ich vielleicht noch Gewebsveränderungen feststellen.«

»Könnte er auch eher zwanzig als dreißig Jahre alt gewesen sein?«

»Möglich ist es. Ich ruf Sie an, wenn ich wieder im Labor bin.«

Und damit musste Kincaid sich zufriedengeben.

Als er in die Einsatzzentrale zurückkam, wurde er mit neugierigen Blicken empfangen.

»Gibt's was Neues, Chef?«, fragte Simon Gikas.

»Wer war das Mädchen da unten?«, warf Sweeney ein. »Die mit den hellblonden Haaren? Eine Augenweide, wenn ihr mich fragt.«

Kincaid schätzte, dass Sweeney so gut wie alles, was zwei Beine und Brüste hatte, eine Augenweide nennen würde, aber das hieß nicht, dass er bei Ariel Ellis falschlag.

Er ignorierte Sweeneys Bemerkung und sagte: »Wir haben vielleicht eine neue mögliche Identität für unser Opfer.« Er wiederholte Ariels Geschichte, wobei er jedoch ausließ, was sie ihm über ihre Fehlgeburt erzählt hatte. Solange sie keine konkreten Hinweise darauf hatten, dass ihr Freund das Opfer war, schien es ihm nicht notwendig, dieses Detail preiszugeben. »Ich habe schon mit Dr. Kaleem telefoniert. Während wir darauf warten, dass er das mit dem Muttermal überprüft, lassen Sie uns doch sehen, was wir über Paul Cole in Erfahrung bringen können.«

Kincaid hielt einen Moment inne und musste sich daran erinnern, dass es nicht mehr sein Job war, die ganze Kleinarbeit zu erledigen. »Jasmine und George«, sagte er, wobei es ihn ein wenig Überwindung kostete, seine Detectives mit Vornamen anzureden, »ich möchte, dass Sie zum UCL fahren. Ich habe eine Adresse von Paul Coles Studentenunterkunft, ein Wohnheim namens Ramsay House in der Nähe der Gower Street, aber« – er sah auf seine Uhr – »vorher sollten Sie noch in die Verwaltung gehen, bevor die dort Feierabend machen, und sich die Adresse von Coles Eltern besorgen.«

»In Ordnung, Chef.« Sweeney trennte sein Mobiltelefon vom Ladegerät und griff nach seinem Mantel. Sidana nickte nur und raffte ihre Sachen zusammen.

»Melden Sie sich anschließend noch mal bei mir, ja? Mal sehen, ob es uns weiterbringt. Und Simon kann vielleicht in der Zwischenzeit mehr Informationen über Paul Cole zusammentragen, als wir über den rätselhaften Mr Marsh gefunden haben. Es kann sein, dass wir die ganze Zeit nach dem falschen Opfer gesucht haben.«

Melody stöberte in Andys kleinem Küchenschrank nach etwas, was ihre Halsschmerzen lindern könnte. In der hintersten Ecke, hinter einem alten Marmite-Glas und einer leeren Flasche Olivenöl, fand sie eine Schachtel mit Zitronen-Ingwer-Teebeuteln.

Sie öffnete die Schachtel und schnupperte. Ein bisschen abgestanden, aber sie hatte im Kühlschrank eine verschrumpelte Zitrone gefunden, die sicher helfen würde. Nicht, dass sie Andy Vorwürfe gemacht hätte – in ihrem eigenen Kühlschrank herrschte gähnende Leere. Sie fand einen sauberen

Becher mit dem Gibson-Gitarren-Logo und schaltete den Wasserkocher ein.

Allein davon wurde ihr bereits schwindlig. Sie schnitt die Zitrone in Scheiben und warf sie in den Becher mit dem Teebeutel. Als das Wasser kochte, goss sie den Tee auf und ging damit ins Wohnzimmer, um ihn ziehen zu lassen.

Nach ihrem Gespräch mit Duncan war sie so erschöpft gewesen, dass sie gleich in Andys Wohnung zurückgekehrt war und sich dort mit ihrem Laptop und Andys Kater Bert auf den Futon im Wohnzimmer gekauert hatte. Obwohl Andy noch nicht von seinem Besuch bei Tam zurück war, konnte Melody sich nicht dazu aufraffen, in ihre eigene Wohnung in Notting Hill zurückzugehen.

Bert hatte es sich inzwischen auf dem warmen Fleckchen, wo sie gesessen hatte, bequem gemacht, und jetzt beäugte er sie missmutig, als sie sagte: »Mach Platz, Bert«, und ihn zur Seite schob. Sie stellte den Tee auf den Verstärker, der Andy als Couchtisch diente. Dann griff sie spontan nach der blauen Strickjacke, die er auf das Fußende des Futons geworfen hatte, und hüllte sich darin ein. Sie war warm und hatte eine merkwürdig beruhigende Wirkung in Anbetracht der Umstände, unter denen Andy sie gestern getragen hatte. Und sie duftete ein wenig nach ihm – nach dieser undefinierbaren Kombination aus seiner Seife, seinem Shampoo, seiner Haut und dem leicht muffigen Geruch, der immer in der Wohnung hing.

Melody zog sich den Laptop wieder auf den Schoß und nippte an ihrem Tee. Er schmeckte gar nicht so übel, wie sie gedacht hatte. Aber ihr Hals fühlte sich immer noch entzündet an, und nach wenigen Minuten begann sie wieder zu husten. Ihr Kopf schmerzte, und so sehr sie sich auch auf den Computerbildschirm zu konzentrieren versuchte, ihr Gehirn war träge und wie benebelt.

Sie hatte auf das Fotoarchiv der *Chronicle* zugegriffen, »Umweltproteste« als Suchwort eingegeben und die Suche auf die letzten zehn Jahre eingeschränkt. Doch die Fotos verschwammen vor ihren Augen, und ihr Schädel brummte. Sie seufzte, schloss die Augen und kraulte Bert unterm Kinn. Er revanchierte sich, indem er lauter schnurrte und mit den Pfoten ihren Oberschenkel massierte. Melody stellte überrascht fest, dass das Piksen seiner Krallen ihr nichts ausmachte.

Sie musste eingenickt sein, denn als die Wohnungstür aufging, schreckte sie aus dem Schlaf hoch und warf dabei fast den Laptop auf den Boden.

»Melody?«, sagte Andy. »Ist alles in Ordnung?«

Sie klappte den Laptop zu, setzte sich auf und rieb sich benommen die Augen. »Mir geht's gut.«

»So siehst du aber nicht aus.« Er setzte sich neben sie und musterte sie besorgt.

»Vielen Dank. Du siehst auch nicht gerade umwerfend aus«, erwiderte sie. Er hatte dunkle Ringe unter den Augen, sein Gesicht wirkte eingefallen, sein blondes Haar zerzaust. »Wie geht es Tam?«

Andy beugte sich über sie, um Bert den Kopf zu tätscheln. »Vollgepumpt mit Beruhigungs- und Schmerzmitteln. Seine Laborwerte sind angeblich kaum verändert, aber die Schmerzen von der Verbrennung sind schlimmer geworden.«

»Und Michael und Louise? Wie halten sie das Ganze durch?«

»Ich bin länger geblieben, damit sie sich beide ein bisschen ausruhen konnten. Und dann sind Caleb und Poppy gekommen.« Andy rückte von ihr und Bert ab und verschränkte die Arme vor der Brust.

»Was ist?«, fragte Melody. Sie spürte, dass irgendetwas nicht stimmte. »Hätten Caleb und Poppy nicht ins Krankenhaus kommen sollen?«

»Nein, das ist es nicht. Es ist nur … Du erinnerst dich doch, dass dieser Produzent zum Konzert kommen sollte?«

Melody nickte nur und wartete.

»Trotz allem, was gestern passiert ist, will er immer noch, dass wir ein Demoband für ihn aufnehmen. Und wir sollen es heute Abend machen. Er hat die Abbey Road Studios für uns gebucht.«

»Abbey Road?« Melody setzte sich auf, mit einem Schlag hellwach. »Die Abbey Road Studios? Aber das ist doch fantastisch!«

»Nicht ohne Tam.«

Sie starrte ihn an. »Du willst mir doch nicht im Ernst erzählen, dass du das nicht durchziehen wirst?« Als er keine Antwort gab, sagte sie: »Andy?«

Er schüttelte den Kopf, und als er ihren Blick erwiderte, sah sie, dass er den Tränen nahe war. »Wie kann ich so etwas machen, ohne dass er dabei ist? Nach allem, was er für mich getan hat?«

»Wie kannst du es *nicht* tun? Was glaubst du, wie Tam reagieren wird, wenn er erfährt, dass du dir so etwas hast entgehen lassen? Und was ist mit Poppy und Caleb – hast du dir mal überlegt, was es für sie bedeuten würde? Du kannst unmöglich so egoistisch sein und ihnen diese Chance nehmen.«

Andy starrte sie mit großen Augen an, und Melody merkte, dass sie vor Wut zitterte. »O Gott, es tut mir leid«, flüsterte sie. »Ich wollte dich nicht so anschreien. Ich weiß auch nicht, was mit mir los ist. Ich will doch nur, dass du auf dich aufpasst.« Sie fing an zu husten.

»Vielleicht hast du ja recht. Aber solltest du nicht auch mehr auf *dich* aufpassen?«, konterte Andy. »Solltest du nicht mit jemandem über das reden, was du gestern gesehen hast? Kein Wunder, dass du ein bisschen … gereizt bist.«

»Danke. Nicht, dass ich's nicht verdient hätte.« Melody brachte ein Lächeln zustande.

»Und wenn ich diese Demoaufnahmen mache«, fuhr Andy fort, »kann ich dich heute Abend nicht begleiten, wenn du zu deinen Untersuchungen ins Krankenhaus gehst. Ich habe auch eine Verantwortung für dich. Dachte ich jedenfalls.«

»Natürlich hast du die.« Melody streichelte seinen Arm. »Aber ich bin es gewohnt, allein zurechtzukommen. Mach dir keine Sorgen um mich.«

»Was ist mit deinen Eltern? Könntest du die nicht anrufen?«

»Nein.« Es klang heftiger, als sie beabsichtigt hatte. »Es ist nur … Meine Eltern sind manchmal ein bisschen schwer zu ertragen. Mein Vater ist … Er ist Journalist, und wenn er sich mal in eine Sache verbissen hat, lässt er nicht mehr locker. Wenn ich mich nicht abgrenzen würde, hätte ich gar kein eigenes Leben mehr.«

»Ist das denn so schlimm?«, fragte er, und sie wusste, was er in diesem Moment dachte: Er war selbst ohne Vater aufgewachsen und mit einer Mutter, die weder physisch noch emotional in der Lage war, für ihn zu sorgen.

»Nein, natürlich nicht. Aber ich habe mein ganzes Leben um meine Unabhängigkeit gekämpft. Es ist mir … einfach wichtig. Das musst du verstehen.« Es gab so vieles, was sie ihm noch nicht gesagt hatte – was sie ihm nicht sagen konnte, jedenfalls nicht jetzt. Aber wenigstens war das, was sie gesagt *hatte*, die Wahrheit.

»Ist das der Grund, warum du mich ihnen noch nicht vorgestellt hast? Ich dachte, es wäre, weil du dich für mich schämst.«

»O nein, nie im Leben.« Sie drehte sich zu ihm und legte den Kopf an seine Schulter, und nach kurzem Zögern schloss er sie in die Arme. »Ich verspreche dir, dass ich dich bald zu ihnen mitnehme«, sagte sie. »Aber lass uns erst mal diese Sache hinter uns bringen. Und du versprichst mir, dass du diese Demosession heute Abend machst.« Sie hustete wieder, und Andy streichelte ihre Haare.

»Und was ist mit deinen Untersuchungen im Krankenhaus?«

So ungern sie es zugab, es wurde ihr bewusst, dass sie nicht allein hingehen wollte. Und dass sie Angst hatte – nicht nur um Tam, sondern auch um sich selbst.

»Ich rufe Gemma an«, sagte sie.

Kincaid neigte normalerweise nicht zu Ungeduld oder Nervosität, doch er mochte es gar nicht, wenn er auf eine Rückmeldung warten musste – zumal, wenn seine Mitarbeiter einen Auftrag erledigten, den er auch selbst hätte übernehmen können. Das war einer der Gründe, warum er sich beim Morddezernat des Yard so wohlgefühlt hatte – er hatte dort mehr konkrete Ermittlungsarbeit übernehmen können, als sein Rang normalerweise zuließ. Und er war es auch nicht gewohnt gewesen, ein ganzes Team unter sich zu haben. Jetzt war er sich nicht sicher, ob das ein Segen oder ein Fluch gewesen war.

Er schaute Simon Gikas so lange über die Schulter, bis der ihn wegschickte und sagte, er würde ihm schon Bescheid geben, wenn er etwas gefunden hätte.

Nachdem er sich noch einen Kaffee aus der Kanne in der Einsatzzentrale eingeschenkt und sich vorgenommen hatte, eine anständige Maschine für sein eigenes Büro zu kaufen, nahm er wieder an seinem Schreibtisch Platz. Er las noch einmal die Berichte zu dem Fall durch, sah zwischendurch immer wieder nach, ob Nachrichten von Rashid oder Jasmine Sidana gekommen waren, und behielt dabei ständig die Wanduhr im Auge, die langsam auf halb sieben vorrückte.

Er hatte gerade überlegt, ob er sich nicht bei Gemma melden sollte, als sein Handy klingelte und ihr Gesicht auf dem Display erschien.

»Hallo, Schatz«, sagte er. »Ich wollte dich gerade …«

»Können wir uns irgendwo auf einen Drink treffen?«, unterbrach sie ihn. »Bei dir in der Nähe. Ich bin im UCL-Krankenhaus.«

Kincaids Herz pochte. »Ist alles in Ordnung?«

»Ich habe Melody zu ihren Untersuchungen begleitet.«

»Und wie sieht es aus?«

»Sie können bislang nicht feststellen, dass der Organismus irgendwie geschädigt ist, aber der Arzt hat darauf bestanden, dass sie sich noch ein paar Tage krankschreiben lässt.« Im Hintergrund hupte ein Taxi, und der Wind rauschte über das Mikrofon des Handys, sodass er nur noch den Schluss von Gemmas nächstem Satz mitbekam. »… und ich könnte ein bisschen moralische Unterstützung gut gebrauchen«, sagte sie. »Hast du nicht mal erwähnt, dass es in der Nähe von deiner Dienststelle ein gutes Weinlokal gibt?«

»Das Vat, ja. Aber da ist um diese Zeit sicher die Hölle los.« Er überlegte einen Moment. »Es gibt noch ein anderes, kleineres Lokal, das ist näher an der Wache. Es heißt – Moment mal – La Gourmandina, glaube ich. Neben der Persephone-Buchhandlung.«

»Okay, dann bis – da ist ein Taxi!«

Die Verbindung brach ab.

Kincaid schnappte sich seinen Mantel vom Haken und ging durch die Einsatzzentrale zum Ausgang, wo er Simon Gikas Bescheid sagte und ihm auftrug anzurufen, falls es etwas Neues gäbe.

Das letzte schwache Tageslicht wurde von den tief hängenden Wolken verfinstert, und der Wind hatte mit dem Einbruch der Dämmerung nicht nachgelassen. Aber wenigstens regnete es nicht, dachte Kincaid, während er seinen Mantelkragen über die Ohren hochzog, und er hatte nicht weit zu gehen.

Er hatte auf dem Weg zum Perseverance nur einen kurzen Blick in die Weinbar mit Feinkostladen geworfen, doch als er nun das Lokal betrat, war er froh, dass er es ausgesucht hatte. Es war klein, ruhig und warm. Ein Paar saß beim Wein an einem der hohen Tische am Fenster, und eine Frau trank Kaffee, während sie in ein Notizbuch schrieb.

Er wählte einen Tisch im hinteren Teil des kleinen Lokals und bestellte einen trockenen Weißwein für Gemma und einen anständigen Kaffee für sich selbst. Der Kellner hatte gerade die Getränke gebracht, als Gemma zur Tür hereinkam.

Sie lächelte und begrüßte ihn mit einem Kuss, während sie ihren Mantel auszog. Er spürte ihre kalte Wange an seiner, ehe sie ihre Mütze abnahm und mit den Fingern durch ihr kupferrotes Haar fuhr.

»Das war wirklich Glück mit dem Taxi«, sagte sie, als sie sich auf den Hocker schwang. »Und du« – sie hob ihr Glas – »bist ein Engel.« Sie prostete ihm zu, nahm einen kleinen Schluck, seufzte und schloss einen Moment lang die Augen. »Perfekt.«

»Du siehst allerdings ein bisschen mitgenommen aus. Ist mit den Kindern alles in Ordnung?«

»Denen geht's gut. Charlotte ist noch bei Betty, und Kit und Toby habe ich den Auftrag gegeben, Aushänge für die Katzen zu machen – wovon sie allerdings nicht sehr begeistert waren.«

»Aushänge? Wieso?«

»Bryony hat ihren kleinen Scanner mitgebracht, als sie heute Morgen nach der Mutter und den Jungen geschaut hat. Sie hat keinen Chip gefunden. Aber sie meinte, da die Katzenmutter so zutraulich ist, könnte sie jemandem in der Nachbarschaft gehören, und wir sollten Zettel in den Tierarztpraxen und Cafés aushängen.«

»Und die Jungs wollen sie nicht ihren Besitzern zurückgeben. Ihren *potenziellen* Besitzern.«

Gemma verdrehte die Augen. »Genau. Ich glaube allmählich, dass Kit einmal als Anwalt Karriere machen wird und nicht als Biologe. Ich habe sämtliche Argumente zu hören bekommen, die man sich nur vorstellen kann, darunter das bezeichnendste – nämlich dass die Katze, wenn die Besitzer sich richtig um sie gekümmert hätten, gar nicht erst trächtig geworden oder davongelaufen wäre. Aber das heißt noch lange nicht, dass es richtig ist, sie zu behalten, wenn jemand sich meldet und sagt, dass sie ihm gehört.«

»Du scheinst aber auch nicht allzu begeistert von der Vorstellung, sie wieder herzugeben.«

Gemma schaute wie eine ertappte Sünderin drein. »Ich hab nun mal eine Schwäche für Tiere.«

Kincaid grinste. »Ich könnte mir vorstellen, dass Hazel Cavendish ein Kätzchen nehmen würde.«

»Und deine Freundin MacKenzie«, konterte Gemma.

»Aber welche zwei willst du hergeben?«

Gemma boxte ihn spielerisch in den Arm. »Jetzt fang nicht schon wieder mit der ›Verrückte Katzenlady‹-Nummer an. Wir behalten keine vier Kätzchen. Kommt überhaupt nicht infrage.«

»Das bedeutet, du bist offen für die Möglichkeit, weniger als vier Kätzchen zu behalten.«

»Ich sehe schon, Kit ist bei dir in die Lehre gegangen.« Gemma trank noch einen Schluck Wein und gab dann zu: »Die Schwarz-Weiße gefällt mir schon am besten.«

»Sie haben noch nicht mal die Augen offen, und du weißt auch nicht, ob es Jungs oder Mädels sind.«

»Ich weiß. Es ist albern.« Sie schien enttäuscht, und jetzt, da ihre Wangen nicht mehr von der Kälte gerötet waren, sah er, dass sie blass und abgespannt wirkte. Er erinnerte sich, dass sie am Telefon gesagt hatte, sie brauche moralische Unterstützung.

»Du kannst so viele Kätzchen behalten, wie du willst, Schatz«, sagte er sanft. »Aber ich glaube nicht, dass du gekommen bist, um über Katzen zu reden. Machst du dir Sorgen um Melody?«

»Auch. Sie sieht furchtbar aus. Und sie wirkte so … Ich weiß nicht. Verschlossen vielleicht. Wie schlimm war es wirklich, was sie gesehen hat?«

Er dachte einen Moment nach. »Ich versuche mich zu erinnern, ob ich schon mal etwas Schlimmeres gesehen habe. Ich glaube nicht. Und ich bin ja erst dazugekommen, als alles schon vorbei war. Ich war kein Augenzeuge, im Gegensatz zu ihr.«

Gemma trank einen Schluck von ihrem Wein. »Ich denke, wir können beide von Glück sagen, dass wir noch nie bei einem Bombenanschlag eingesetzt waren.« Mit dieser Bedrohung mussten alle Londoner Polizisten leben, doch es war nicht dasselbe, ob man nur jederzeit damit rechnete oder tatsächlich damit zu tun bekam. »Und sie macht sich nicht nur Sorgen um sich selbst, sondern auch um Tam. Das tun wir alle.

Aber die Sache ist die …« Gemma schob ihr fast leeres Weinglas ein Stück weg. »Es ist furchtbar egoistisch von mir, aber ich war noch nie so auf ihre Hilfe angewiesen.« Sie erzählte ihm von den Mädchen, die sie an diesem Tag befragt hatte, und von den Entwicklungen im Zusammenhang mit dem Verdächtigen im Mordfall Mercy Johnson. »Aber jetzt, wo wir etwas Konkretes in der Hand haben«, fuhr sie fort, »können wir den Mistkerl nicht finden.«

»Er ist untergetaucht?«

»Nicht unbedingt. Er hatte heute frei, und er war nicht in seiner Wohnung. Aber jetzt fürchte ich, wenn er hört, dass wir nach ihm suchen, wird er tatsächlich untertauchen.« Sie runzelte die Stirn. »Aber so arrogant wie er ist, wird ihn das vielleicht gar nicht jucken. Ich denke, mir fehlt einfach nur der Austausch mit Melody, aber natürlich konnte ich im Krankenhaus nicht dieses Thema ansprechen.«

»Du hast doch DC MacNicols, nicht wahr?«

»Ja. Und sie hat in dem Fall verdammt gute Arbeit geleistet. Aber …« Gemma hielt inne. »Oh. Das Krankenhaus. Jetzt fällt mir wieder ein, was ich dir sagen wollte. Ich habe heute Morgen Tam besucht. Er war wach. Ich glaube, ich habe ihn gerade in dem Moment erwischt, als die Wirkung der Schmerzmittel nachließ. Ich weiß nicht, wie klar er im Kopf war, aber er sagte, er habe das Opfer gesehen. Bevor der Mann die Granate gezündet hat. Tam sagte, er habe nicht verängstigt ausgesehen, nur ein bisschen nervös und aufgeregt. Und er sagte, es sei ein sehr junger Mann gewesen.«

»Jung?« Ryan Marsh war angeblich an die dreißig gewesen. »Was meinte Tam mit ›jung‹?«

»»Ein junger Bursche«, hat er gesagt.

Kincaids Handy vibrierte in seiner Tasche. Als er es herauszog, sah er, dass es Rashid war.

Er nahm den Anruf an, worauf Rashid ohne Vorrede loslegte: »Duncan, finden Sie doch mal heraus, welche Blutgruppe der vermisste Freund hat.«

13

Als Erstes musste das Gelände geräumt werden. Es war ein gnadenloser Prozess. Die Hausbesitzer machten alles zu Geld, und die Bewohner wurden ohne Entschädigung vertrieben.

bbc.co.uk/London/St. Pancras

Als er erwachte, war er überrascht von der Wärme und der völligen Dunkelheit, die ihn umgab. Er drehte sich ein wenig hin und her und fühlte die glatte Hülle seines Schlafsacks. Im Gegensatz zu dem billigen Schlafsack und der Isomatte, die er bei seinem Freund Medhi in London gelassen hatte, war der, den er im Kofferraum des Ford aufbewahrt hatte, für Minustemperaturen ausgelegt und bot auch bei dieser für die Jahreszeit ungewöhnlich bitteren Kälte ausreichend Schutz.

Allmählich gewöhnten seine Augen sich an die Dunkelheit, und er konnte erste Umrisse ausmachen. Die dichte Schwärze über ihm war die Plane mit Tarnmuster, die er über Stangen aus Birkenästen gespannt und so ausgerichtet hatte, dass er vor Wind und Regen geschützt war. Jetzt konnte er zu beiden Seiten der Plane das filigrane Astwerk der kahlen Bäume und die schwachen Silhouetten der Wolken am Nachthimmel ausmachen. Und dort, in einer Lücke zwischen den Wolken, einen Stern.

Als er den Kopf drehte, sah er die schwachen Glutreste des Feuers in der Grube, die er am Nachmittag gegraben hatte. Es funkelte wie Feenstaub.

Er bewegte sich und stöhnte unwillkürlich auf. Sein Rücken tat weh. Die Schultern auch. Als er seine Zehen zu bewegen versuchte, schoss der Schmerz durch seine Füße. Wie viele Meilen war er gegangen? Zu viele, auch mit seinen guten Schuhen. Und als er endlich in den Schlafsack gekrochen war, da waren seine Füße so kalt gewesen, dass er befürchtet hatte, er würde sie nie wieder spüren. Jetzt wünschte er fast, es wäre so.

Seine Finger fühlten sich geschwollen und wund an, als er sie beugte und streckte. Nachdem er die verborgene Insel erreicht hatte, hatte er das Kanu an Land gezogen und mit Farn und Zweigen getarnt. Dann hatte er den Spaten, den er mit einer dünnen Schicht Erde bedeckt hatte, gefunden und zu graben begonnen. Zuerst die Feuergrube. Als sie tief genug war, hatte er sie zum Schutz gegen den Wind auf drei Seiten mit in den Boden gerammten feuchten Holzscheiten umgeben.

Dann hatte er den Zwanzig-Liter-Kanister mit Trinkwasser aus dem Versteck geholt, das ihm reichen würde, bis er den Flusswasserfilter in Betrieb nehmen konnte, und das erste Stück des versiegelten Acht-Zoll-PVC-Rohrs, angefüllt mit Trockennahrung und Zunder für das Feuer.

Dann die Flusen aus dem Trockner und die Vaseline. Seine Frau hatte ihn einmal dabei ertappt, wie er die Flusen aus dem Sieb aufgehoben hatte, und ihn gefragt, was um alles in der Welt er da mache. »Das ist zum Feuermachen«, hatte er geantwortet. »Es könnte doch mal sein, dass wir ein Feuer machen müssen.«

Sie hatte ihn angeschaut, als ob er Griechisch redete, und den Kopf geschüttelt. »Du immer mit deinem Selbstversorgungs-Tick. Du bist wie ein kleiner Junge.« Die Verachtung war nicht zu übersehen gewesen. In diesem Moment war ihm wohl irgendwo tief in seinem Innersten klar geworden, dass sich zwischen ihnen eine unüberbrückbare Kluft aufgetan hatte.

Aber es war anfangs nur ein Spiel gewesen, dieses Versteck auf der Flussinsel. Eine Erinnerung an seine Zeit als Pfadfinder, an die Campingurlaube mit seinem Vater. Und dann war da der Wunsch, ab und zu einen Tag lang einfach nur er selbst sein zu dürfen.

Die Ereignisse des vergangenen Herbstes und der Auftrag, den er erhalten und nicht ausgeführt hatte, hatten das verändert. Jetzt fuhr er zu der Insel in der Themse, wann immer er sich loseisen konnte, und er hatte sich ernsthaft an die Zusammenstellung seiner Notfallausrüstung gemacht. So war er auf die Rohrverstecke gekommen: das eine mit Lebensmitteln angefüllt, ein anderes mit Seilen und Stangen und silberbeschichteten Rettungsdecken, so umgearbeitet, dass sie als Windschutz dienen konnten, und ein drittes mit einer zusammenlegbaren Angelausrüstung. Alles legal, alles leicht zu beschaffen. Bis auf die beiden letzten. Das größere Rohr enthielt ein Gewehr, ein Armalite AR-7.22, zerlegt in Einzelteile, die im Schaft verstaut wurden. Es war für die Jagd auf Niederwild geeignet, und es schwamm auf dem Wasser.

Das letzte, kleinere Rohr enthielt einen gefälschten Pass und mehrere tausend Pfund in bar. Es war sein Rettungsanker für den äußersten Notfall, und er hoffte, dass er nie darauf zurückgreifen müsste.

Unruhe erfasste ihn, und er begann in dem warmen Schlafsack zu schwitzen. Sein Magen krampfte sich zusammen. Er merkte, dass er Hunger hatte. Und Durst. Und er musste pinkeln. Musste sich um das Feuer kümmern. Er würde aufstehen müssen, egal wie weh es tat und egal wie hoffnungslos seine Zwangslage erschien.

Kincaid winkte Gemma auf der Theobald's Road ein Taxi heran, dann ging er zu Fuß zum Revier zurück und hinauf in die Einsatzzentrale. Von Sidana oder Sweeney war weit und breit nichts zu sehen, doch Simon Gikas hockte immer noch vor seinem Computer.

»Gibt's was Neues, Chef?«, fragte Simon, als er aufblickte und Kincaids Gesicht sah.

»Rashid hat angerufen. Er denkt, es ist durchaus möglich, dass das Opfer ein Muttermal an der linken Schulter hat. Und er sagt, die Blutgruppe ist relativ selten – A negativ –, wenn wir also Paul Coles Blutgruppe in Erfahrung bringen, dürfte es bei der Identifizierung helfen. Und noch etwas spricht dafür, dass es Cole ist.« Er erzählte Simon von Gemmas Besuch bei Tam. »Ich muss Tam Coles Foto zeigen.«

Er rief Michael an, Tams Lebensgefährten. »Michael, hier ist Duncan. Bist du bei Tam?«

Er hörte, wie eine Tür geschlossen wurde, dann sagte Michael: »Ja. Sie haben ihn auf ein Zimmer verlegt. Ich habe Louise heimgeschickt, aber ich bleibe die Nacht hier.«

»Dann geht es ihm also besser?« Kincaid war erleichtert.

»Bis jetzt scheinen seine Organe dem Gift zu trotzen. Aber die Schmerzen von den Verbrennungen sind schlimmer geworden.«

»Gemma sagte, er habe ihr heute Morgen erzählt, dass er den Mann gesehen hat, bevor der die Granate zündete. Wir haben ihn möglicherweise identifiziert. Ich hatte gehofft, dass Tam es uns bestätigen könnte, wenn ich ihm ein Foto zeige.«

»Ich glaube, im Moment könnte er nicht mal den Weihnachtsmann identifizieren. Sie haben seine Schmerzmedikation umgestellt. Das hat ein bisschen geholfen, aber er ist völlig weggetreten. Zugedröhnt bis unter die Haarspitzen, der Ärmste.« In Michaels Stimme lag große Zärtlichkeit – ein seltener Blick hinter die sonst so nüchterne Fassade des Paares.

Kincaid konnte sich nicht vorstellen, wie es ihm gehen würde, wenn Gemma in diesem Krankenhausbett läge. »Michael, sag mir doch bitte, wenn ich irgendetwas für euch tun kann.«

»Ich würde sagen, schnappt diesen Mistkerl, aber er ist ja tot, nicht wahr?«

Kincaid sagte ihm nicht, dass die Dinge ein wenig komplizierter lagen. »Könntest du mich anrufen, sobald du den Eindruck hast, dass Tam in der Lage ist, sich das Foto anzuschauen?«, fragte er. »Ach, und Michael – sag Louise, sie soll auf sich aufpassen.«

Nachdem Kincaid aufgelegt hatte, überlegte er eine Weile. Was war mit der Kellnerin aus dem Café, von der Melody gesagt hatte, sie habe sich so tatkräftig um die Opfer gekümmert? Könnte sie etwas gesehen haben?

Er sah auf die Uhr. Es war schon nach acht, und er wusste nicht, wie lange das Café geöffnet hatte. Oder ob die junge Frau abends überhaupt arbeitete.

Sein Telefon klingelte, und diesmal war es Jasmine Sidana.

»Sir«, sagte sie. Von ihr würde er kein saloppes »Chef« zu hören bekommen. »Niemand in Paul Coles Wohnheim hat ihn seit gestern Morgen gesehen. Der junge Mann von nebenan – sie haben alle Einzelzimmer –«, warf Sidana mit missbilligendem Ton ein, »sagte, er sei in letzter Zeit ein bisschen komisch drauf gewesen.«

»Inwiefern komisch?«

»Offenbar war er noch nie sonderlich kontaktfreudig, aber in den letzten Wochen hatte er mit niemandem mehr geredet.«

»Hat er erwähnt, dass er ihn zusammen mit seiner Freundin Ariel gesehen hätte?«

»Nein.«

Ariel hatte ihm erzählt, dass sie und Paul gestern Morgen einen Streit gehabt hätten. Er fragte sich, wo sie sich wohl gestritten hatten, wenn nicht in Pauls Zimmer.

»Ich habe mich im Sekretariat erkundigt«, fuhr Sidana fort. »Paul Cole hat seine Kurse nicht bestanden.«

Krach mit der Freundin, Scheitern im Studium – beides

mögliche Hinweise auf einen geplanten Selbstmord bei einem jungen Mann von Pauls mutmaßlicher Veranlagung. Doch Tam hatte Gemma gesagt, er habe aufgeregt gewirkt und nicht ängstlich, und jemand, der sich das Leben nehmen wollte, würde doch wohl eher einen verängstigten Eindruck machen. Und ohnehin erklärte das nicht, wie Paul Cole an die Phosphorgranate gekommen war. Oder warum er sie gehabt hatte und nicht Ryan Marsh.

Und selbst hinter dieser Annahme stand immer noch ein verdammt großes Fragezeichen.

»Haben Sie die Kontaktdaten der Eltern?«, fragte er Sidana.

»Sie wohnen in Battersea. Der Vater ist Banker.«

»Sie sollten mit Sweeney hinfahren. Fragen Sie sie nach dem Muttermal. Rashid hält es für möglich, dass das Opfer eines hatte. Wenn sie ja sagen, sollten Sie sie lieber auf das Schlimmste vorbereiten.«

Ausnahmsweise war er ganz froh, jemand anderem den Job zu überlassen.

Kincaid nahm ein Taxi von Holborn nach St. Pancras International. Wenn er schon Tam nicht fragen konnte, wollte er eine Bestätigung von jemand anderem, der Paul Cole gesehen haben könnte. Er dachte an die Kellnerin, die Melody beschrieben hatte. Wenn sie an den Tischen auf der Freifläche serviert hatte, war es möglich, dass sie ihn gesehen hatte.

Er ließ sich vor dem ersten Eingang in der Pancras Road absetzen, am Taxistand für den Eurostar. Dort hielten keine uniformierten Beamten mehr Wache. Ihm war ein wenig beklommen zumute, als er die Halle betrat, doch an der Szenerie, die ihn empfing, erinnerte nichts mehr an das Chaos des gestrigen Tages.

Die Halle glänzte förmlich vor Sauberkeit. Im Marks &

Spencer Foodstore drängten sich die Kunden, die noch letzte Besorgungen fürs Abendessen machten oder Blumen kaufen wollten. Jetzt, um neun Uhr abends, waren nicht mehr allzu viele Reisende unterwegs. Doch die Touristen und Pendler, die die Halle durchquerten, unterhielten sich angeregt oder hörten Musik auf dem iPod, und sie zeigten keinerlei Anzeichen von Unbehagen.

Die temporäre Bühne war verschwunden, und jemand spielte auf dem Klavier in der Bahnhofshalle. Bach, dachte Kincaid und blieb einen Moment stehen, um zu lauschen. Aus den Lautsprechern kamen die normalen Durchsagen zum Zugverkehr.

Er durchquerte die Einkaufspassage. Wo gestern noch ein Tatort gewesen war, konnte er nur noch einen schwachen Schatten von Brandspuren auf dem Fußboden ausmachen. An einem der Tische vor dem Café saß ein Mann und las eine Zeitung, an einem anderen eine Frau mit einem Mobiltelefon in der Hand, die ganz ins SMS-Schreiben vertieft war.

Es war, als sei die ganze Angst und Panik von gestern mit einem Schlag weggewischt worden, und er fand die Atmosphäre ein wenig surreal.

Er betrat das Café und sah sich suchend nach einer Kellnerin um, auf die Melodys Beschreibung passte. An dem Schild mit der Aufschrift »*Wait to be seated*« neben der Eingangstür stand niemand, und so hatte er einen Moment Zeit, sich umzuschauen.

Er erkannte sie im gleichen Moment, als er sie erblickte – sie bediente nicht, sondern saß an einem hinteren Tisch mit einem großen Becher Kaffee oder Schokolade vor sich. Sie war zierlich, mit knabenhaft kurz geschnittenen dunklen Haaren, doch sie hatte nichts Maskulines an sich. Es war ein hübsches Gesicht und eines, das man nicht so schnell vergaß.

Als ein junger Mann in schwarzem Hemd und schwarzer Hose, der Kluft des Cafés, auf ihn zukam, um ihn zu begrüßen, verlangte er den Geschäftsführer zu sprechen. Er war zu dem Schluss gekommen, dass er die Kellnerin lieber nicht so unvermittelt überfallen sollte. Die Geschäftsführerin kam aus der Küche, und Kincaid brachte mit gedämpfter Stimme sein Anliegen vor, wobei er dem Personal und insbesondere der Kellnerin seine Anerkennung zollte.

»Das ist Natalie«, erklärte die Geschäftsführerin, eine Frau in mittleren Jahren. »Sie ist heute ein bisschen durch den Wind. Es sitzt uns allen noch in den Knochen.« Sie schüttelte den Kopf. »Ich kann es noch gar nicht fassen, was da passiert ist. Aber was Natalie getan hat, war wirklich außergewöhnlich. Ich habe ihr gesagt, sie soll heute zu Hause bleiben, aber sie bestand darauf zu kommen.«

»Hätten Sie etwas dagegen, wenn ich mit ihr spreche?«

»Nein, natürlich nicht. Ich stelle Sie einander vor. Kann ich Ihnen etwas bringen, während Sie mit ihr reden?«

»Ein Kaffee wäre prima«, antwortete er mit einem sehnsüchtigen Blick auf die Gäste, die Wein tranken und köstlich aussehende Sandwiches und Salate verzehrten. Er merkte, dass er ausgehungert war und sich schon gar nicht mehr an das Mittagessen erinnerte. Aber er brauchte einen klaren Kopf, und er konnte schlecht ein Sandwich futtern, während er eine Zeugin vernahm.

Die junge Frau blickte auf, als die Geschäftsführerin Kincaid an ihren Tisch führte. Als ihre Chefin ihn vorstellte, wirkte sie leicht alarmiert.

»Natalie, dürfte ich mich zu Ihnen setzen?«, fragte Kincaid.

Als Natalie nickte, zog Kincaid sich einen Stuhl heran.

»Ich glaube, ich habe Sie gestern gesehen«, meinte sie und runzelte die Stirn.

»Ich war hier, ja. Ich leite die Ermittlungen. Ich möchte Ihnen gerne ein paar Fragen stellen, aber vorher wollte ich Ihnen einfach nur sagen, wie toll Sie gestern den Verletzten geholfen haben. Meine Kollegin, die vor Ort war, sagt, Sie waren fantastisch.«

»Sie war selbst aber auch nicht schlecht.« Natalie lächelte, doch dann wurde ihre Miene ernst. »Der Mann, der so schwere Verbrennungen erlitten hat – wissen Sie, ob er durchkommen wird?«

»Es geht ihm den Umständen entsprechend nicht schlecht, allerdings bekommt er gegen die Schmerzen starke Beruhigungsmittel. Aber heute Morgen, als er wach war, hat er einer Kollegin von mir erzählt, er habe das Opfer gesehen, kurz bevor die Granate losging.«

»Die Sanitäter haben gesagt, es war Phosphor. Deswegen haben sie uns alle durchgecheckt und uns gesagt, wir sollen uns ganz gründlich waschen.«

»Genau.«

Die Geschäftsführerin brachte Kincaid eine Tasse himmlisch duftenden Kaffee. Er dankte ihr und nahm genüsslich einen Schluck, ehe er sich wieder Natalie zuwandte.

»Warum tut jemand etwas so Furchtbares?«, fragte sie mit solcher Ernsthaftigkeit, dass es ihm leidtat, ihr darauf keine Antwort geben zu können.

»Wir wissen es nicht. Aber wir werden der Sache näherkommen, wenn wir erst einmal seine Identität kennen. Darf ich Ihnen ein Foto zeigen? Dieser junge Mann wurde als vermisst gemeldet, und den Mann im Krankenhaus können wir erst bitten, es sich anzusehen, wenn es ihm ein bisschen besser geht.«

Natalie schloss die Finger um ihren Becher, ihre Miene war angespannt, aber entschlossen. »Okay.«

Kincaid zog sein Mobiltelefon aus der Tasche, rief das Foto von Paul Cole auf und zeigte es Natalie.

Sie betrachtete es mit gerunzelter Stirn. »Nein, den habe ich vor dem Feuer nicht gesehen. Ich habe an den hinteren Tischen bedient, und ich habe es erst mitbekommen, als die Leute zu schreien anfingen und die Gäste draußen vor dem Café unter den Tischen in Deckung gingen.«

»Warum haben Sie das nicht auch gemacht?«, fragte Kincaid. Dieses Mädchen machte ihn neugierig. »Warum sind Sie nicht unter einem Tisch in Deckung gegangen?«

Sie sah ihn an, als ob die Frage vollkommen absurd wäre. »Da haben Leute *gebrannt*. Wie konnte ich mich da einfach unter einem Tisch verstecken?« Sie schüttelte den Kopf und blickte wieder auf das Foto. »Aber ich erkenne ihn wieder. Er kommt manchmal ins Café, setzt sich in eine Ecke und schreibt in ein Notizbuch.«

»Was für ein Notizbuch?«, fragte Kincaid interessiert.

»Ach, so eine Art Tagebuch, denke ich. Mit schwarzem Einband. Mir fällt es immer auf, wenn Leute in Notizbücher schreiben und nicht auf Laptops, weil ich selbst auch Papier bevorzuge.«

»Haben Sie ihn je zusammen mit einer jungen Frau gesehen? Ganz hellblonde Haare – Sie würden sich bestimmt an sie erinnern.«

Natalie schüttelte den Kopf. »Nein, er kommt immer allein. Und er wirkt eher wie ein Einzelgänger, wenn Sie wissen, was ich meine. Nicht wirklich unfreundlich, aber sehr konzentriert auf das, was er tut.« Ihre Augen weiteten sich, als sie Kincaids Blick auffing. »Sie glauben doch nicht … dass *er* es war? Ich hätte nie gedacht, dass es jemand sein könnte, den ich kenne.« Sie schlug sich eine Hand vor den Mund und schluckte. »Das ist ja furchtbar.«

»Wir können noch nichts mit Sicherheit sagen, aber es gibt Hinweise, denen wir nachgehen müssen. Wissen Sie, wie er heißt?«

»Nein. Er hat immer nur Kaffee bestellt, und er hat immer bar bezahlt. Oh«, fügte sie plötzlich hinzu, »und ich habe ihn ein paarmal hier im Bahnhof mit einem Buch gesehen. Ich habe mich gefragt, ob er vielleicht Geschichte oder Architektur studiert. Oder ob er nur so ein verschrobener Eisenbahnfan ist.«

Kincaid verriet ihr nicht, dass sie zumindest mit ihrer ersten Vermutung gar nicht so weit danebenlag. Und er fragte sich, ob sie auch in Bezug auf die Eisenbahnbegeisterung recht haben könnte. Wenn das Opfer Paul Cole war, und wenn es sich bei seinem Tod um Selbstmord handelte, war es dann denkbar, dass ein fanatisches Interesse an Zügen hinter seiner Wahl des Schauplatzes gestanden hatte und nicht seine Verbindung zu Matthew Quinns Protestgruppe? Das waren viel zu viele *Wenns* für seinen Geschmack. Er brauchte mehr Informationen.

Er trank seinen Kaffee aus und bedankte sich bei Natalie. »Studieren Sie vielleicht am UCL?«, fragte er, einem spontanen Impuls folgend.

Sie lächelte. »Anglistik. Meine Eltern haben mir gesagt, ich soll etwas Nützliches lernen, also kellnere ich.«

»Sehr klug«, meinte er grinsend. Er gab ihr seine Karte. »Falls Ihnen noch irgendetwas im Zusammenhang mit dem Vorfall einfällt, können Sie mich jederzeit erreichen.« Als er aufstand, hielt er einen Moment inne und überlegte, ob er wirklich ungebetene Ratschläge erteilen sollte. Warum nicht?, sagte er sich schließlich. »Natalie, was Sie da gestern getan haben – nun, ich finde, in Ihnen steckt eine gute Polizistin. Und mit einem Uni-Abschluss werden Sie gleich auf die Überholspur gesetzt. Wenn Sie irgendwann mal meinen, dass Sie das interessieren könnte, sagen Sie mir Bescheid, dann verrate ich Ihnen, wie Sie es am besten anstellen.«

Grün-goldenes Licht fiel durch die Buntglasscheiben in Doug Cullens Haustür.

Nachdem ihre abendlichen Untersuchungen im UCL-Krankenhaus abgeschlossen waren, hatte Melody nicht allein in Andys Wohnung bleiben wollen, aber nach Hause fahren wollte sie auch nicht. Sie hatte Gemma versichert, dass sie sehr wohl allein zurechtkommen würde, und hatte dann noch eine Weile unschlüssig in Andys Wohnung die Zeit totgeschlagen, Bert gefüttert und Andys winzige Küche aufgeräumt. Dann hatte sie Andys Jacke übergezogen, ihre Tasche geschnappt und die U-Bahn nach Notting Hill Gate genommen. Dort war sie den Berg hinunter zu dem Apartmentblock gegangen, in dem ihre Wohnung lag, und war in ihr Auto gestiegen, ohne zuvor ins Haus zu gehen. Dann war sie nach Putney gefahren.

Als sie die Themse überquert hatte und in Dougs Straße eingebogen war, hatte sie plötzlich gemerkt, dass sie einen Bärenhunger hatte. Sie hatte an ihrem und Dougs Lieblings-Pub angehalten und eine Auswahl von Sandwiches gekauft. Doch erst jetzt, nachdem sie geparkt und den Wagen abgeschlossen hatte, fragte sie sich, ob es wirklich eine gute Idee gewesen war herzukommen.

Sie hätte vorher anrufen sollen. Wenn Doug nun Besuch hatte? Sie wusste, dass er sich ab und zu mit Maura Bell traf, der Kollegin vom CID Southwark, aber sie wusste nicht, wie ernst es war. Sie hatte gerade ihr Telefon hervorgeholt, um Doug anzurufen, als er die Tür öffnete.

Er wirkte nicht im Mindesten überrascht, als er sagte: »Was

immer du da tust, du solltest lieber reinkommen. Es ist schweinekalt hier draußen.«

»Woher wusstest du, dass ich hier bin?«, fragte Melody, während sie auf die Tür zuging.

»Ich habe das Motorgeräusch von deinem Auto erkannt. Was hast du denn da auf dem Gehsteig rumgestanden und geglotzt?«

»Ich habe nicht geglotzt«, gab Melody empört zurück, als Doug ihr die Tür aufhielt. »Mir ist nur gerade eingefallen, dass ich zuerst hätte anrufen sollen, falls ich vielleicht störe.«

»Red doch keinen Unsinn.« Doug ließ sie in die warme Diele eintreten und schlug die Tür zu. »Geht's dir gut?«, fragte er, während er seine Brille zurechtrückte und sie kritisch musterte. Er trug einen alten, ausgefransten Pullover und eine Jeans, und seine blonden Haare standen in alle Richtungen ab. »Was haben die Untersuchungen ergeben?«

»Bis jetzt scheint alles in Ordnung zu sein. Ich komme gerade aus dem Krankenhaus – Gemma war mit mir dort.« Sie trat ins Wohnzimmer und rief erfreut: »Oh, Gott sei Dank – du hast Feuer in den Kaminen!«

Die Wand zwischen dem Wohn- und Esszimmer von Dougs kleinem Haus war herausgerissen worden, um einen großen Raum zu schaffen, mit einer kleinen Küchenecke am hinteren Ende. Als er das Haus gekauft hatte, waren die wunderschönen offenen Kamine in beiden Zimmern abgedeckt gewesen. Melody hatte darauf bestanden, dass er sie wieder in den ursprünglichen Zustand versetzte. Sie hatte ihm auch geholfen, die Gasöfen zu besorgen und antike Spiegel zu finden, um sie über den Simsen aufzuhängen. Jetzt loderten die Feuer munter vor sich hin, und sie konnte die Wärme spüren, die sie ausstrahlten.

Sie sah, dass er die beiden Räume fertig gestrichen hatte,

seit sie zuletzt hier gewesen war, in einem wunderschönen Grün-Gold, das sie vorgeschlagen hatte, weil es zu den Farben der Buntglasfenster in der Haustür passte. Auch die Decke war fertig. Beim Versuch, die Rosette in der Mitte zu streichen, hatte Doug sich damals den Knöchel gebrochen. »Das hast du doch nicht alles …«

»Nein. Dafür habe ich jemanden kommen lassen.« Er deutete auf seine Orthese. »Ich steige zurzeit eher nicht auf Leitern.«

Die cremeweiße Deckenfarbe hatte sich über den alten Teppichboden ergossen, als Doug von der Leiter gefallen war, doch inzwischen hatte er ihn herausgerissen, und die abgeschliffenen Bodendielen glänzten.

»Es sieht … wunderbar aus«, sagte Melody mit einem Anflug von schlechtem Gewissen. Sie wusste, dass sie längst schon einmal wieder hätte vorbeischauen sollen.

»Vielleicht solltest du mich öfter besuchen.« Dougs Stimme hatte einen sarkastischen Unterton, und er schien wie üblich ihre Gedanken gelesen zu haben.

»Hast du das alles allein gemacht?«, fragte Melody. Sie dachte an Maura Bell und empfand plötzlich eine unangenehme Anwandlung von Eifersucht.

»Ja. Ich bin deinem Rat gefolgt. Zieh doch die Jacke aus, es sei denn, du willst gleich wieder abhauen.« Er nahm sie ihr ab und legte sie auf die Armlehne des Sofas. Falls ihm aufgefallen war, dass es nicht ihre war, erwähnte er es nicht. »Was hast du da in der Tüte?«

»Oh.« Sie hatte ganz vergessen, dass sie sie in der Hand hielt. »Sandwiches aus dem Pub. Ich dachte, falls du noch nicht gegessen hast …« Sie schnupperte, dann entdeckte sie den Karton auf dem Couchtisch. »Sag's nicht. Ramen-Nudeln.«

»Ich hatte Hunger. Und ich hatte zu tun.« Dougs Laptop

stand aufgeklappt auf dem Polsterhocker neben seinem Lieblingssessel. »Aber zu einem Sandwich sage ich bestimmt nicht nein. Und ich habe Wein *und* Bier. Zumindest getränkemäßig ist meine Vorratskammer gut bestückt.«

»Tee wäre mir jetzt eigentlich am liebsten«, sagte Melody und ließ sich erleichtert aufs Sofa sinken. »Unmengen von Tee.«

»Ist mir recht. Und das kriege ich auch allein hin.«

Während Doug in der Küche den Wasserkocher einschaltete, nahm Melody die Sandwiches aus der Tüte. »Schottischer Räucherlachs mit Gurken und Meerrettich-Schnittlauch-Creme«, rief sie. »Brötchen mit hausgemachten Fischstäbchen und Clubsandwich mit Huhn und Räucherspeck.«

Doug runzelte die Stirn. »Die servieren doch nach fünf gar keine Sandwiches mehr.«

»Ich habe den Koch um den Finger gewickelt. Ausgehungerte Polizisten im Observierungseinsatz. Funktioniert jedes Mal.«

Doug brachte ein Tablett mit der dampfenden Teekanne, zwei Bechern und Tellern für die Sandwiches. Während Melody die Brote verteilte, schenkte ihr Doug Tee mit einem kleinen Schuss Milch ein, genau wie sie ihn mochte. »Wo ist Andy?«, fragte er, ohne sie dabei anzuschauen.

Sie erzählte ihm von den Demoaufnahmen in den Abbey Road Studios.

Doug pfiff leise. »Respekt.«

»Wir haben uns ein bisschen gestritten«, gab Melody zu. »Er wollte es nicht machen, wegen Tam. Ich habe ihm gesagt, dass Tam ihn umbringen würde, wenn er erfahren würde, dass Andy sich so eine Chance hat entgehen lassen.«

»Du musst sehr überzeugend gewesen sein.« Doug nahm einen Bissen von dem Lachs-Sandwich und sah sie forschend an. »Du weißt doch, was das bedeutet, oder? Wenn Andy und Poppy wirklich groß rauskommen – und das hätten sie verdient –, wird er ständig auf Tour sein. Du wirst ihn gar nicht mehr zu Gesicht bekommen.«

»Soll ich ihm denn sagen, dass er es aufgeben soll?« Sie schüttelte den Kopf. »Du weißt, dass ich das nie tun würde.«

»Nein«, sagte Doug. »Das würdest du nicht.« Sie glaubte aus seinem Ton Zustimmung herauszuhören.

Melody probierte einen Happen von dem Clubsandwich mit Huhn und stellte fest, dass ihr zum ersten Mal seit gestern das Essen wieder köstlich schmeckte. »Das war nicht das Einzige«, fügte sie zögernd hinzu. »Er glaubt, dass ich mich für ihn schäme, weil ich ihn noch nicht meinen Eltern vorgestellt habe.«

Doug nahm sich ein halbes Brötchen mit Fischstäbchen und blickte nachdenklich zu ihr auf. »Du hast es ihm noch nicht gesagt, oder?«

»Nein.«

»Das wirst du aber irgendwann müssen.«

Melody seufzte. »Ich weiß.«

»Und je länger du wartest, desto schwerer wird es.«

»Das weiß ich auch. Aber ich will im Moment nicht darüber nachdenken.« Melody probierte die andere Hälfte des Fischstäbchen-Burgers und blies dann auf ihren Tee. Um das Thema zu wechseln, deutete sie auf Dougs Laptop. »Woran arbeitest du gerade?«

Er zögerte. »Bloß so ein Projekt. Ich darf's dir eigentlich gar nicht sagen.«

»Du recherchierst etwas für Duncan, nicht wahr? Er hat's mir erzählt.«

»Hat er das? Na, dann.« Dougs Erleichterung war nicht zu übersehen, und Melody kam der Gedanke, dass dies eine der

Eigenschaften war, die sie an ihm mochte. Er war unglaublich leicht zu durchschauen, und er würde in größte Schwierigkeiten geraten, wenn er einmal gezwungen wäre zu lügen.

Doug fuhr nun ganz eifrig fort: »Ich habe versucht, etwas über Ryan Marsh herauszufinden. Hat Duncan dir gesagt, dass wir glauben, er könnte ein verdeckter Ermittler gewesen sein?« Als Melody nickte, fuhr er fort: »Er wurde als um die dreißig beschrieben, und wir haben eine ungefähre Vorstellung von seinem Aussehen, also bin ich die Kadettenjahrgänge der Polizeiakademie durchgegangen, angefangen vor zwölf Jahren, und habe nach jemandem gesucht, auf den die Beschreibung passen könnte. Verdeckte Ermittler behalten oft ihren Vornamen und wählen einen Nachnamen, der ihrem echten Namen ähnelt oder irgendeinen Bezug dazu hat. Bis jetzt bin ich drei Jahrgänge für die Met durchgegangen, ohne Erfolg.«

»Klingt nach der Nadel im Heuhaufen. Aber auch nicht schlimmer als das, was ich gerade mache.« Melody zog ihren eigenen Laptop aus der großen Handtasche, die sie mitgebracht hatte. »Ich suche nach Fotos von Matthew Quinns Gruppe in den Bildarchiven der *Chronicle*. Vielleicht gibt es da eins mit jemandem, auf den Marshs Beschreibung passt.«

Doug zog eine Augenbraue hoch, eine Geste, die sie an Kincaid erinnerte. »Deine Idee?« Sie nickte. »Nicht schlecht«, meinte er. »Da sollten wir dranbleiben.«

Und das taten sie, während sie in einträchtigem Schweigen Tee tranken und ab und zu in ein Sandwich bissen. Melody zog ihre Stiefel aus und machte es sich auf dem Sofa bequem, während sie ein Foto nach dem anderen prüfte. Ihr Magen war voll, das Zimmer warm und das Sofa weich, und so wurden ihre Lider schwerer und schwerer – bis sie plötzlich etwas sah, das ihre Aufmerksamkeit weckte. Das Foto war ein Jahr alt. Archäologen des Crossrail-Projekts hatten am ehemaligen Standort der berüchtigten psychiatrischen Klinik Bedlam Gebeine ausgegraben, darunter das Skelett eines Mannes, der anscheinend einer primitiven Gehirnoperation unterzogen worden war. Ein paar Demonstranten standen am Rand des Sicherheitszauns und hielten Plakate hoch, auf denen stand: »HIER WIRD LONDONS GESCHICHTE ZERSTÖRT«.

Sie erkannte den schlaksigen Matthew Quinn anhand der Fotos, die Kincaid ihr geschickt hatte, obwohl er eine Kappe trug. Neben ihm stand ein älterer Mann, vielleicht in den Fünfzigern, aber schon mit silbernen Haaren. Sonst erkannte sie niemanden von der Gruppe und auch niemanden, auf den die Beschreibung von Ryan Marsh passte.

»Ich habe etwas gefunden«, sagte sie, »aber ich glaube, es ist nichts weiter …«

»Heilige Scheiße.« Doug sah nicht sie an, er starrte auf seinen Computerbildschirm. »Aber *ich* hab was gefunden. Es war nicht die Met. Es war Thames Valley.« Er stand auf, immer noch unbeholfen mit seiner Orthese, und setzte sich mit seinem Laptop neben sie. Während Melody das Jahrgangsfoto auf dem Bildschirm betrachtete, vergrößerte Doug es. »Da. Der Zweite von links in der ersten Reihe. Vor zehn Jahren. Da war er neunzehn. Sein Name ist Ryan Marlowe. Die Beschreibung passt.«

Melody starrte das Gesicht an. Jung. Ernsthafte Miene, hellbraunes Haar. Seine Augenfarbe konnte sie nicht erkennen.

Seine Augen … »Du lieber Gott«, flüsterte sie. Sie kannte diese Augen. Sie waren sehr blau, und sie hatte sie zuletzt in einem eingefallenen, rußverschmierten Gesicht gesehen, über einem blauen Tuch.

14

William Henry Barlow wurde als Sohn eines bedeuten-
den Mathematikers und Physikers nahe Woolwich ge-
boren. Mit sechzehn arbeitete er bereits bei seinem Va-
ter mit, ehe er in den Werften von Woolwich und London
eine Ingenieursausbildung absolvierte.

networkrail.co.uk/VirtualArchive/WH-Barlow

Melody erwachte aus einem unruhigen Schlaf auf Andys Futon, als sie die Berührung von kühler Haut an ihrem Rücken spürte.

»Au«, sagte sie. »Du bist ja eiskalt.« Doch anstatt wegzurücken, schmiegte sie sich enger an ihn.

»Wem sagst du das?« Andy schlang einen nackten Arm um sie, der genauso kalt war. »Ich musste bis zur Baker Street laufen, um ein Taxi zu finden.«

Melody nahm seine Hand und berührte sie leicht mit den Lippen. Seine Finger rochen leicht metallisch, wie immer, wenn er stundenlang Gitarre gespielt hatte. »Und Poppy?«

»Caleb hat sie nach Hause gefahren. Den letzten Zug nach Twyford hatte sie schon vor Stunden verpasst.«

»Wie spät ist es?« Sie versuchte nach der Uhr zu schielen, doch Andy zog ihr die Decke über den Kopf.

»Das willst du gar nicht wissen«, sagte er. Sein Atem war warm an ihrem Ohr, und seine Bartstoppeln kratzten sie an der Wange.

Sie schob die Decke wieder zurück und drehte sich auf den

Rücken, sodass sie im Halbdunkel der Wohnung die Umrisse seines Gesichts sehen konnte. »Und, wie war's?«

Er setzte sich ein wenig auf und barg ihren Kopf an seiner Schulter. »Es war … es war absolut genial«, sagte er langsam. »Ich hab ja früher schon in der Abbey Road Sessions gespielt, aber ich hätte mir nie träumen lassen, dass ich dort mal meine eigenen Sachen aufnehmen würde. *Unsere* eigenen Sachen«, korrigierte er sich. »Poppy war sensationell, und es hat einfach alles gepasst – es war wie ein Traum. Wir haben sogar an ein paar neuen Songs gearbeitet.«

Melody wurde bewusst, dass sie ihn noch nie so hatte reden hören. Wenn er bisher über seine Musik gesprochen hatte, war da immer diese Zurückhaltung zu spüren gewesen, als ob er nicht zu glauben wagte, dass jemals etwas daraus werden könnte.

Und ihr wurde noch etwas klar: So sehr sie sich wünschte, dass er glücklich wurde, es machte ihr auch ein wenig Angst. Hatte Doug recht? Würde sie ihn an die Musik verlieren?

Nein, dachte sie und schalt sich selbst. So durfte sie nicht denken. So würde sie nicht denken. Und sie würde nichts tun oder sagen, was ihm diesen Moment verderben könnte. »Was hat der Produzent gemeint?«, fragte sie. »War er beeindruckt?«

»Er hat sich für morgen mit Caleb verabredet. Und ich gehe jetzt einfach mal davon aus, dass es Tam bis dahin besser geht und wir ihm davon erzählen können. Ich fahre gleich morgen früh ins Krankenhaus.« Und zum ersten Mal seit dem Zwischenfall hörte sie etwas anderes als Panik in seiner Stimme, wenn er über Tam sprach. Sie hoffte nur, dass er recht behielt.

»Dann solltest du schauen, dass du noch ein bisschen Schlaf bekommst, oder?« Sie wollte nicht, dass er sie fragte, wo sie gewesen war oder was sie getan hatte. Oder was sie am Morgen tun würde, während er Tam besuchte.

»Ich wüsste da was Besseres als schlafen.« Er kuschelte sich wieder unter die Decke und streichelte ihren Bauch. »Und wieso hast du eigentlich die ganzen Klamotten an?«

Melody war mit T-Shirt und Trainingshose ins Bett gegangen. »Mir war kalt.«

»Na, aber jetzt ist dir doch nicht mehr kalt, oder?«, sagte er.

Jasmine Sidana fuhr am Freitagmorgen direkt ins Royal London Hospital. Sie war dort für halb neun mit Paul Coles Eltern verabredet.

Während sie ihren Honda auf dem Krankenhausparkplatz abstellte, fragte sie sich, was sie wohl mehr gefürchtet hatte – den Besuch bei ihnen zu Hause gestern Abend oder das Gespräch heute Morgen. Sie hatte noch nie gut mit Trauer umgehen können. In solchen Situationen fühlte sie sich stets unwohl und ärgerte sich über ihre eigene Unbeholfenheit. Sie wusste einfach nicht, was sie sagen oder tun sollte, um die Hinterbliebenen zu trösten.

Nicht, dass es gestern Abend einen großen Unterschied gemacht hätte. Sie hatte ihre besten Manieren hervorgekehrt und Sweeney angewiesen, den Mund zu halten, ehe sie an der Tür der großen viktorianischen Doppelhaushälfte in der Vardens Road in Battersea geklingelt hatte. Jasmine sah sich gerne Häuser an und war immer gut über die aktuellen Immobilienpreise informiert, und so stieß sie einen leisen Pfiff aus, als sie aus dem Wagen stieg. Selbst in der abendlichen Dunkelheit konnte sie sehen, dass die cremefarbenen Fenstereinfassungen an der braunen Backsteinfassade frisch gestrichen waren, und der winzige Vorgarten wirkte makellos gepflegt. Wenn das Haus irgendwann einmal modernisiert worden war, könnte es zwei bis drei Millionen Pfund wert sein. Paul Cole war offenbar alles andere als ein mittelloser Student gewesen.

Die Frau hatte ihnen geöffnet. Ihre Miene hatte vom ersten Moment an Widerwillen ausgedrückt, und Jasmine hatte schon befürchtet, sie würde ihnen die Tür vor der Nase zuschlagen, ehe sie überhaupt eine Chance hatten, sich als Polizeibeamte zu identifizieren.

»Hier ist Hausieren verboten«, sagte Mrs Cole, und Jasmine glaubte zu sehen, wie ihr Blick noch finsterer wurde, als sie Jasmines Hautfarbe registrierte. »Da ist ein Schild – sehen Sie.«

Tatsächlich, da hing ein Schild neben der reich verzierten Messingklingel, eine Keramiktafel mit zierlicher Schrift.

»Mrs Cole?«, sagte Jasmine. »Wir sind von der Polizei. Wir möchten mit Ihnen über Ihren Sohn sprechen.«

Der Widerwille schlug in Betroffenheit um, und Jasmine, die innerlich vor Wut kochte, war fast froh, es zu sehen.

Mrs Coles Ehemann trat von hinten an sie heran. Während seine Gattin zu den Frauen gehörte, die in ihrem verzweifelten Kampf gegen das Altern ganz vom Fleisch zu fallen schienen, hatte ihr Mann einen rosigen Teint und trug eine kleine Wampe vor sich her. Und wie Sweeney hatte er es mit dem Rasierwasser übertrieben, wobei Jasmine vermutete, dass seines teurer gewesen war. Sie mochte es nicht – es juckte sie in der Nase.

»Was ist da los, Lisa?«, fragte er scharf, und Jasmine konnte nicht erkennen, ob sein Unmut gegen sie oder gegen seine Frau gerichtet war.

»Wir sind von der Polizei«, wiederholte Jasmine. »Ich bin Detective Inspector Sidana, und das ist Detective Constable Sweeney.«

»Es ist wegen Paul«, flüsterte Mrs Cole.

»Was hat er denn jetzt wieder angestellt?« In der Stimme des Ehemanns lag keine Angst, nur Verärgerung.

»Dürfen wir reinkommen?«, fragte Jasmine. Sie hielt ihren

Dienstausweis hoch und trat vor, sodass den Coles kaum etwas anderes übrig blieb, als zurückzuweichen. Sie hatte keine Lust, frierend auf der Treppe zu stehen, während sie die beiden über ihren Sohn befragte.

Mit nicht zu übersehendem Widerwillen führte Mrs Cole sie in einen eleganten Salon mit Fenstern zur Straße. Der Raum war mit teuren Möbeln und Nippes vollgestellt, alles schien vergoldet zu sein, und Jasmine konnte sich nicht vorstellen, dass die Familie das Zimmer wirklich benutzte, außer wenn es galt, Gäste zu beeindrucken. Sie nahm unaufgefordert auf einem harten Brokatsofa Platz, und Sweeney folgte zögerlich ihrem Beispiel. Das Zimmer war kalt, und Jasmine war ganz froh, dass die Coles sie nicht gebeten hatten abzulegen.

»Mr und Mrs Cole, ich möchte Sie bitten, sich zu setzen«, sagte sie.

Mrs Cole ließ sich auf eine Couch gegenüber von ihnen sinken. Sie sah jetzt abgehärmt und verängstigt aus, und Jasmine bedauerte ihren herzlosen Gedanken von vorhin.

»Robert, bitte«, sagte Mrs Cole. »Sie hat gesagt, dass sie *Detective Inspector* ist.« Offenbar war sie nicht so schwer von Begriff wie ihr Mann und hatte gleich erfasst, was das bedeutete. Wegen geringfügiger Vergehen schickte man keine leitenden Kriminalbeamten.

Mr Cole schüttelte den Kopf und verharrte mit dem Rücken zu dem kalten Kamin. »Ich stehe lieber. Und ich frage Sie noch einmal, Detective Nirvana oder wie Sie heißen, was hat Paul diesmal ausgefressen?«

»Wir wissen nicht, ob Ihr Sohn irgendetwas getan hat, Mr Cole«, antwortete Sidana und gab sich alle Mühe, die vorsätzliche Beleidigung zu ignorieren. Sie hoffte, dass Sweeney sich in seinem Fitnessstudio nicht darüber lustig machen würde. »Aber seine Freunde haben ihn als vermisst gemeldet«, fuhr sie fort, nachdem sie sich gesammelt hatte. »Haben Sie ihn in den letzten zwei Tagen gesehen oder von ihm gehört?«

»Nein«, antwortete Mrs Cole. »Ich habe ihn gestern angerufen, aber nur den Anrufbeantworter erreicht. Allerdings ruft er manchmal erst nach ein, zwei Tagen zu…«

»Wenn es sich bei den Freunden, die Sie erwähnt haben, um diese Hippie-Protestler handelt, denen dürfen Sie kein Wort glauben«, redete ihr Mann dazwischen.

»Sie sind militante Umweltschützer, Robert. Das sagt Paul jedenfalls.«

»Sie sind Studienabbrecher und Unruhestifter. Paul muss sich auf seine Prüfungen konzentrieren und etwas Vernünftiges aus sich machen.«

Obwohl Jasmine dazu neigte, sich Robert Coles Ansicht über die Protestler anzuschließen, war sie nicht gewillt, dieses Gespräch in einen Familienstreit mit offensichtlich seit langem verhärteten Positionen abgleiten zu lassen. Es war klar, dass der Vater keinerlei Empathie oder echtes Interesse für seinen Sohn mitbrachte, während die Mutter ihn verhätschelte. Zum ersten Mal empfand sie einen Anflug von Mitleid mit Paul Cole.

»Mr Cole, Sie haben mich gefragt, was Paul *diesmal* angestellt habe. Ist er früher schon einmal in Schwierigkeiten geraten?«

»Er hat eine Verwarnung bekommen, weil er gegen eines der Crossrail-Projekte protestiert hatte. Ich habe ihm gesagt, er könne froh sein, dass er nicht verhaftet wurde. Diese Typen vergeuden doch nur anderer Leute Zeit und Geld. Ist denen denn nicht klar, was passiert, wenn die Bauarbeiten sich ihretwegen verzögern?«

Das, dachte Jasmine, war ihnen sehr wohl klar, und genau das war der Zweck ihrer Aktionen.

Aber sie musste nun zum Zweck ihres Besuchs kommen, so

sehr es ihr auch widerstrebte. »Mr und Mrs Cole, es gab gestern im Bahnhof St. Pancras International einen Zwischenfall. Wissen Sie, ob Paul vorhatte, an einer Demonstration dort teilzunehmen?«

»Ich habe es in den Nachrichten gesehen.« Lisa Cole verschränkte ihre manikürten Finger im Schoß. »Ein Mann ist ums Leben gekommen. Sie glauben doch hoffentlich nicht, dass Paul irgendetwas damit zu tun hatte?«

Jasmine registrierte, wie Sweeney neben ihr zu einer Erwiderung ansetzte, und warf ihm einen strengen Blick zu. »Mrs Cole«, sagte sie mit ungewohnt sanfter Stimme, »wir versuchen immer noch, das Opfer zu identifizieren. Können Sie mir sagen, ob Ihr Sohn irgendwelche besonderen Kennzeichen hat?«

Mrs Coles Antwort auf diese Frage hatte zu dem Termin heute Morgen geführt.

Jasmine hatte gehofft, mit dem Rechtsmediziner Dr. Kaleem sprechen zu können, bevor die Coles eintrafen. Aber sie waren noch früher dran als sie und gingen bereits im Besucherraum der Leichenhalle auf und ab. Mrs Cole trug zwar immer noch Designerkleidung und war perfekt gestylt, doch sie sah aus, als ob sie nicht geschlafen hätte. Mr Cole war rot im Gesicht und schien schon wieder kurz davor zu explodieren. »Ich will mit Ihrem Vorgesetzten darüber sprechen, wie Sie hier unsere Zeit vergeuden und meiner Frau Kummer bereiten«, sagte er, noch ehe Jasmine ihm einen guten Morgen wünschen konnte.

Sie hatte darauf bestanden, allein zu kommen, und jetzt war sie froh, dass Sweeney nicht sehen konnte, wie sie rot wurde. »Danke, dass Sie beide gekommen sind«, brachte sie mit einem verkrampften Lächeln heraus, als Dr. Kaleem eintrat und sich dem Paar vorstellte.

Er begrüßte Jasmine mit einem höflichen Nicken. »Detective Sidana.«

Jasmine hatte sich darauf eingestellt, ihn unsympathisch zu finden, zum einen, weil Kincaid ihn hinzugezogen hatte, zum anderen, weil er viel zu gut aussah und sie attraktiven Männern grundsätzlich misstraute. Doch am Tatort war er ebenso kompetent wie freundlich aufgetreten, und nun stellte sie fest, dass sie bereit war, ihm einen gewissen Vertrauensvorschuss zu gewähren.

»Was wollten Sie uns denn nun zeigen?«, fragte Robert Cole, während er Dr. Kaleems ausgestreckte Hand ignorierte. »Ich will diesen Unsinn möglichst schnell hinter mich bringen.«

Was für ein unausstehlicher Rüpel, dachte Jasmine, und dann sah sie, dass seine Hände zitterten. Ihr wurde klar, dass der Mann panische Angst hatte. Das polternde Gehabe war sein einziger Schutzmechanismus.

Dr. Kaleem wirkte ungerührt. Er setzte sich auf einen der Stühle im Besucherraum. »Zunächst möchte ich Ihnen ein paar Fragen stellen.« Er lehnte sich nach vorne, die Ellbogen auf die Knie gestützt – eine Haltung, die dazu einlud, sich ihm anzuvertrauen. »Wissen Sie zufällig die Blutgruppe Ihres Sohnes?«

Lisa Cole schüttelte den Kopf. »Ich bin mir nicht sicher. Aber ich weiß, dass ich AB negativ habe. Als ich schwanger war, musste ich Spritzen zur Rhesus-Prophylaxe bekommen. Wegen der Antikörper – um Paul nicht zu gefährden.«

»Ah. Das macht es sehr wahrscheinlich, dass Ihr Sohn A negativ hat, Mrs Cole. Das ist relativ selten.«

Jasmine las die Bestätigung an Kaleems Miene ab, wenngleich sie sich nicht sicher war, ob die Eltern die Bedeutung dessen erfasst hatten, was Lisa Cole ihm gerade gesagt hatte.

Dr. Kaleem fuhr fort: »Gibt es irgendwo Patientenunterlagen, auf die wir zugreifen könnten? Hatte Paul irgendwelche gesundheitlichen Probleme oder Operationen?«

»Er hatte mit neun eine Blinddarmoperation«, antwortete Lisa Cole.

»Das ist sehr gut«, erwiderte Kaleem. »Wissen Sie den Namen seines Kinderarztes oder des Chirurgen?«

Sie schüttelte den Kopf. »Aber ich bin sicher, dass ich die Unterlagen irgendwo habe.«

Dr. Kaleem schenkte ihr ein Lächeln. »Macht nichts. Es ist sowieso fraglich, ob sie damals seine Blutgruppe bestimmt haben.«

»Sagen Sie«, mischte sich Robert Cole ein, »was spielt denn das alles für eine Rolle? Wozu haben Sie uns hergeholt?«

»Ich möchte Sie nur bitten, sich ein paar Fotos anzusehen.« Kaleem nahm ein paar Ausdrucke aus einer Mappe, die er beiläufig neben seinen Stuhl gelegt hatte, als er Platz genommen hatte. »Nun, zu diesem ersten Bild. Gestern Abend sagten Sie Detective Sidana, dass Ihr Sohn ein Muttermal hat. Sieht es ungefähr so aus wie das hier?« Er reichte beiden Eltern je einen Ausdruck.

Robert Cole warf einen Blick darauf und zerknüllte das Papier in der Hand. »Das ist doch lachhaft. Wie sollen wir darauf irgendetwas erkennen? Das könnte genauso gut der Mond sein oder einer von diesen Rorschach-Klecksen.«

Als Jasmine Lisa Cole über die Schulter schaute, sah sie ein vergrößertes Foto von etwas, das wie ein dunkles Komma aussah, teilweise überzogen mit roten Brandblasen. Ein Lineal am Rand des Bildausschnitts lieferte den Maßstab. Sie schätzte den dunklen Fleck auf etwa drei Zentimeter.

Kaleem gab Lisa Cole ein anderes Foto und sah sie diesmal direkt an. Jasmine sah, dass das Bild einen Stiefel zeigte. Oder das, was von einem Stiefel übrig war. Die Schnürsenkel waren zu einer wirren Masse zusammengeschmolzen, doch um sie herum war noch ein Stück braunes Leder oder anderes Material zu sehen, und die Sohle schien unversehrt. »Erkennen Sie diesen Wanderstiefel, Mrs Cole?«

Lisa Cole starrte das Foto an. Ihr sorgfältig aufgetragenes Rouge hob sich jetzt wie Clownsschminke von ihren bleichen Wangen ab. »Er … er sieht aus wie einer von den Stiefeln, die ich Paul zu Weihnachten geschenkt habe.« Ihre Stimme war nur ein Hauch. »Sie waren sehr teuer, aber er wollte sie unbedingt haben.«

»Das reicht!«, fuhr Robert Cole dazwischen und riss seiner Frau das Blatt aus der Hand. »Sie belästigen meine Frau und mich unnötig wegen irgendeines Dummejungenstreichs. Wir fahren jetzt nach Hause. Wenn Sie noch etwas von uns wollen, können Sie sich mit unserem Anwalt in …«

»Robert!« Lisa Cole stand auf und wandte sich gegen ihren Mann. Sie zitterte am ganzen Leib. »Es reicht wirklich! Bist du so blind für alles außer dir selbst und deiner eigenen Wichtigkeit? Begreifst du denn nicht, was diese Leute uns sagen wollen? Paul ist tot. Unser Sohn ist tot.«

Kincaid hatte ein kleines Café in der Lamb's Conduit Street ausgesucht, nur ein paar Häuser vom Revier entfernt. Es war winzig, mit Fensterrahmen in fröhlichem Rot, einem Werbeschild für Illy-Kaffee, einem Zeitungsständer vor der Tür und Bänken in den Fensternischen. Er hoffte, dass die Kollegen vom Revier Holborn dort nicht regelmäßig ihren Morgenkaffee tranken. Doch als er eintrat, war niemand zu sehen.

Er bestellte Kaffee und ein Bacon-Sandwich, da er wieder einmal aufs Frühstück verzichtet hatte. Das Sandwich war nicht schlecht, aber bei Medhi Atias hatte es ihm besser geschmeckt. Er hatte gerade den letzten Bissen verzehrt, als Doug und Melody hereinkamen.

Melody trug dieselben Kleider wie am Vortag: Jeans und eine marineblaue Caban-Jacke über einem Pullover. Er fragte sich, ob sie überhaupt zu Hause gewesen war. Als Doug ihn gestern am späten Abend angerufen hatte, um ihm zu sagen, dass er und Melody Informationen für ihn hätten, hatte er mit ihm ausgemacht, dass sie sich hier treffen würden. Als er nun in ihre vor Aufregung ganz angespannten Gesichter blickte, war ihm klar, dass er hätte wissen müssen, dass sie sich zusammentun würden. Er sah auch, dass sie beide ihre Laptops mitgebracht hatten.

»Ich hole Kaffee, während ihr alles vorbereitet«, sagte er.

Als er mit Tassen für die zwei zurückkam, hatten sie schon ihre Laptops auf einer Bank aufgeklappt.

Doug erklärte zunächst, dass er die altersmäßig infrage kommenden Kadettenjahrgänge an der Polizeiakademie nach Namen durchsucht hatte, die Ähnlichkeit mit dem von Ryan Marsh hatten. »Ich habe das hier gefunden«, sagte er, während er den Monitor zu Kincaid drehte und die Stimme senkte, obwohl der Inhaber des Cafés damit beschäftigt war, die Espressomaschine zu reinigen. »Ein Jahrgang der Thames Valley Police von vor zehn Jahren. Ryan Marlowe. Er hat zwei Jahre bei Thames Valley gearbeitet, wurde zum CID befördert und ist dann von der Bildfläche verschwunden. Aber während dieser Zeit hat er einmal einem verletzten Kollegen Blut gespendet, und es gibt einen Vermerk über seine Blutgruppe. Er hatte Null positiv.«

»Dann ist er nicht unser Opfer«, stellte Kincaid fest.

Melody sah aus, als würde sie gleich platzen.

Doug deutete auf sie. »Nein. Aber Melody kann dir mehr sagen.«

»Wenn Ryan Marlowe Ryan Marsh ist, dann ist er auch nicht tot«, sagte sie. »Zumindest hat er am Mittwoch noch gelebt, nachdem die Granate explodiert ist.«

»Was? Wie kannst du dir so sicher sein?«, fragte Kincaid.

»Weil ich ihn *gesehen* habe. Er war der Mann, der mir geholfen hat. Der barmherzige Samariter.«

»Bist du sicher?«

Melody nickte. »So sicher, wie ich dich jetzt anschaue. Zehn Jahre älter als auf dem Foto, aber er ist es. Ich hab dir doch gesagt, dass ich dachte, er wäre vielleicht Polizist, erinnerst du dich? Er ist auf das Feuer zugelaufen, anstatt zu fliehen. Er hat versucht zu helfen.«

»Das heißt noch gar nichts«, entgegnete Kincaid. »Vielleicht wollte er sich nur vergewissern, dass er ganze Arbeit geleistet hatte.«

»Nein.« Melody schüttelte heftig den Kopf. »Du hast sein Gesicht nicht gesehen. Als er die Leiche sah. Er ... Er war ... fix und fertig.«

»Glaubst du, er wusste, wer es war?«

Melody dachte einen Moment nach. »Ich versuche mich zu erinnern, was er genau gesagt hat. So etwas wie: ›Wir können nichts mehr für ihn tun.‹«

»Das überzeugt mich immer noch nicht«, meinte Kincaid und runzelte die Stirn.

»Nein, aber ...« Melody kaute an einem Fingernagel – etwas, was Kincaid bei ihr noch nie beobachtet hatte. »... ich könnte schwören, dass er es wusste«, beendete sie ihren Satz. »Es lag eine solche Verzweiflung in seiner Stimme. Ich kann es nicht besser erklären.«

»Okay, gehen wir mal vorläufig davon aus«, räumte Kincaid ein. »Laut seiner Freundin wollte Paul Cole die Rauchbombe zünden, und er hat deswegen mit Matthew gestritten. Was ist, wenn Cole, nachdem er sich bei Matthew eine Abfuhr geholt hatte, Ryan Marsh dazu überredet hat, ihm die Bombe zu überlassen?«

Doug und Melody starrten Kincaid an. Dann sagte Doug gedehnt: »Wenn Marsh gedacht hatte, es wäre eine Rauchbombe, und dann sah, dass es eine Phosphorgranate war, muss er schier ausgeflippt sein.«

»Weil er sich verantwortlich fühlte«, pflichtete Melody ihm bei.

Kincaid betrachtete das Foto auf Dougs Laptop eingehend. »Es gibt noch eine andere Möglichkeit. Was ist, wenn er geglaubt hat, die Granate sei für ihn bestimmt gewesen?«

»Verdammt.« Dougs Augen weiteten sich hinter seiner Nickelbrille.

»Das würde erklären, warum er verschwunden ist«, sagte Melody, so leise, als ob sie mit sich selbst spräche. »Ich konnte es nicht verstehen. Ich dachte, er stünde noch neben mir. Und dann war er plötzlich weg ...«

»Es ist eine Möglichkeit.« Kincaid tippte mit dem Zeigefinger auf den Bildschirm des Laptops. »Doug, kannst du mir einen vergrößerten Ausschnitt von diesem Foto schicken? Jemand muss ihn uns zweifelsfrei identifizieren.«

»Jemand aus der Gruppe?«, fragte Doug.

»Ich bin mir nicht sicher, ob ich diese Information schon an sie weitergeben will. Aber ich weiß noch jemanden, den ich fragen kann.« Er erzählte ihnen von Medhi Atias, dem Inhaber der Hähnchenbude.

»Ich hab was Besseres als dieses Foto.« Melody rückte mit ihrem Stuhl näher zu Kincaid und drehte ihren Laptop so, dass er den Bildschirm sehen konnte. »Nachdem ich einmal wusste, wonach – und nach wem – ich suchen musste, bin ich im Zeitungsarchiv fündig geworden.« Sie scrollte durch ein

halbes Dutzend Fotos, die meisten davon ein wenig grobkör-
nig. Doch auf jedem erkannte Kincaid Ryan Marsh wieder.
Auf manchen hatte er einen kurzen Bart, auf anderen längere
Haare oder ein buntes Tuch um den Kopf geschlungen, aber
Melody hatte recht. Wenn man einmal wusste, wonach man
suchte, sprang sein Gesicht einem aus jedem Bild entgegen.
Obwohl seine Beschreibung eher gewöhnlich geklungen hatte, war etwas an ihm, das ihn aus der Menge heraushob und
dazu verleitete, ein zweites Mal hinzusehen.

»Die hier sind von den Fukushima-Demos. Das da ist Didcot. Die üblichen Anti-Atom-Geschichten«, fuhr Melody
fort, während sie die Fotos noch einmal langsamer durch-
ging. »Und dann habe ich das hier gefunden.« Sie klickte ein
Foto an. »Das ist letztes Jahr im Frühherbst entstanden. Ich
hatte nach Fotos von Matthews Gruppe bei Protestaktionen
gegen Crossrail gesucht.«

»Das soll Crossrail sein?«, fragte Kincaid, während er das
Foto betrachtete. Er konnte keine Bagger sehen.

»Nein. Aber es ist ein Protest gegen den Abriss eines denk-
malgeschützten Gebäudes.«

Die Gruppe schwenkte die inzwischen vertrauten Schilder
mit dem Slogan »Rettet das historische London!«. Kincaid
erkannte Matthew Quinn als Ersten, er überragte alle anderen.
Neben ihm standen Iris und Dean.

Und da war Ryan, am Rand des Bildausschnitts, er hatte ein
blaues Tuch locker um den Hals geschlungen. Ein Mädchen
stand neben ihm. Sie hatte feines braunes Haar, das ihr bis zu
den Schultern reichte, und blickte mit einem angedeuteten
Lächeln in die Kamera. Es war keine von den jungen Frauen,
die Kincaid kennengelernt hatte.

Er vergrößerte das Bild. Sie trug eine Halskette mit einem
Anhänger, der wie ein kleiner brauner Vogel aussah.

Und da, hinter Iris, war Paul Cole. Er blickte direkt in die Kamera. Hatte Ariel Ellis das Foto gemacht?

Sein Handy meldete eine eingehende SMS. Sie war von Sidana, und sie kam gerade zur rechten Zeit. *»Paul Coles Blutgruppe passt zum Opfer«* stand da. Es machte noch einmal *Ping* – eine zweite SMS. *»Mutter bestätigt Identifizierung. Lasse DNS-Probe nehmen.«*

Anstatt Sidana zu antworten, blickte Kincaid zu Doug und Melody auf. »Wir haben wahrscheinlich die Bestätigung, dass es Paul Cole war. Es sei denn, der DNS-Abgleich schließt ihn aus. Jetzt müssen wir entscheiden, was wir wegen Ryan Marsh unternehmen.« Er scrollte durch Melodys Pressefotos zurück, während er angestrengt nachdachte. »Warum verschwindet Ryan Marlowe von der Bildfläche?«, fragte er. »Wenn er als Ryan Marsh verdeckt ermittelt hat, war es für Thames Valley? Oder für die Met? Ist er immer noch undercover unterwegs, oder hat er die Seiten gewechselt?« Kincaid trommelte mit den Fingern auf dem Cafétisch herum. »Er war übervorsichtig. Er hat nie irgendetwas bei der Gruppe zurückgelassen. Vor wem – oder was – hatte er Angst?«

»Wenn er immer noch als verdeckter Ermittler im Einsatz war«, warf Doug ein, »wer war dann sein Auftraggeber? Und warum? Ich glaube nicht, dass die Regierung einheimische Protestgruppen immer noch als ernsthafte terroristische Bedrohung einstuft.«

Kincaid spürte ein Kribbeln zwischen den Schulterblättern. Er blickte sich um, und ihm wurde plötzlich bewusst, wie gut man sie durch die Fenster des Cafés sehen konnte. Außer ihnen waren nur Kunden im Geschäft gewesen, die Kaffee oder belegte Brötchen zum Mitnehmen gekauft hatten und gleich wieder gegangen waren.

»Das gefällt mir nicht«, sagte er leise. »Wir wissen nicht

genug. Ich denke, das sollte fürs Erste unter uns bleiben – womit ich auch Gemma meine. Doug, fang du mit Ryan Marlowe an: Geburtenregister, Schulunterlagen, Heirat, was immer du ausgraben kannst. Ryan Marsh kann nicht einfach verschwunden sein, und seine Vergangenheit liefert uns vielleicht einen Hinweis darauf, wo er ist. Und ich will ihn finden, bevor irgendjemand sonst es tut.«

15

Im Jahr 1857 sicherte sich die Midland Railway Barlows Dienste als ihr neuer technischer Berater, nachdem George Stephenson in den Ruhestand getreten war. Barlows bedeutendste Arbeit im Auftrag von Midland erwuchs aus der Erweiterung der Linie von Bedford nach London. Der 1862 begonnene Streckenausbau verschaffte der Gesellschaft erstmals einen unabhängigen Zugang nach London. Barlow war verantwortlich für die Gestaltung von St. Pancras, dem eigenen Endbahnhof der Gesellschaft in der Euston Road. Dazu gehörte auch das prächtige Hallendach, das mit einer Spannbreite von 73 Metern damals das größte der Welt war.

networkrail.co.uk/VirtualArchive/WH-Barlow

Durch die kontrollierte Einnahme einiger Tabletten aus seinem Vorrat an frei verkäuflichem Codein und Ibuprofen – er würde nie zulassen, dass ein Rezept auf seinen Namen ausgestellt wurde – gelang es ihm, seine Lähmung zu überwinden, ein Feuer zu machen und sich eine warme Mahlzeit und etwas Heißes zu trinken zu bereiten. Nachdem er sein Kochgeschirr gespült hatte, organisierte er sein Lager noch etwas besser und stellte einen weiteren Windschutz auf. Gott sei Dank machte der Regen eine Pause. Am Morgen könnte er damit anfangen, das Flusswasser zu filtern, und, wenn er Glück hätte, sich zum Frühstück ein paar Fische fangen. Immer eins nach dem anderen. Darüber hinaus konnte er nicht denken. Noch nicht.

Nachdem er alle Arbeiten erledigt und das Feuer gelöscht hatte, setzte er sich auf seinen Campinghocker und holte einen weiteren

Schatz aus einer der Vorratsröhren hervor – eine innen verglaste Feld-flasche mit sehr gutem Whisky. Es war der letzte Rest einer Flasche Balvenie, eine Single-Barrel-Abfüllung seines bevorzugten Spey-side-Whiskys.

Es war ein Überraschungsgeschenk von Wren gewesen, gekauft von dem gesparten Geld, das sie sich mit Gelegenheitsjobs verdient hatte. Er hatte protestiert – sie kaufte sich selbst nie irgendetwas, trug nur die abgelegten Kleider der anderen Mädchen –, doch sie hatte so ent-täuscht ausgesehen, dass er sich hatte erweichen lassen, allerdings nur unter der Bedingung, dass sie mittrank.

Wren rührte normalerweise weder Alkohol noch Drogen an, doch sie hatte den Whisky in winzigen Schlückchen genossen.

Sie hatten ihn hier getrunken. Wren war die Einzige, die er je auf die Insel mitgenommen hatte, und das auch nur ein einziges Mal, als er es gewagt hatte, den Ford für ein paar Tage aus der Garage zu holen. Er hatte sich bei der Gruppe entschuldigt – er müsse Aktionen organisieren – und Wren in sicherer Entfernung von der Wohnung einsteigen lassen. Die anderen waren es gewohnt, dass sie kam und ging, und er hatte gehofft, dass ihre gleichzeitige Abwesenheit nicht weiter auffallen würde.

Es war im Herbst gewesen, als die Bäume gerade ihre Farbenpracht zu entfalten begannen und die Nächte empfindlich kühl wurden. Sie hatte alles ganz bezaubernd gefunden – das Kanu, den Fluss, das Wäldchen, den kleinen Unterschlupf, das Feuer, das Funkeln der Sterne. An diesem Abend hatte er frisches Essen mitgenommen – Steaks und Pellkartoffeln – und es in der Glut geröstet. Alles war so neu für sie gewesen, als ob sie ein kleines Mädchen wäre.

Er nahm noch einen kleinen Schluck von dem Whisky und verlor sich in Erinnerungen.

Wren. Das Mädchen, das aus dem Nichts aufgetaucht war. Viel zu dünn, obwohl sie in der Wohnung in der Caledonian Road keinen Mangel litten. Mit ihren feinen braunen Haaren, die nie ihre Form behielten, und ihren Augen von der Farbe dunklen Honigs hatte sie ihn an einen kleinen braunen Vogel erinnert. Sie bewegte sich auch auffällig flink und oft verblüffend lautlos. Als er sie irgendwann in den ersten Wochen gefragt hatte, ob das ihr richtiger Name sei – Wren, wie der Zaunkönig –, da hatte sie nur gelächelt und geantwortet: »Ich habe ihn mir nicht ausgesucht.« Und hatte ihn rätseln lassen, wie das zu verstehen war.

Sie sprach nie über sich. Sicher, niemand in der Caledonian Road ging mit seiner Lebensgeschichte hausieren – und wenn jemand etwas von sich erzählte, hieß das noch lange nicht, dass es auch stimmte. Aber Wren erzählte noch weniger als alle anderen. Die anderen ließen immerhin hier und da Hinweise fallen, so wie sie Hautschuppen und Haare fallen ließen, ohne es zu wollen. Hier eine Bemerkung, da ein Kommentar, eine Anspielung auf eine Mutter, einen Vater oder eine Schwester oder auf irgendeinen Vorfall in der Schule. Aber nicht Wren.

Er begann sie zu beobachten, anfangs mit der Neugier eines Polizisten, weil sie eine Herausforderung darstellte, ein Rätsel, das es zu lösen galt. Sie stammte aus London, das konnte er sicher aus ihrem Akzent schließen, und er tippte eher auf den Süden als auf den Norden. Aus einer Mittelschichtfamilie. Aber sie waren ja sowieso überwiegend Bürgersöhne und -töchter, die im Pseudo-Elend lebten, und er glaubte, dass sie alle jederzeit hätten nach Hause gehen können, um in einem bequemen Bett zu schlafen anstatt in Schlafsäcken auf den alten Holzdielen der Wohnung. Alle bis auf Wren.

Und dann beobachtete er sie allmählich nicht mehr nur aus müßiger Neugier, sondern weil ihm bewusst wurde, dass er sie mochte. Sie hatten alle ihre Motive, diese Leute, das war immer so. Rebellion, Idealismus, das Bedürfnis, anders zu sein als die anderen, Aufmerksamkeit zu erregen. Aber Wren – Wren war einfach da. Er hatte nie einen Menschen gekannt, der so im Augenblick gelebt hatte wie sie und mit so unschuldiger Freude am Dasein.

Als der Herbst kam, wurde ihm klar, dass er mehr als nur Sympathie für sie empfand. Er liebte seine Frau, natürlich liebte er seine Frau, sie waren schon ein Paar gewesen, als sie gerade mit der Schule fertig waren. Aber das hier, das war etwas, was er noch nie für irgendeinen Menschen empfunden hatte. Und er wusste, dass es kein Zurück mehr gäbe, wenn die Linie einmal überschritten war, doch er hatte einfach nicht anders gekonnt.

An dem Abend, als er sie hierhergebracht hatte, hatten sie das erste Mal miteinander geschlafen. Er hatte gezittert vor Panik und Begehren, vor Angst, sie zu berühren, Angst davor, dass sie ihn zurückweisen würde. Und dann, als sie sich ihm hingegeben hatte, als sei es die natürlichste Sache der Welt, hatte er solche Angst gehabt, ihr wehzutun. Sie schien so zerbrechlich – und doch wusste er, dass sie auf der Straße überlebt hatte, und vielleicht besser, als er es getan hätte.

Und doch musste er sie am Ende zerbrochen haben. Warum sonst hätte sie das getan, was sie an Neujahr getan hatte? Hatte sie gespürt, dass er sich in Gefahr gebracht hatte, um sie zu schützen und um seine Familie zu schützen?

Und am Ende hatte er sich selbst zerbrochen.

Nachdem Doug und Melody sich verabschiedet hatten und in verschiedene Richtungen aufgebrochen waren, verweilte Kincaid noch nachdenklich vor dem Café. Melody hatte ihm das neueste Foto von Ryan Marlowe geschickt, auf dem auch das Mädchen mit den feinen Haaren zu sehen war.

Sollte er auf dem Revier vorbeischauen und Sidanas mutmaßlicher Identifizierung des Opfers nachgehen?

Nein, er würde Sidana ihren Job machen lassen, ohne sich einzumischen. Er hatte Wichtigeres zu tun, und er brauchte Zeit zum Nachdenken, ehe er mit irgendjemandem aus dem Team von Holborn sprach. Er wandte sich vom Reviergebäude ab, schlug den Mantelkragen hoch und hoffte, dass der Regen noch eine halbe Stunde Pause machen würde.

Am Ende der Lamb's Conduit Street bog er rechts ab und ging weiter bis zur Gray's Inn Road, wo er seinen Weg nach Norden fortsetzte. Der Wind blies ihm kalt ins Gesicht und zerrte an seinen Haaren – er hoffte, dass es ihm helfen würde, einen klaren Kopf zu bekommen. Machte er sich zum Narren, wenn er seinen Verdacht in Sachen Ryan Marsh nicht mit seinem Team und mit Nick Callery beim SO 15 teilte? Er hatte noch nie zur Paranoia geneigt, aber seit dem Abschluss des Falls in Henley vergangenen Herbst schienen sich die Merkwürdigkeiten zu häufen. Zuerst Gemmas Beförderung, dann seine Versetzung. Und vor allem die Abwesenheit und das fortgesetzte Schweigen seines früheren Vorgesetzten, Chief Superintendent Childs.

Denis Childs war noch nie leicht zu durchschauen gewesen, doch Kincaid hatte ihn stets gemocht und ihm vertraut. Er vertraute ihm immer noch, auch wenn er wusste, dass Childs ihn in der Affäre um den ehemaligen Deputy Assistant Commissioner Angus Craig manipuliert hatte. Er wusste auch, dass Childs mehr über die Vorgänge in der Metropolitan Police gewusst, als er ihm gesagt hatte, aber wen hatte er schützen wollen? Sich selbst? Kincaid? Oder jemand anders?

Und jetzt war Childs buchstäblich von der Bildfläche verschwunden, sodass Kincaid vorläufig keine Chance hatte, die Wahrheit herauszufinden. Und er hatte Sorge, dass hinter Childs' Abwesenheit mehr steckte als ein Unfall seiner Schwester in Singapur.

Und er war sich auch nicht sicher, wie viel er Gemma von seinen Befürchtungen erzählen durfte, denn er hatte ihr nichts von seinem Verdacht gesagt, dass sie nur befördert worden war, um ihn davon abzuhalten, Ärger zu machen.

Es gab keinen Grund zu der Annahme, dass irgendetwas

239

davon sein Vorgehen in diesem Fall beeinflussen sollte. Außer der Tatsache, dass er wieder einmal dieses Gefühl hatte, als ob er in dunkle Fluten starrte, in denen sich unsichtbare Dinge bewegten, und dass er wieder einmal dieses Kribbeln zwischen den Schulterblättern verspürte.

Er bog in die Caledonian Road ein, wich der Schmutzwasserfontäne aus, die ein vorbeifahrendes Auto aufspritzen ließ, und versuchte sich auf seine Umgebung zu konzentrieren. Als er von King's Cross nach Nordosten weiterging, wirkte die Straße trostloser denn je unter der dunklen Wolkenbank, die sich im Norden auftürmte. Es konnte nicht so bleiben, es würde nicht so bleiben – die Hochhäuser, die Hotels und Bürogebäude würden sich ausbreiten, und Leute wie Medhi Atias würden vertrieben werden. Er hoffte, dass wenigstens die besten der georgianischen Gebäude erhalten bleiben würden, auch wenn nur die Superreichen es sich leisten konnten, darin zu wohnen. Im Grunde musste er sich eingestehen, dass er zumindest für einige von Matthew Quinns Positionen beträchtliche Sympathie empfand.

Er stand jetzt vor Quinns Wohnung. Hinter den Fenstern schien sich nichts zu bewegen, und während er zu den abblätternden Fensterrahmen emporblickte, ertappte er sich bei dem Gedanken, dass ein bisschen Geld hier durchaus nicht schaden könnte.

Der Imbiss lockte. Er drückte die Tür auf und tauchte in die Wärme, den Dampf und den Duft von brutzelndem Frühstücksspeck ein.

Medhi Atias blickte von seinem Tresen auf und lächelte. »Mr Kincaid. Darf ich Ihnen noch mal ein Bacon-Sandwich machen?«

»Leider nein. Ich habe schon etwas gegessen, und ich fürchte, es konnte nicht mit Ihrer Qualität mithalten.«

Atias schnalzte missbilligend mit der Zunge. »Sie hätten zuerst hierherkommen sollen. Aber egal – was kann ich diesmal für Sie tun?«

»Wie wär's für den Anfang mit einer Tasse von Ihrem wunderbaren Kaffee?«

Kincaid wartete, bis Atias ihm eine dampfende Tasse serviert hatte, ehe er ihm sein Mobiltelefon mit dem Foto reichte, das Melody ihm geschickt hatte. »Der Mann da – kennen Sie ihn?«, fragte er.

Das freundliche Lächeln verschwand schlagartig von Atias' rundlichem Gesicht. Er starrte noch einen Moment länger auf das Display und gab Kincaid das Telefon zurück. »Das ist Ryan. Ist er … Haben Sie …« Atias schüttelte den Kopf.

»Wir glauben nicht, dass Ryan der Mann ist, der in St. Pancras umgekommen ist. Aber wir können ihn nicht finden. Haben Sie eine Ahnung, wo er sein könnte?«

»Wer war es dann? Wer war der Tote?«, fragte Atias, ohne Kincaids Frage zu beantworten.

»Wir arbeiten noch an seiner Identifizierung. Aber wir glauben, dass es sich um einen jungen Mann namens Paul Cole handeln könnte.«

Atias sah ihn verständnislos an. »Der Name sagt mir nichts.«

Kincaid rief das Foto von Paul Cole auf seinem Handy auf und reichte es wieder über den Tresen.

»Der da?«, sagte Atias stirnrunzelnd, während er das Telefon zurückgab. »Warum sollte der so etwas tun?«

»Dann kennen Sie ihn?«

»Er war öfter mal hier, manchmal mit den anderen, manchmal auch allein. Nie ein freundliches Wort. Und beschwert hat er sich. Über dies und das und jenes. Der Kaffee war zu heiß, dann war er wieder nicht heiß genug. Das Hähnchen zu durch, nicht genug Pommes. Pah …«, stieß er angewidert hervor. »Nicht, dass ich ihm etwas Böses gewünscht hätte, verstehen Sie?«

»Nein, natürlich nicht. Eine Frage hätte ich noch.« Kincaid scrollte zu dem Foto von Ryan zurück. »Die junge Frau neben Ryan – kennen Sie die?«

Atias betrachtete noch einmal das Foto und kniff die Augen zusammen, als ob er kurzsichtig wäre. »Ich habe sie ein paarmal in die Wohnung gehen und rauskommen sehen. Ab und zu ist sie mit Ryan gekommen.«

»Ihren Namen wissen Sie nicht?«

»Nein. Sie war sehr still. Aber sie hat gelächelt.« Atias hielt inne und wischte noch einmal mit seinem allgegenwärtigen Geschirrtuch über die Theke. »Als ob sie es wirklich so meinte. Als ob sie einen wirklich sehen würde. Wissen Sie, was ich meine, Mr Kincaid?«

»Doch, ich glaube schon.« Kincaid trank seinen Kaffee aus. »Danke, Mr Atias.«

»Medhi, bitte.«

»In Ordnung – Medhi. Sie haben mir sehr geholfen. Sie behalten das alles für sich?«

»Natürlich. Ich weiß ein Geheimnis zu wahren, Mr Kincaid.«

Als Kincaid die Klingel für die obere Wohnung drückte, ertönte der Türsummer, noch ehe er seinen Namen nennen konnte. Er stieg die Treppe hinauf und sah, dass Iris schon in der offenen Wohnungstür auf ihn wartete.

»Wir haben Sie gesehen«, begrüßte sie ihn, und er konnte nicht sagen, ob ihr Ton vorwurfsvoll oder verängstigt war. »Ich habe Ihnen geholfen. Und dann haben Sie uns alle ins Gefängnis gesteckt.«

Also eher vorwurfsvoll. »Es tut mir leid, Iris.« Er entschied sich für den versöhnlichen Ansatz. »Sie wissen, dass das eine sehr ernste Sache war, die da passiert ist. Wir hatten keine Wahl.«

Sie trat zurück, um ihn einzulassen, doch ihre Miene entspannte sich nicht.

Sie waren alle da. Der Fernseher lief − das Morgenprogramm von ITV −, aber ohne Ton. Trish und Dean standen in der Küchenecke, und während Kincaid zu ihnen hinsah, sprangen zwei Brotscheiben im Toaster hoch. Der Duft von warmem Toast erfüllte die Wohnung.

Matthew Quinn saß neben Lee auf dem Sofa, ein aufgeklappter Laptop auf dem Tisch zwischen ihnen. Der Rechner musste entweder neu sein, dachte Kincaid, oder er war zum Zeitpunkt der Durchsuchung nicht in der Wohnung gewesen.

Das Sofa war niedrig, und Quinn hatte etwas Spinnenhaftes an sich, wie er dasaß, die langen Beine angezogen, bis die Knie fast auf Höhe seiner Ohren waren, während die Hände dazwischen baumelten. Kincaid musste sich in Erinnerung rufen, dass dieser Mann keineswegs eine lächerliche Figur war.

Cam Chen stand in der Tür zum Schlafzimmer und trocknete ihre schwarzen Haare mit einem Handtuch. Sie trug Jeans und einen Pullover, doch ihre Füße waren nackt. Kincaid glaubte den Duft von Badesalz wahrzunehmen.

Was taten sie hier den lieben langen Tag, fragte er sich, wenn sie nicht zur Arbeit oder zu Vorlesungen gingen? Sechs Leute in dieser beengten, spartanisch eingerichteten Wohnung. Er konnte sich vorstellen, dass in einem solchen Umfeld kleine Kränkungen so lange gären konnten, bis sie sich zu handfesten Feindseligkeiten auswuchsen. Vielleicht handfest genug, um einen Mord auszulösen?

Quinn klappte schnell den Laptop zu. »Was wollen Sie

denn jetzt noch von uns?«, fuhr er Kincaid an. »Wir haben Ihnen doch alles gesagt, was wir wissen.«

Niemand bot Kincaid einen Platz an, der Toast blieb im Toaster und wurde langsam kalt. »Ich habe leider sehr schlechte Nachrichten für Sie«, sagte Kincaid und beobachtete die Reaktionen.

Es war Cam, die als Erste das Wort ergriff. Sie hatte eine Hand auf die Türklinke gelegt und hielt sich mit der anderen das Handtuch an die Brust. »Sind Sie sicher, dass es Ryan ist?« Ihre Stimme zitterte. »Ryan ist wirklich tot?«

Statt darauf zu antworten, fragte Kincaid: »Warum hat mir niemand von Ihnen etwas über Paul Cole erzählt?«

Sechs Augenpaare starrten ihn verdutzt an.

Dean fing sich als Erster wieder. »Warum hätten wir das tun sollen? Er ist ein Wichser.«

»Weil er hier war. Weil er von der Protestaktion und von der Rauchbombe wusste. Weil er mit Matthew darum gestritten hat, die Rauchbombe zünden zu dürfen.«

»Das hätte ich ihn niemals machen lassen«, protestierte Matthew. »Die Sache war ihm eigentlich völlig egal. Er wollte sich nur wichtigmachen. Er hätte wahrscheinlich …« Der Mund blieb ihm offen stehen, als ihm die Erkenntnis dämmerte. »Sie wollen mich wohl verarschen.«

»Leider nein. Wir glauben, dass wir das Opfer als Paul Cole identifiziert haben.«

»O mein Gott«, hauchte Cam. »Sie sagen, es war *Paul*? Paul ist tot? Nicht Ryan?«

Iris sank neben dem Sofa auf den Boden, hielt sich eine Hand vor den Mund und schluchzte. Ob vor Erleichterung oder vor Schmerz, konnte Kincaid nicht sagen.

Matthew schüttelte den Kopf. »Das ist doch einfach nicht möglich. Ich habe Ryan die Rauchbombe gegeben.«

»Könnte Ryan sie an Paul weitergegeben haben?«

»Niemals.«

»Vielleicht doch«, sagte Cam und runzelte die Stirn. Sie trat ins Zimmer und setzte sich neben Lee auf die Armlehne des Sofas, das Handtuch immer noch an die Brust gedrückt. »Paul hat Ryan vergöttert. Er ist ihm nachgelaufen wie ein Hund. Ich glaube, Ryan hatte Mitleid mit …«

»Und wenn Ryan sie ihm gegeben hat, na und?«, unterbrach Matthew sie. »Ich hab's euch doch schon x-mal gesagt – es war eine Rauchbombe. Keine Scheiß-Granate.«

»Das sagen Sie«, bemerkte Kincaid. »Einigen wir uns vorläufig einmal darauf, dass Matthew Ryan eine Rauchbombe gegeben hat. Und dass Ryan Paul gesagt hat, er dürfe sie zünden. Aber was, wenn Ryan Paul anstatt der Rauchbombe die Granate gegeben hat?«

Alle starrten ihn an, als ob er den Verstand verloren hätte.

»Warum?«, sagte Matthew. »Warum hätte Ryan das tun sollen?«

»Mir fallen da eine Reihe von Gründen ein. Um nur einen zu nennen: Vielleicht wusste Paul etwas über Ryan, das Ryan geheim halten wollte.« Kincaid lehnte sich an den Heizkörper und verschränkte die Arme. »Wie wär's, wenn Sie mir erst einmal erzählen, was Sie über Ryan Marsh wissen?« Er wollte sehen, ob die anderen bestätigen würden, was Cam ihm erzählt hatte.

»Wir haben ihn ein paarmal hier und da gesehen«, meldete sich Iris, immer noch schniefend. »Ich glaube, es war im Sommer. Er hat sich für unsere Arbeit interessiert«, fügte sie mit einem Anflug von Stolz hinzu. »Nach einer Weile ist er dann geblieben.«

»Wissen Sie sonst noch etwas über ihn? Wo er herkam? Wo er jetzt sein könnte?«

Allgemeines Kopfschütteln. Trish ergriff das Wort. »Er hat nie von sich erzählt. Er hat einfach nur … zugehört. Er gab allen das Gefühl … wichtig zu sein. Etwas Besonderes.«

Kincaid sah, wie Matthew zusammenzuckte. Er vermutete, dass Matthew nicht viel von der Vorstellung hielt, er könne jemand anderen brauchen, um sich wichtig vorzukommen.

»Dann erzählen Sie mir doch mal von Wren«, sagte er.

Diesmal wirkten die Gesichter, die ihn anblickten, eine Spur besorgt. Cam setzte zu einer Antwort an, wandte dann aber den Blick ab.

»Warum wollen Sie etwas über Wren wissen?«, fragte Matthew. »Sie war bloß ein obdachloses Mädchen. Hat eine Weile bei uns gewohnt. Ich hatte sie öfter vor dem Bahnhof King's Cross gesehen. Manchmal hab ich ihr was zu essen zugesteckt. Und dann hab ich eines Tages gesehen, dass sie ernsthaft krank war. Ein schlimmer Husten. Sie brauchte eine Unterkunft, bis sie wieder auf dem Damm war.«

»Also haben Sie sie aufgenommen. Und dann ist sie einfach gegangen? Klingt ein bisschen undankbar«, gab Kincaid zu bedenken.

Wieder die verstohlenen Blicke. »Stimmt«, sagte Matthew. »Vielleicht hat sie was Besseres gefunden.«

»Wie meinen Sie das?«

Matthew zuckte mit den Achseln. »Wir haben ihr zu essen und ein Dach über dem Kopf gegeben. Vielleicht hat ihr jemand mehr geboten.«

»Wann ist sie verschwunden?«

»Ich weiß es nicht mehr genau. Irgendwann um Neujahr herum.«

»Ohne sich zu verabschieden oder zu sagen, wohin sie ging?«

Wieder hob Matthew die Schultern. »Wir sind eine freie Gruppe.«

Ja, sicher, dachte Kincaid. Eine freie Gruppe, in der Matthew die Rechnungen zahlte und die Regeln aufstellte. »Könnte es sein, dass Ryan etwas mit Wrens Verschwinden zu tun hatte?«, fragte er.

»Nein«, antwortete Cam. »Er war am Boden zerstört.« Matthew durchbohrte sie mit einem Blick, der Milch zum Gerinnen gebracht hätte. »Ich meine, wir waren alle am Boden zerstört«, verbesserte sich Cam. »Wir haben sie gemocht.«

»Warum fragen Sie nach *ihr*, wenn Paul tot ist?« Iris zog sich an der Armlehne des Sofas hoch. »Warum redet niemand über Paul?« Ihr Gesicht war tränenüberströmt, doch ihre Stimme war voller Wut. »Ihr seid alle Schweine, alle miteinander! Hat er nichts Besseres verdient?«

»Erzählen Sie mir von Paul«, sagte Kincaid. »Wieso war er so entschlossen, die Rauchbombe zu nehmen?«

Wieder wurden Blicke gewechselt, dann sprach Cam. »Vielleicht hatte Ariel sich ein bisschen zu sehr für Ryan interessiert.«

»Lief da etwas zwischen Ariel und Ryan?«

»Nein.« Cam warf ihm einen bösen Blick zu. »Niemals. Jedenfalls nichts, was von Ryan ausgegangen wäre.«

»Warum hat niemand von Ihnen uns erzählt, dass Paul und Ariel an dem betreffenden Morgen hier waren? Ist Ihnen denn nicht aufgefallen, dass sie nicht zu der Protestaktion mitgekommen sind?« Kincaid veränderte seine Haltung ein wenig, teils um sie zu verunsichern, teils weil er hoffte, in einem Gesicht eine spontane Gefühlsregung zu entdecken.

Es war Lee Sutton, der schulterzuckend antwortete: »Wir hatten uns eben gedacht, Paul hätte sich beleidigt getrollt, weil er seinen Willen nicht bekommen hatte. Und dass Ariel nicht mitkam, weil Paul nicht dabei war. Es ist ja schließlich nicht so, als ob sie hier gewohnt hätten.«

Matthew fügte mit einem neuerlichen Schulterzucken hinzu: »Sie gehörten eigentlich nicht zur Gruppe.«

»Obwohl die meisten von Ihnen sich über eine Verbindung mit Ariels Vater gefunden hatten?«

»Professor Ellis hat uns vielleicht die Augen geöffnet, aber er hat nichts mit dem zu tun, was wir heute darstellen.« Matthew war nicht der Typ, der bereitwillig das Verdienst mit anderen teilte.

»Weiß Ariel es schon?«, fragte Cam. »Das mit Paul?«

»Wir haben sie noch nicht darüber informiert, dass wir ihn eindeutig identifiziert zu haben glauben, nein. Aber es war Ariel, die zu uns gekommen ist und Paul als vermisst gemeldet hat. Sie sagte, sie hätten sich am Morgen der Protestaktion gestritten und sie mache sich Sorgen um ihn.«

»Sie hatten Krach, das stimmt«, sagte Cam gedehnt. »Sie haben sich gestritten, als sie die Wohnung verließen. Ariel sagte, er würde sich wegen dieser Rauchbomben-Geschichte zum Affen machen.«

»Und sie sind vor allen anderen gegangen?«

»Lange vorher«, warf Iris ein. »Paul war total eingeschnappt.«

»Was ist mit Ryan? Wann ist er gegangen?«

Cam runzelte die Stirn. »Gegen Mittag vielleicht. Wir hatten ausgemacht, dass alle bis auf Ryan sich vor dem Marks & Spencer Foodstore in der Einkaufspassage von St. Pancras treffen würden. Ryan sollte bis dahin schon in Position sein.«

»Sie haben also keine Ahnung, wo Ryan sich zwischen dem Zeitpunkt, als er die Wohnung verließ, und dem Beginn der Protestaktion aufgehalten hat?« Kincaid sagte ihnen nicht, dass er wusste, dass Ryan tatsächlich im Bahnhof gewesen war, als die Granate explodierte.

»Nein«, sagte Cam. »Wir haben nie gewusst, wo Ryan hingegangen ist, wenn er die Wohnung verlassen hat.«

»Hat irgendjemand ihn bei der Protestaktion gesehen?« Kincaid sah sie alle der Reihe nach an. Alle schüttelten den Kopf.

»Und was ist mit Paul?« Die Antwort auf diese Frage war die gleiche. »Paul und Ryan könnten sich also irgendwann im Lauf des Tages noch getroffen haben?«

»Also, möglich wär's wohl«, warf Dean von seinem Platz beim Toaster ein. »Aber ... falls sie sich getroffen haben, haben sie es jedenfalls nicht hier ausgemacht.«

»Sie hatten beide Handys dabei«, sagte Cam. »Sie könnten sich per SMS verständigt und sich irgendwo getroffen haben.«

»Matthew, wann genau haben Sie Ryan die Rauchbombe gegeben?«, fragte Kincaid.

»Kurz bevor er ging. Wie Cam schon sagte, war das vor Mittag. Ich wollte ihm noch erklären, wie das Ding funktioniert, aber er hat mir nur auf den Rücken geklopft und gesagt, ich soll mir keinen Kopf machen, er wüsste verdammt gut, wie man so was macht.« Matthew klang gekränkt.

»Er wirkte also nicht besorgt oder aufgeregt?«

»Nein.«

»Was ist mit Paul? Hatte er sich in letzter Zeit merkwürdig verhalten?«

»Abgesehen davon, dass er sauer auf Ariel war, nein«, antwortete Cam.

»Wissen Sie, warum die beiden Streit hatten?«

»Nein. Sie haben nicht hier gewohnt, wie Lee schon sagte. Das ging uns nichts an.« Der Ton von Cams Antwort war ein bisschen zu heftig.

»Glauben Sie, dass Paul an diesem Morgen vielleicht so aufgebracht war, dass er sich etwas hätte antun können?«

Cam starrte ihn an. »Sie wollen andeuten, dass Paul *Selbstmord* begangen hat? Auf diese Weise? Das ist einfach furchtbar. Und Paul wäre heim zu Mama gelaufen, wenn er sich den

Zeh angestoßen hätte. Ich kann nicht glauben, dass er sich jemals absichtlich verletzt hätte.«

»Dann liefern Sie mir doch eine andere Erklärung.« Kincaid trat näher zu der Gruppe, ignorierte bewusst ihre Distanzzone. »Hatte Ryan eingewilligt, ihm die Rauchbombe zu überlassen, und ihm stattdessen eine Phosphorgranate gegeben? Oder hat jemand, der dachte, Ryan würde die Rauchbombe zünden, sie gegen eine Granate getauscht?«

Die Gruppe nahm dies mit fassungslosem Schweigen auf.

Cam brach es schließlich. »Sie sagen, dass entweder Ryan Paul umbringen wollte oder dass irgendjemand anders Ryan umbringen wollte?« Sie stand auf und begann auf und ab zu gehen, während ihr feuchtes Handtuch vergessen auf dem Boden lag. »Ich glaube das nicht. Das ist einfach nur verrückt.«

»Aber Paul ist tot«, sagte Kincaid.

»Und Ryan ist verschwunden.« Iris' Stimme war nur ein schwaches Flüstern. »Wenn Ryan am Leben ist, warum ist er dann nicht zurückgekommen?«

Jasmine Sidana hatte Kincaid die handfestesten Informationen geschickt, die sie in dem Fall bislang hatten, und seine Reaktion war eine SMS gewesen, die nur aus einem Wort bestand: »Weitermachen.«

Nun, das hatte sie getan. Sie hatte die Spurensicherung angewiesen, sowohl seine Bude im Studentenwohnheim als auch sein Zimmer im Haus seiner Eltern zu durchsuchen. Sie würden nach Indizien suchen, die ihn mit der Granate in Verbindung brachten, sowie nach Hinweisen, dass er einen Selbstmord geplant haben könnte. Und sie würden natürlich von seinen persönlichen Gegenständen DNS-Proben nehmen, damit das Labor sie mit der DNS von der Brandleiche abgleichen und so die Identifizierung bestätigen konnte.

Sie hatte auch in die Wege geleitet, dass Paul Coles Eltern ein Opferschutzbeauftragter zur Seite gestellt wurde. Da sie sich nicht entscheiden konnte, ob ein männlicher oder ein weiblicher Officer geeigneter wäre, überließ sie es dem Dienstplan. Sie konnte sich nicht vorstellen, dass ein mütterlicher Zug bei Mr oder Mrs Cole gut ankommen würde, doch sie glaubte, dass Mrs Cole durchaus Unterstützung gebrauchen könnte, da sie von ihrem Mann wohl keine zu erwarten hatte.

Als sie ins Revier Holborn zurückkam, war Kincaid nirgends zu sehen.

»War er heute überhaupt schon im Büro?«, fragte sie Simon Gikas.

Simon blickte von seinem Computer auf. »Er hat gleich heute früh für fünf Minuten reingeschaut und ist wieder gegangen.«

»Hat er gesagt, wo er hinwill?«

»Keine Silbe.«

Was zum Teufel hat der Mann vor?, dachte Jasmine und knallte ihre Handtasche auf ihren Schreibtisch. »Er ist kein verdammter Cowboy«, murmelte sie und erstarrte mit offenem Mund, geschockt von ihrer eigenen Ausdrucksweise. Detective Superintendent Duncan Kincaid trieb sie noch in den Wahnsinn.

Als Melody die Ambulanz des University College Hospital verließ, war ihr schon viel leichter zumute als bei ihrer Ankunft. Man hatte sie von Kopf bis Fuß untersucht, die Sauerstoffkonzentration in ihrem Blut gemessen und ihre Atmung überprüft. Und wenngleich sie noch einmal für einen letzten Bluttest wiederkommen sollte, wurde sie anschließend für arbeitsfähig erklärt. Sie sollte es nur nicht gleich übertreiben.

Melody musste ein Grinsen unterdrücken, als sie überlegte, ob sehr leidenschaftlicher Sex mitten in der Nacht wohl unter »es übertreiben« fiel, doch sie fragte nicht nach.

»Sie haben großes Glück gehabt«, hatte die Ärztin ihr gesagt, als sie die Entlassungspapiere unterschrieb. »Wenn Sie noch mehr von dem Phosphor eingeatmet hätten, wären Ihre Lunge und Ihre Organfunktionen möglicherweise dauerhaft beeinträchtigt worden.«

Die Bemerkung war gut gemeint, doch bei Melody ließ sie sofort die Sorge um Tam wieder aufflammen. Und um den Mann, von dem sie jetzt annahmen, dass er Ryan Marsh war.

Wie viel Rauch hatte er in der Bahnhofshalle eingeatmet? Hatte er das Opfer berührt? Sie konnte sich nicht mehr erinnern. Es war alles so verschwommen. Sie ging die Szene im Kopf ein ums andere Mal durch, versuchte ihn durch den Rauch und den Nebel ihrer eigenen Panik deutlicher zu erkennen.

Was war mit ihm passiert? Wurde er irgendwo wegen Rauchvergiftung oder anderer Verletzungen behandelt?

Sie stand vor dem Krankenhaus, atmete die Abgase ein, die der Wind von der Euston Road herbeiwehte, und sie zögerte. Sie hatte ihr Auto bei Andy stehen lassen. Von hier könnte sie die U-Bahn nach Hause nehmen, duschen, neue Kleider anziehen und wiederum mit der U-Bahn nach Brixton in die Arbeit fahren.

Jedenfalls sollte sie das tun. Aber sie musste ständig überlegen, ob es nicht noch irgendetwas gab, womit sie Duncan helfen könnte, ob sie irgendetwas übersehen hatte. Oder ob sie Doug helfen könnte, Ryan Marlowe alias Ryan Marsh aufzuspüren.

Jedes Mal, wenn sie die Augen schloss, sah sie seinen gequälten Gesichtsausdruck, als er auf Paul Coles verbrannte

Leiche hinabgeblickt hatte. Wohin war er gegangen? Warum war er weggelaufen? Warum fühlte sie sich diesem Mann so verbunden?

Sie fuhr zusammen, als ihr Telefon klingelte. Sofort fischte sie es aus der Tasche der Caban-Jacke, in der Erwartung, dass es Andy sei.

Doch es war Gemma, die ohne lange Vorrede fragte: »Kannst du aufs Revier kommen? Ich habe Dillon Underwood verhaftet, als er heute Morgen zur Arbeit erschien. Ich habe ihn in eine Arrestzelle gesteckt, und wir haben einen Durchsuchungsbeschluss für seine Wohnung. Ich hätte dich gerne dabei, wenn du dich fit genug fühlst.«

16

Es ist allgemein bekannt, dass die unterirdischen Gewölbe des Bahnhofs St. Pancras, die heute Fahrkartenschalter, Cafés und schicke Läden beherbergen, früher als Bierlager benutzt wurden. Was aber nur die wenigsten noch wissen, ist, dass St. Pancras einst das Zentrum einer Industrie war, die Bier transportierte, lagerte, abfüllte und vermarktete, und das auf eine völlig andere Art und Weise, als wir das heutzutage kennen.

meantimebrewing.com/stpancras-station

Kincaids Handy klingelte, während er auf die Straße trat. Als er sah, dass es Michael war, wurde er gleich von Sorge erfasst. Er hätte schon viel eher einmal nach Tam fragen sollen.

Doch nachdem er sich gemeldet hatte, sagte Michael: »Ich wollte dir nur Bescheid sagen, dass er wach ist. Aber er ist immer noch ein bisschen wirr im Kopf. Redet dauernd von dem ›Blitz‹.«

»Das überrascht mich nicht.« Mit dem Telefon am Ohr ging Kincaid weiter in Richtung King's Cross. »Er muss direkt in die Richtung geschaut haben, als die Granate losging. Er kann von Glück sagen, dass sein Augenlicht nicht gelitten hat. Was sagen die Ärzte?«

»Dass es ihm den Umständen entsprechend gut geht. Vielleicht sogar besser, als zu erwarten war. Seine Organe scheinen gut damit fertig zu werden, aber die Verbrennungen sind immer noch schmerzhaft. Natürlich will er nach Hause, der alte Dickkopf«, fügte Michael mit sanfterer Stimme hinzu. »Er sagt, er vermisst die Hunde.«

»Also, sag ihm lieber nicht, dass ich ihn sprechen will, das beunruhigt ihn nur. Wir sind uns ziemlich sicher, dass wir den Mann auch ohne Tams Hilfe identifiziert haben. Aber wenn es ihm wieder besser geht, schau ich mal einfach so vorbei.«

Michael schien zu zögern. Dann sagte er: »Duncan, ich glaube, es könnte ihm helfen, mit dir zu sprechen. Ich meine, was seine psychische Verfassung betrifft.«

»Natürlich. Sag mir nur Bescheid, wenn du denkst, dass er fit genug ist, dann komme ich entweder ins Krankenhaus oder zu euch nach Hause. Wie hat Louise es verkraftet?«

»Ich habe ihr gesagt, sie soll zu Hause bleiben. Und sie soll die Sorge um Tam nicht als Vorwand benutzen, um wieder mit dem Rauchen anzufangen.«

Kincaid lachte. »Gut gemacht. Sag ihr, ich bringe Charlotte mit, wenn Tam wieder zu Hause und ganz erholt ist.« Er beendete das Gespräch gerade in dem Moment, als er den Bahnhof King's Cross erreichte.

Er blieb einen Moment lang stehen, betrachtete die neue Fassade und dachte an das Feuer, das den U-Bahnhof King's Cross 1987 verwüstet hatte. Ausgelöst durch ein achtlos weggeworfenes Streichholz oder eine Zigarettenkippe, die zwischen die Stufen der alten hölzernen Rolltreppe gefallen war, hatte es zunächst einen Schwelbrand gegeben, ehe die Flammen auf die Halle mit den Fahrkartenautomaten übergesprungen waren. Einunddreißig Menschen waren damals ums Leben gekommen, viele weitere hatten Verletzungen erlitten. Die Überlebenden und Zeugen des Unglücks hatten es nie vergessen. Ihn schauderte bei dem Gedanken, was in St. Pancras hätte passieren können, wenn das Feuer von der Phosphorgranate sich ausgebreitet hätte. Trotz der modernen

Brandschutzmaßnahmen hätte es zu einer Katastrophe kommen können.

Diesmal hatten sie Glück gehabt, dass es keine schlimmeren Verletzungen gegeben hatte und dass das einzige Todesopfer die verantwortliche Person selbst war. Doch er selbst hatte nach wie vor einen ungeklärten Todesfall und einen Vermisstenfall am Hals, und zudem musste er wieder einmal eine schlechte Nachricht überbringen.

Er überlegte, ob er zum Revier zurückgehen sollte, aber hier war er näher an Cartwright Gardens, also schickte er stattdessen Jasmine Sidana eine SMS und bat sie, sich in einer halben Stunde mit ihm bei der Adresse zu treffen, die Ariel Ellis ihm genannt hatte.

Die Sonne kam während seines Fußmarschs kurz heraus, doch es war ein trügerisches Intermezzo. Als er sein Ziel erreichte, hatte der Himmel sich schon wieder verdunkelt, und ein Regenschauer erinnerte ihn daran, dass er seinen Schirm am Morgen auf dem Revier vergessen hatte, als er ins Café gegangen war, um sich mit Doug und Melody zu treffen.

Cartwright Gardens war eine sichelförmig angelegte Häuserreihe mit Bogenfenstern in den weiß gestrichenen Erdgeschossen und dem typischen braunen Bloomsbury-Backstein in den oberen, weniger begehrten Etagen. An einem Ende der Straße war ein Garten mit einem Spielplatz, und Kincaid stellte sich vor, dass es dort an schönen Tagen von Müttern und Vätern mit kreischenden Kindern nur so wimmelte.

Heute jedoch wirkte die Straße verlassen. Nur Jasmine Sidanas schwarze Honda-Limousine hielt mit laufendem Motor in der Nähe der Ellis-Wohnung am Bordstein. Er fragte sich, wie Sidana es schaffte, ihr Auto selbst bei diesem Schmuddelwetter so makellos sauber zu halten, und malte sich aus, wie sie nach jedem Schauer hinauseilte, um es zu polieren.

Er verkniff sich rasch das Grinsen, als Sidana ausstieg. Sie sah nicht so aus, als ob seine Erheiterung bei ihr gut ankommen würde.

»Wo sind Sie gewesen?«, stellte sie ihn zur Rede. »Sie waren ja so gut wie gar nicht auf dem Revier.«

»Ich war noch nie sehr gut in Büroarbeit.«

»Offensichtlich. Aber Sie können ein Mordermittlungsteam nicht in dieser Einzelkämpfermanier leiten.«

Kincaid wusste, dass Sidanas Zorn berechtigt war und dass er einen Weg finden musste, mit ihr ins Reine zu kommen, wenn sie erfolgreich zusammenarbeiten wollten – ohne ihr etwas von seinem Verdacht in Bezug auf Ryan Marsh zu sagen.

Er kam auf ihre Frage zurück. »Ich bin von der Caledonian Road zu Fuß gegangen. Ich wollte noch einmal mit Matthew Quinns Gruppe über Paul Cole sprechen, ehe ich Ariel die Nachricht überbringe. Und ich wollte es in einem eher inoffiziellen Rahmen tun. Manchmal hat man auf diese Weise mehr Erfolg.«

»Und hatten Sie Erfolg?« Sidana schien zumindest einigermaßen besänftigt.

»Ich bin mir nicht sicher. Sie waren schockiert, aber ich glaube, sie waren fast noch mehr darüber erleichtert, dass der Tote nicht Ryan war. Niemand scheint Paul sonderlich gemocht zu haben. Allerdings hielten sie es nicht für wahrscheinlich, dass er selbstmordgefährdet war. Sie haben bestätigt, dass er an dem fraglichen Morgen einen Streit mit Ariel hatte, aber sie sagten, sowohl Paul als auch Ariel hätten die Wohnung vor Ryan verlassen, der die Rauchbombe hatte.«

»Und sie behaupten immer noch, es sei eine Rauchbombe gewesen?«

»Ja. Aber sie würden es uns kaum sagen, wenn es anders wäre, oder?« Als Sidana zustimmend nickte, fuhr er fort: »Sie meinten allerdings, es sei denkbar, dass Ryan Pauls Bitten nachgegeben hat, ihn die Rauchbombe zünden zu lassen, weil Paul ihm leidtat.«

»Und sie haben Ryan Marsh seitdem nicht mehr gesehen?«

»Das behaupten sie.«

»Glauben Sie ihnen irgendetwas von alldem?«

Kincaid kramte in seiner Manteltasche nach einem Taschentuch. Von der Kälte fing seine Nase an zu laufen. »Ich glaube ihnen, dass sie gedacht hatten, Ryan sei tot. Was bedeutet, dass sie nicht wissen, wo er jetzt ist.«

»Das heißt, wenn es ein gezielter Anschlag war, dann galt er Ryan Marsh. Es sei denn, Ryan Marsh hätte Paul Cole umbringen wollen.«

Kincaid wollte ihr noch nicht sagen, dass Melody Ryan Marsh als den Mann am Tatort identifiziert hatte und dass sie jetzt davon ausgingen, dass er ein verdeckter Ermittler der Polizei war – oder früher gewesen war. Beides schloss nicht aus, dass Marsh ein Mörder war – aber was das betraf, verließ er sich lieber auf Melodys Instinkt.

Und er konnte Sidana auch nicht sagen, dass, wenn Marsh tatsächlich Paul Cole getötet hatte, sein Motiv höchstwahrscheinlich darin lag, dass Cole hinter seine wahre Identität gekommen war. Aber wenn verdeckte Ermittler aufflogen, hatten sie gewöhnlich eine sorgfältig vorbereitete Rückzugsstrategie parat. Es war nicht nötig, dafür gleich einen Mord zu begehen.

Stattdessen sagte er also nur: »Bringen wir's hinter uns, okay?«

Sidana sah ihn überrascht an. »Sie überbringen auch nicht gerne Todesnachrichten?«

»Ich hasse es. Es wird mit der Zeit nicht leichter.«

»Deswegen haben Sie also gestern *mich* zu den Coles geschickt.«

Kincaid glaubte einen ganz leisen Anflug von Humor aus Sidanas Ton herauszuhören. War es möglich, dass die Eisprinzessin allmählich auftaute? »Ganz genau«, erwiderte er mit todernster Miene, während er auf die Haustür zuging.

Dann hielt er so abrupt an, dass Jasmine gegen ihn stieß.

»Was ist?«, fragte sie stirnrunzelnd. »Wollen Sie sich etwa drücken und wieder alles mir überlassen?«

»Nein, nichts dergleichen. Mir ist nur gerade eingefallen, dass ich Sie eigentlich bitten wollte, den Kollegen von der Spurensicherung zu sagen, dass sie unter Paul Coles Sachen nach einem schwarzen Notizbuch oder Tagebuch suchen sollen. Ich hätte die Gruppe auch danach fragen sollen. Die Kellnerin in dem Café in St. Pancras hat Cole auf dem Foto erkannt. Sie sagt, sie habe ihn am Tag des Zwischenfalls nicht gesehen, er sei aber ziemlich regelmäßig in dem Café gewesen und habe immer in ein Notizbuch geschrieben. Ich wüsste sehr gerne, was mit diesem Buch passiert ist.«

»Wann haben Sie die Kellnerin vernommen? War das wieder so ein Alleingang von Ihnen?«

»Nein, nicht direkt«, improvisierte er. »Das war gestern Abend. Ich wollte mir nur noch mal den Tatort anschauen. Ich hatte eigentlich vor, das Foto von Paul Cole Tam zu zeigen – Tam Moran, dem Mann, der verletzt wurde –, aber er war dazu nicht in der Lage. Dann fiel mir ein, dass Melody mir erzählt hatte, diese Kellnerin habe so beherzt geholfen, und ich fragte mich, ob sie vielleicht etwas beobachtet haben könnte.«

»Sie denken, er könnte in diesem Notizbuch etwas aufgeschrieben haben, das für uns nützlich ist?« Jasmine klang ernsthaft interessiert. Sie zog ihr Handy aus der Tasche und schrieb eine kurze SMS, ehe sie ihm zur Tür folgte.

ELLIS stand neben der Klingel von Wohnung 1. Es war also die Erdgeschosswohnung – die beste im ganzen Gebäude, wie Kincaid vermutete.

Er klingelte und nannte seinen Namen, als es in der Gegensprechanlage klickte. Der Summer ertönte, und er drückte die Tür auf.

Ein Mann stand in der offenen Tür der Erdgeschosswohnung. Die Ähnlichkeit mit Ariel Ellis war sofort an den hellen flaumigen Haaren und den feinen Gesichtszügen zu erkennen. Doch das Hellblond ging bereits in Grau über, und eine Lesebrille mit silberner Fassung saß auf seiner Nasenspitze. Kincaid schätzte ihn auf Anfang fünfzig, doch er war schlank und fit, attraktiv auf eine Weise, die wahrscheinlich besonders auf junge Studentinnen wirkte.

Er musterte sie mit zusammengekniffenen Augen. »Sie wünschen?«

»Mr Ellis? Ich bin Detective Superintendent Kincaid, und das ist Detective Inspector Sidana. Wir sind vom CID Camden. Dürfen wir reinkommen?«

»Natürlich, natürlich.« Ellis führte sie durch eine kleine Diele in ein Wohnzimmer, in dem Kincaid sich mit Wohlgefallen umblickte.

Durch drei hohe Bogenfenster, die auf die Straße hinausgingen, flutete Licht ins Zimmer. Im Kamin brannte ein Gasfeuer, und bis auf einen Spiegel über dem Kaminsims schien jeder Quadratzentimeter der Wände mit Bücherregalen und Bildern bedeckt zu sein. Ein sichtlich viel benutzter Schreibtisch stand vor den Fenstern, zwei weiche Ledersofas flankierten den Kamin. Ein kleiner Beistelltisch mit einer Leselampe darüber war mit einer Tasse und einem Stapel von

Papieren beladen, bei denen es sich um Klausuren zu handeln schien. Es roch nach Kaffee und alten Büchern, mit einem Hauch von Pfeifentabak mit Kirscharoma, vermutete Kincaid. Ein kleines Radio auf dem Kaminsims spielte leise BBC Radio 3.

So, dachte Kincaid, würde es in ihrem Haus in Notting Hill aussehen, wenn es ihnen gehörte und sie damit machen könnten, was sie wollten. Und dann wurde ihm bewusst, dass es sehr viel Ähnlichkeit mit dem Wohnzimmer seiner Eltern in Cheshire hatte.

»Legen Sie doch bitte ab«, sagte Mr Ellis.

Sidana lehnte ab, doch Kincaid, dem nach seinem langen Marsch durch die Kälte plötzlich unangenehm warm war, reichte ihm seinen Mantel. Ellis hängte ihn an einen Haken in der Diele und trat zu ihnen ins Wohnzimmer.

»Wir wollten eigentlich Ariel sprechen, Mr Ellis«, sagte Kincaid. »Ist sie zu Hause?«

»Nein. Nein, sie ist noch in einer Vorlesung, aber sie müsste bald zurück sein. Bitte, nehmen Sie doch Platz.«

Kincaid und Sidana setzten sich auf das Sofa gegenüber von dem Platz, wo Ellis Klausuren korrigiert hatte.

Ellis bemerkte Kincaids Blick und sagte: »Heutzutage würden die Studenten am liebsten alles nur noch digital abgeben, aber ich lasse sie ihre Essays ausdrucken. Ich bin vielleicht ein Dinosaurier, aber ich habe das Gefühl, dass ich eine Arbeit nur auf Papier richtig korrigieren kann. Kann ich Ihnen eine Tasse Tee oder Kaffee bringen, während Sie auf sie warten?«

Kincaid schüttelte den Kopf, ohne auf eine Antwort von Jasmine zu warten. Er wollte die Zeit mit Ellis ausnutzen, sowohl um ihn schonend vorzubereiten als auch um herauszufinden, was er wusste. »Nein, danke, Mr Ellis.«

»Wenn Sie ganz sicher sind …« Ellis setzte sich ihnen gegenüber. »*Dr.* Ellis wäre übrigens korrekt, aber mir ist es lieber, wenn meine Studenten mich Stephen nennen.«

Natürlich war ihm das lieber, dachte Kincaid. Das war genau das kumpelhafte Gebaren, das er von einem Professor erwartete, der mit seinen Lieblingsstudentinnen Spaziergänge zu den verschwindenden historischen Stätten Londons unternahm und sie wahrscheinlich hinterher noch auf einen Tee oder Sherry zu sich einlud. Und der Kaschmir-Strickwesten trug. Kincaid war sich ziemlich sicher, dass die weiche graue Strickweste des Mannes aus Kaschmirwolle war.

»Dr. Ellis, ich fürchte, wir haben eine sehr traurige Nachricht für Ariel. Sie hat Ihnen gesagt, dass ihr Freund Paul Cole vermisst wird?«

»Paul, ja.« Ellis runzelte die Stirn. »War immer schon ziemlich empfindlich, der Junge. Ich habe ihr gesagt, dass er sich vermutlich in den Schmollwinkel zurückgezogen hat.«

»Die beiden hatten eine Krise?«

»Ich versuche mich aus diesen Dingen rauszuhalten«, sagte Ellis nach kurzem Zögern. »Aber ich konnte sehen, dass Paul anfing zu klammern. Meine Tochter hat ein ziemliches Helfersyndrom, aber was zu viel ist, ist zu viel.«

»Hatten Sie jemals Angst, dass Paul gewalttätig werden oder sich etwas antun könnte?«

Ellis wurde blass. »Nein! Wollen Sie mir sagen – Herrgott noch mal, was ist denn passiert?«

»Wir glauben, dass wir Paul Cole als das Opfer des Zwischenfalls am Mittwoch in St. Pancras International identifiziert haben.«

»Sie meinen doch nicht …« Ellis nahm seine Brille ab und kniff sich in die Nasenwurzel. »Der Mann, der … verbrannt ist?«

»Doch. Es tut mir leid«, sagte Jasmine in einem sanfteren

Ton, den Kincaid von ihr noch gar nicht kannte. »Kann ich Ihnen etwas bringen? Ein Glas Wasser?«

Ellis nickte, worauf Jasmine in die Küche ging und mit einem Glas Leitungswasser zurückkam. Kincaid fragte sich nicht zum ersten Mal, wieso ein Glas Wasser eigentlich als Heilmittel bei Schock oder Trauer galt. Doch Ellis trank es gehorsam wie ein Kind, dem man gesagt hat, dass es seine Medizin nehmen soll, und stellte das fast leere Glas auf den Beistelltisch.

»Ich kann es einfach nicht glauben«, murmelte er und schüttelte den Kopf. »Paul − was immer das für ein alberner Streit war, den er und Ariel hatten − warum hätte er so etwas tun sollen?«

»Das müssen wir eben herausfinden«, sagte Kincaid, »und wir hoffen, dass Ariel uns dabei helfen kann.«

»Oh, Ariel!« Ellis blickte wild umher, als ob seine Tochter plötzlich aufgetaucht wäre. »Ich muss …«

»Keine Sorge, Mr Ellis«, unterbrach ihn Kincaid. »Wir bringen es ihr schonend bei.«

»Sie verstehen nicht.« Ellis griff wieder nach seinem Glas, trank aber nicht. »Ariel … sie hat in ihrem Leben schon zu viele Verluste erlitten. Ihre Mutter starb, als Ariel vierzehn war. Ein schrecklicher Unfall. Ariel hatte unglaubliches Glück, aber es war eine schwierige Zeit für sie.« Er deutete auf einige der Gemälde über den Bücherregalen, die Kincaid schon aufgefallen waren. »Damals hat sie mit dem Malen angefangen. Die Therapeutin hatte es empfohlen.«

Kincaid betrachtete die Bilder genauer. »Die sind von ihr? Kein Wunder, dass sie Kunst studiert.« Es waren großformatige Bilder mit lebhaften Farben und fotorealistischen Darstellungen, die plötzlich ins Abstrakte umschlugen. Über manche waren mit Schablonen Buchstaben und Wörter gemalt.

Es waren bemerkenswerte Arbeiten und ganz und gar nicht das, was er von einem so ätherischen Wesen erwartet hätte. »Sie ist sehr talentiert.«

Ellis nickte zustimmend. »Ja. Ich konnte nicht verstehen, warum sie ihre Zeit mit diesem Jungen oder mit dieser Gruppe vergeuden wollte.«

»Aber Sie kannten diese Leute. Soviel ich weiß, waren einige davon Ihre Studenten.«

Ellis richtete sich auf. »Ich bin Historiker, Mr Kincaid. Die nicht wiedergutzumachenden Schäden, die durch ungebremste Bautätigkeit an historischen Stätten angerichtet werden, machen mich betroffen. Besonders das, was jetzt bei den Erdarbeiten für Crossrail passiert, obwohl da hervorragende Archäologen beteiligt sind. Wer weiß, was ihnen möglicherweise entgeht und dann unwiederbringlich verloren ist? Aber ich lehne Gewalt in jeglicher Form ab.«

»Dann nehme ich an, dass Sie sich von Matthew Quinn distanziert haben?«

»Ach, Matthew … Er war ein hervorragender Bautechnik-Student. Haben Sie das gewusst? Ich habe nie verstanden, warum er das Studium aufgegeben hat. Das eine wäre mit dem anderen durchaus vereinbar gewesen, wenn Sie mich fragen. Aber irgendetwas schien bei ihm schiefzulaufen, und ich spürte, wie es auf die Gruppe seiner Anhänger übergriff.« Ellis runzelte die Stirn. »Vielleicht hatte ich auch zu viel Fantasie, aber ich habe Ariel dringend geraten, sich davon zu distanzieren.«

»Hatten Sie den Eindruck, dass Matthew irgendwann gewalttätig werden könnte?«, fragte Kincaid.

Ellis runzelte die Stirn. »Nicht so sehr das als vielmehr kontrollsüchtig. Und anfangs war es vielleicht eine Art von Zwangsstörung. Ich hätte nie gedacht …«

Die Haustür fiel ins Schloss, kurz darauf war das Rasseln von Schlüsseln zu hören, und die Wohnungstür ging auf.

Alle erstarrten, als wären sie bei einer ungehörigen Handlung ertappt worden. Aus der Diele kam Ariels zarte Stimme. »Daddy, da steht ein fremdes Auto ...«

Sie trat ein, sah Kincaid und Jasmine und hielt inne.

»Liebling ...«, begann ihr Vater, doch Kincaid stand schon auf und unterbrach ihn.

»Ariel, es tut mir sehr leid, aber wir haben schlechte Nachrichten wegen Paul.«

Ihre Augen weiteten sich. Die Tasche voller Bücher fiel mit einem dumpfen Schlag auf den Boden.

»O nein.« Ariel blickte von Kincaid zu ihrem Vater, als ob sie seine Bestätigung suchte. Sie flüsterte noch: »Bitte ...«, dann gaben ihre Knie nach, und sie sank geräuschlos wie eine Feder zu Boden.

»Bist du sicher, dass die Ärzte dich wieder für arbeitsfähig erklärt haben?«, fragte Gemma und betrachtete Melody, die auf der anderen Seite ihres Schreibtischs in der CID-Abteilung des Reviers South London saß. Melody schien die gleichen Sachen zu tragen wie am Abend zuvor, als Gemma mit ihr zu den Untersuchungen im UCL Hospital gegangen war. »Du siehst ziemlich fürchterlich aus, wenn ich das so sagen darf.«

Melody lächelte. »Danke, Chefin. Ich wollte nur keine Zeit mit Nachhausefahren und Umziehen vergeuden. Ich dachte, es ist dir lieber, ich komme so, wie ich bin.«

»Oh, denk bloß nicht, dass ich mich beklage«, meinte Gemma lächelnd. »Aber bist du überhaupt zu Hause gewesen? Seit es passiert ist, meine ich?« Ihre Mitarbeiterin sah nicht nur blass und ein wenig derangiert aus, sie wirkte auch, als ob sie in drei Tagen drei Kilo abgenommen hätte.

Melody schüttelte den Kopf. »Nein. Na ja, doch, ich hab mein Auto geholt, aber ich bin nicht reingegangen. Ich hatte es eilig. Ich bin gestern Abend noch kurz bei Doug gewesen.«

»Du hattest es eilig, weil du zu Doug wolltest?«, fragte Gemma. »Bist du sicher, dass du wieder auf dem Damm bist?« Sie fragte sich allmählich, ob Melody wirklich so gesund war, wie die Ärzte gesagt hatten.

»Ach, ist eine lange Geschichte.« Melody strich sich eine dunkle Haarsträhne aus dem Gesicht und rutschte ein Stück vor. »Erzähl mir von der Durchsuchung. Habt ihr etwas gefunden? Warum hast du Underwood nicht zuerst vernommen?«

»Ich dachte, ich könnte ihn verunsichern, wenn ich ihn ein bisschen schmoren lasse, während wir die Wohnung durchsuchen. Und ich hatte gehofft, etwas zu finden, was wir als Munition gegen ihn verwenden könnten.«

»Und habt ihr was gefunden?«

Gemma seufzte. »Nichts. Ich wünschte, meine Kinder wären nur halb so ordentlich. Welcher Zweiundzwanzigjährige macht sein Bett und spült immer gleich ab? Es ist eine Zweizimmerwohnung – nicht schlecht für einen jungen Mann in seinem Alter, der als Verkäufer arbeitet.«

»Du denkst, er verdient sich noch was nebenbei?«

»Wenn ja, gab es jedenfalls keine Anzeichen dafür. Alles billige Ikea-Möbel. Riesen-Fernseher. Teure Musikanlage. Mehr oder weniger das, was man erwarten würde bei einem, der in einem Elektronik-Fachgeschäft arbeitet. Aber« – Gemma lehnte sich auf ihrem Stuhl zurück und drehte einen Kuli zwischen den Fingern – »kein Computer. Er sagt, seiner habe den Geist aufgegeben und er sei bloß noch nicht dazu gekommen, sich einen neuen zu besorgen. Er benutzt angeblich sein Smartphone und die Computer im Geschäft. Aber mein Verdacht ist, dass die zertrümmerte Festplatte irgendwo in einem Müllcontainer liegt und der kaputte Computer in einem anderen.«

»Haben wir einen Durchsuchungsbeschluss für das Smartphone bekommen?«, fragte Melody.

Gemma schüttelte den Kopf. »Nein. Aber ich bezweifle, dass da etwas Brauchbares drauf ist. Dieser Dillon Underwood scheint mir ein ganz Schlauer zu sein.« Sie stand auf. »Mal sehen, was er zu seiner Verteidigung vorzubringen hat.«

Dillon Underwood war so makellos herausgeputzt wie seine Wohnung. Als er Gemma und Melody im Vernehmungsraum gegenübersaß, wirkte er so unbekümmert, als ob sie ihn nur zum Tee eingeladen hätten. Er trug eine gebügelte hellbraune Hose und ein Polohemd mit dem aufgestickten Logo seines Ladens auf der Brust. Seine braunen Haare waren kurz geschoren, seine Nägel manikürt. Er hatte hellbraune Augen, die Gemma merkwürdig flach und ausdruckslos vorkamen. Als Gemma ihn lächeln sah, war sie sich sicher, dass er seine Zähne bleichte. Unter dem Kinn hatte er eine kleine Schnittwunde vom Rasieren.

»Hallo, Mr Underwood«, sagte sie und bedeutete Melody mit einem Nicken, das Aufnahmegerät einzuschalten. »Fürs Protokoll: Ich bin Detective Inspector Gemma James, und neben mir sitzt Detective Sergeant Melody Talbot.« Als er nichts erwiderte, fuhr sie fort: »Sie erinnern sich, dass wir uns schon einmal gesprochen haben, Mr Underwood?«

Melody hatte Stift und Notizblock mitgebracht und legte beides nun auf den Tisch. Sie hatten sich zuvor darauf geeinigt, dass die Methode »guter Bulle – böser Bulle« bei Underwood wahrscheinlich wenig fruchten würde und dass es ihn eher nervös machen würde, wenn Melody schwieg und nur demonstrativ mitschrieb, was er sagte.

Jetzt lehnte er sich auf seinem Stuhl zurück und schlug die Beine übereinander. »Natürlich erinnere ich mich. Sie haben mich bei der Arbeit gestört, genau wie heute auch. Ich werde im Laden gebraucht.«

Gemma dankte ihm insgeheim für die perfekte Vorlage. Sie beugte sich vor und stützte die Ellbogen auf den Tisch. »Sie sind sehr gut in Ihrem Job, nicht wahr, Mr Underwood?«

»Mmh. Könnte man so sagen.« Er verzog den Mund zu einem Feixen.

»Bei den Kunden beliebt?«

»Sie fragen nach mir. Sie wissen, dass ich sie richtig berate.«

»Mögen alle Kunden Sie – die Männer und die Frauen?«

»Na ja, klar. Ich versteh eben mein Handwerk.«

»Und Sie erinnern sich sicher an jeden Kunden?«

Underwood zuckte mit den Schultern. »Wissen Sie, wie viele Leute jeden Tag in unseren Laden kommen?«

»Aber an die besonderen Kunden erinnern Sie sich doch. An die, die wiederkommen.«

Er stellte die Beine wieder nebeneinander, und Gemma hatte den Eindruck, dass seine Augen noch stumpfer wurden. »Wenn es hier um dieses Mädchen geht – das hab ich Ihnen doch schon einmal gesagt. Ich erinnere mich nicht an sie.«

»Dieses *Mädchen* hieß Mercy Johnson. Sie war zwölf Jahre alt. Sie kam regelmäßig zu Ihnen, weil sie wollte, dass ihre Mutter ihr zu ihrem dreizehnten Geburtstag einen Computer kaufte. Bedauerlicherweise hat Mercy ihren dreizehnten Geburtstag nicht mehr erlebt. Sie wurde vergewaltigt, erdrosselt und im Clapham Common Park liegen gelassen wie Müll.«

Die meisten Menschen verzogen vor Entsetzen oder Abscheu unwillkürlich das Gesicht, wenn sie eine solche Schilderung hörten, oder blinzelten zumindest. Dillon Underwoods Miene blieb vollkommen unbewegt. »Das ist wirklich jammerschade«, sagte er. »Aber es hat nichts mit mir zu tun.«

»O doch, Mr Underwood, das glaube ich sehr wohl. Und es überrascht mich, dass Sie sich nicht an sie erinnern, denn Sie haben ihr schließlich ein Handy geschenkt.«

Diesmal blinzelte er tatsächlich. »Ich weiß nicht, wovon Sie reden.« Sein Akzent klang jetzt stärker nach South London, er näselte ein wenig, und sein Ton war etwas zu schrill.

Gemma hatte einen Aktenordner mitgebracht. Jetzt schlug sie ihn auf und nahm einen Ausdruck heraus. Es war das vergrößerte Foto aus Izzy Lamars Handy, es zeigte eindeutig Dillon Underwood, und es gab keinen Zweifel, dass er darauf Mercy Johnson ein Mobiltelefon übergab. »So, dann erzählen Sie uns mal davon.«

Er starrte das Foto an. Gemma sah, wie seine Hand zuckte, als ob er den Drang verspürte, es zu berühren. Doch er beherrschte sich, lehnte sich wieder zurück und verschränkte die Arme. »Wer hat das gemacht?«

»Ich finde, das braucht Sie nicht zu interessieren. Aber das sind Sie, und das ist Mercy, und Sie geben ihr ein Mobiltelefon.«

»Das waren diese kleinen Schnüfflerinnen, stimmt's? Diese Mädchen, die dauernd rumspionieren und tuscheln, die blöden Hühner.«

Es war der erste Riss in der Fassade, der erste Ausbruch von Gehässigkeit, und Gemma musste an sich halten, um nicht mit Melody einen triumphierenden Blick zu wechseln. »Sie geben also zu, dass Sie Mercy ein Handy gegeben haben.«

Underwood antwortete nicht. Melody schrieb etwas auf und schirmte den Block mit der Hand gerade so weit ab, dass er das Geschriebene von der anderen Seite des Tisches nicht entziffern konnte.

»Mr Underwood«, sagte Gemma, »wir haben ein Foto, und

wir haben Zeugen. Wir können beweisen, dass Sie Mercy gekannt haben und dass Sie ihr ein Handy gegeben haben. Und
jetzt sagen Sie uns, warum.«

»Na schön.« Er riss den Blick von Melody los. »Sie hat
mir leidgetan. Sie ist in den Laden gekommen und hat rum-
geheult und Theater gemacht. Sie hatte ihr Handy verloren,
und ihre Mum war so sauer, dass sie ihr kein neues kaufen
wollte. Die Jungs und Mädels in dem Alter, die leben doch
für ihre Handys, nicht wahr? Also hab ich ihr so ein billiges
Wegwerfteil gegeben. Mit zehn Pfund Guthaben. Das ist ja
wohl nicht verboten.«

»Und warum haben Sie es ihr vor dem U-Bahn-Eingang
gegeben? Sie müssen sich doch mit ihr verabredet haben.«

»Ich konnte es ihr ja schlecht im Laden geben, oder?«

»Warum nicht?«

Gemma sah, wie er einen Moment mit sich rang. Dann
zuckte er mit den Schultern. »Ich hatte die Idee erst, als sie
schon wieder draußen war. Sie musste heim zu ihrer Mum
oder so. Ich hatte ihr gesagt, ich würde nach einem Handy
Ausschau halten und sehen, was sich machen ließ. Ich hatte
es dabei, als ich sie vor der U-Bahn sah.«

»Das ist eine gute Geschichte, Mr Underwood. Aber Mercys Freundinnen sagen, sie habe vorgeschlagen, dass sie sich
im Starbucks auf einen Kaffee treffen. Und dass sie die ganze
Zeit nervös gewesen sei und nach jemandem Ausschau gehalten habe, und dann habe sie die anderen dazu überreden
wollen, sie allein zu lassen. Sie waren derjenige, nach dem sie
Ausschau hielt, stimmt's, Mr Underwood? Und Sie konnten
ihr das Handy nicht im Laden geben, weil Sie nicht dabei gesehen werden wollten. Haben Sie für das Handy bezahlt, oder
haben Sie es einfach aus dem Lager genommen, damit es nicht
zu Ihnen zurückverfolgt werden konnte?«

Er schlug die Beine wieder übereinander. »Es war irgendein altes Handy, das im Lager rumlag. Manchmal lassen die Leute ihr altes Telefon einfach da, wenn sie sich ein neues kaufen.«

Gemma glaubte ihm kein Wort. Sie vermutete, dass er ein neues Handy aus dem Lager genommen hatte, aber in Elektronikgeschäften waren Diebstähle aus dem Lager keine Seltenheit, und die Inventurlisten durchzugehen würde ihnen nicht viel bringen, solange sie nicht wussten, was für ein Handy er ihr gegeben hatte. Auf dem Foto hatten sie die Marke nicht erkennen können. »Und Sie haben für das Guthaben in bar bezahlt?«, fragte sie mit einem kleinen Lächeln, als ob sie ihm den barmherzigen Samariter abnähme.

»Ich benutze keine Kreditkarten. Big Brother und so, Sie wissen schon. Ist auch nicht verboten.«

»Und Sie haben Mercy gesagt, das Handy gehört ihr und sie kann damit machen, was sie will?«

»Na ja, sicher, warum denn nicht?«

»Wenn sie es ihrer Mutter erzählt hätte, dann hätten Sie im Geschäft vielleicht Ärger bekommen.«

»Klar, und ihre Mutter hätte es ihr wieder abgenommen. Und genau deswegen hätte sie's ihr wohl kaum erzählt.« Offenbar zufrieden mit der Art, wie er seine Geschichte hingebogen hatte, bekam er sofort wieder Oberwasser.

Melody schob Gemma einen Zettel zu. *Vielleicht hat Mercy ihr Handy ja gar nicht verloren,* stand da. *Hatte sie es vielleicht nur im Laden irgendwo hingelegt, während er ihr die Computer zeigte, und er hat es eingesteckt?*

Gemma fing ihren Blick auf, nickte und schrieb: *Perfekte Gelegenheit, unbemerkt mit ihr in Kontakt zu bleiben.*

»Was machen Sie da?«, fragte Underwood. »Sie beide sind wie zwei alberne Schulmädchen, die sich heimlich Briefchen schreiben.«

Das musste ja ganz schlimm für ihn gewesen sein, dachte Gemma, weil er bestimmt immer geglaubt hatte, dass es in den Briefchen und bei dem Gekicher nur um ihn ging.

Sie ignorierte die Frage und den Kommentar. »Können Sie mir erklären, warum Mercy ihren Freundinnen nichts von dem Handy erzählt hat?«, fragte sie. »Ihren besten Freundinnen? Oder warum sie sie damit nie angerufen oder ihnen SMS geschrieben hat?«

»Woher soll ich das wissen? Vielleicht hat sie das ja auch verloren.«

»Ich sage Ihnen, was ich denke, Mr Underwood.« Gemma beugte sich näher zu ihm hin, und dabei stieg ihr ein sonderbarer Geruch in die Nase. Es war nicht Angst – den beißenden Gestank der Angst hätte sie jederzeit sofort erkannt. Dillon Underwood dagegen strömte einen irgendwie seifigen, chemischen Geruch aus. Unangenehm. Sie rümpfte die Nase und fuhr fort: »Ich glaube, Sie haben ihr gesagt, dass sie es nicht tun soll. Dass das Handy ihr Geheimnis sei und dass sie es nur zur Kommunikation mit Ihnen verwenden sollte. Und ich wette, Sie haben noch ein zweites billiges Handy für sich selbst gestohlen, damit der Kontakt sich nicht nachweisen ließ.«

»Unsinn. Und ich hab auch nichts gestohlen«, gab er zurück.

»Wo ist das Handy jetzt, Mr Underwood? Es war nicht in Ihrer Wohnung und auch nicht bei Mercys Leiche. Haben Sie es genommen, nachdem Sie sie ermordet hatten?«

»Ich hab's Ihnen doch schon gesagt. Ich war an dem Abend mit meinen Freunden in einem Club.«

»Sie haben uns auch gesagt, dass Sie Mercy Johnson nicht kennen. Sie haben gelogen. Und ich glaube, dass Sie auch lügen, wenn Sie sagen, dass Sie an dem Abend im Club waren. Ich glaube, Sie haben Mercy eine SMS geschrieben und ihr gesagt, dass sie sich im Clapham Common mit Ihnen treffen soll. Was haben Sie ihr erzählt? Dass Sie etwas für sie hätten? Oder hat sie geglaubt, dass Sie sich für sie interessierten?«

»Ich habe sie nie außerhalb vom Laden gesehen, bis auf das eine Mal, und Sie können mir nicht das Gegenteil beweisen.« In den stumpfen Augen flackerte jetzt Zorn auf.

»Oh, aber wir haben jetzt Ihre DNS, Mr Underwood. Wir haben in Ihrer Wohnung Proben genommen. Von Ihrer Zahnbürste, von Ihrem Rasierapparat. Wir werden sie mit den Spuren vergleichen können, die von Mercys Leiche genommen wurden.«

Er lächelte sie an. »Nein, das werden Sie nicht. Weil ich nicht dort war und weil ich sie nie angerührt habe. Und jetzt will ich wieder zurück in die Arbeit. Und ohne einen Anwalt rede ich sowieso kein Wort mehr mit Ihnen.«

»Du hättest ihn noch bis zum Ablauf der vierundzwanzig Stunden hierbehalten können«, sagte Melody, nachdem Gemma den Gewahrsamsbeamten angewiesen hatte, Dillon Underwood auf freien Fuß zu setzen.

»Ich glaube nicht, dass das irgendetwas gebracht hätte, zumal, nachdem er am Ende doch noch auf die Idee gekommen ist, einen Anwalt zu verlangen. Ich lasse ihn lieber in dem Glauben, dass er uns überzeugt hat.«

»Hat er das denn?«, fragte Melody skeptisch.

»Ich bin felsenfest von seiner Schuld überzeugt. Ich glaube, dass er Mercy Johnson ermordet hat, und ich werde es beweisen. Mir ist nur nicht klar, warum er sich seiner Sache so sicher ist.«

»Nachdem er jetzt das mit dem Handy zugegeben hat, könnte die Verteidigung argumentieren, dass es sich bei den DNS-Spuren, die an ihrer Leiche gefunden wurden, um Kreuzkontamination von dem Telefon handelt.«

Gemma runzelte die Stirn. »Aber kann er das wissen?«

»Ich fürchte ja.«

»Mag sein«, erwiderte Gemma zögernd. »Es sei denn, die Spuren finden sich unter ihren Fingernägeln oder an anderen Stellen, wo eine normale Spurenübertragung unwahrscheinlich wäre. Ich werde dem Labor Dampf machen«, sagte sie entschlossen. »Und ich werde Izzys und Dejas Eltern sagen, dass sie ihre Töchter hinter Schloss und Riegel halten sollen. Er weiß jetzt, dass sie gesehen haben, wie er Mercy das Handy gegeben hat. Vielleicht glaubt er, dass sie noch mehr gesehen haben.«

»Glaubst du wirklich, er wäre so dumm?«, fragte Melody. »Er ist ein berechnender Mistkerl, und er muss wissen, dass wir ihn uns sofort schnappen würden, wenn einem der Mädchen etwas zustoßen sollte.«

»Er ist auch skrupellos«, erwiderte Gemma im Brustton der Überzeugung. »Und er glaubt, dass er mit allem durchkommen kann. Ich mache jetzt diese Anrufe, und dann zerpflücken wir sein Alibi.«

17

W. H. Barlow, der für die Lagerhallen verantwortliche
Ingenieur, verwendete Eisenträger und Säulen, um die
Raumausnutzung zu optimieren. Er sagte: »Die Länge
eines Bierfasses wurde zu der Maßeinheit, an der sich
die gesamte Gestaltung dieses Geschosses orientierte.«

meantimebrewing.com/stpancras-station

Stephen Ellis hatte seine Tochter ins Bett gebracht. Sie war
nach ein, zwei Minuten wieder zu sich gekommen, hatte aber
unkonzentriert, unkoordiniert und ein wenig verwirrt gewirkt. Ellis hatte ihr aufgeholfen und sie ins Schlafzimmer
gebracht, wobei er jede Unterstützung von Kincaid und Sidana ablehnte.

Er kam zurück und hob bedauernd die Schultern. »Es tut
mir leid«, sagte er. »Es ist der Schock. Seit dem Unfall hatte sie
schon öfter in extremen Stresssituationen solche Ohnmachts-
anfälle. Aber wenn sie ein bisschen geschlafen hat, dürfte es
ihr wieder besser gehen.«

Kincaid und Sidana hatten sich verabschiedet und waren
mit Sidanas Honda zum Revier Holborn zurückgefahren.

»Ich weiß nicht genau, was schlimmer ist«, sagte Kincaid, als
sie auf die Dienststelle zugingen, »eine unerwartete schlechte
Nachricht zu überbringen oder eine, die schon mit Bangen
erwartet wurde.«

»Ich würde sagen, eine Ohnmacht ist immer noch besser

als Hysterie«, erwiderte Jasmine. »Mir hat mal eine Frau ein blaues Auge verpasst, als ich ihr gesagt habe, dass ihr Mann bei einer Kneipenschlägerei ums Leben gekommen war.«

»Da können Sie ja froh sein, dass sie nicht gerade eine Bratpfanne in der Hand hatte.« Damit erntete er einen Seitenblick und, wenn er es richtig interpretierte, ein kleines Lächeln.

In der Einsatzzentrale herrschte gähnende Leere, nur Simon Gikas hielt die Stellung.

»Wo ist Sweeney?«, fragte Sidana. Sie klang alles andere als begeistert.

»Ist vor einer Stunde gegangen. Er sagte was von einer Zerrung, die er sich heute früh im Fitnessstudio geholt hätte.«

»Er ist ein Drückeberger.« Sidana verzog missbilligend die Lippen.

Obwohl Kincaid von George Sweeneys Leistungen bislang nicht sonderlich beeindruckt war, beneidete er den Mann doch nicht darum, das Opfer von Jasmine Sidanas scharfer Zunge zu sein.

»Also, ich bin jedenfalls keiner«, meinte Gikas grinsend, »und ich habe hier etwas Interessantes für Sie.« Er schwenkte seinen Stuhl zu ihnen herum. Kincaid lehnte sich an einen der Schreibtische und lauschte aufmerksam. Sidana trat zu ihm, nachdem sie ihre Tasche und ihren Mantel auf ihrem Schreibtisch deponiert hatte.

»Ich hatte doch herausgefunden, dass Matthew Quinn jeden Monat einen Scheck von der Firma bekommt, der das Haus gehört, in dem er wohnt, erinnern Sie sich?«, fragte Gikas.

»Die mysteriöse KCD«, bestätigte Kincaid. »King's Cross Development.«

»Genau. Also, ich hab ein wenig in den Unternehmensdaten gewühlt, und nun raten Sie mal, was ich entdeckt habe?«

»Spannen Sie uns nicht auf die Folter.«

»Einer der Firmeninhaber – genauer gesagt, der Hauptaktionär – ist Lindsay Quinn. Er ist mit die treibende Kraft bei der Sanierung des Viertels um King's Cross. Und außerdem ist er Matthew Quinns Vater.«

Kincaid zog eine Braue hoch. »Ob Quinn senior wohl weiß, was Quinn junior so treibt? Was für eine Schlange er da am Busen nährt?«

»Ich dachte mir, dass Sie sicher mit ihm reden wollen. Ich habe seine Sekretärin an den Apparat bekommen. Heute Nachmittag war er beschäftigt, aber er kann sich morgen in der Booking Office Bar im St. Pancras Renaissance Hotel mit Ihnen treffen. Das scheint sein bevorzugter Ort für Besprechungen zu sein.«

»Schön. Vielen Dank, Simon.« Kincaid dachte einen Moment nach. »Ich glaube, ich nehme mir Matthew Quinn erst wieder vor, nachdem ich mit seinem Vater gesprochen habe.« Er wandte sich zu Sidana um. »Haben Sie schon von dem Opferschutzbeauftragten bei den Coles gehört?«

Sidana warf einen Blick auf ihr Smartphone. »Er schreibt, ein Tagebuch habe er nicht gefunden, aber Pauls Zimmer sei voll mit Büchern über Züge. Seine Mutter sagt, er sei schon als Kind ganz verrückt nach Eisenbahnen gewesen, aber es waren Fahrpläne in seinem Zimmer, die so aussahen, als wären sie vor Kurzem noch benutzt worden.«

»Ich weiß nicht, was uns das sagen soll«, meinte Kincaid. »Dass er sich St. Pancras als Schauplatz für seine Selbstverbrennung ausgesucht hat, weil er Züge liebte?« Er schüttelte den Kopf. »Klingt ein bisschen konstruiert. Und ich bin nach wie vor ganz und gar nicht überzeugt, dass der arme Kerl wirklich die Absicht hatte, sich zu verbrennen.«

Nachdem Kincaid mit Simon gesprochen hatte, war er auf dem Revier die Tagesberichte durchgegangen. Da er darin nichts sonderlich Hilfreiches entdecken konnte, beschloss er, sich in den freitäglichen Feierabendverkehr zu stürzen und zu versuchen, einmal pünktlich zu Hause zu sein. Solange er nicht mit Lindsay Quinn gesprochen hatte und solange er weder die Ergebnisse der DNS-Untersuchung kannte noch mit Doug gesprochen oder irgendeine neue Spur aufgetan hatte, trat er bei den Ermittlungen zu Paul Coles Tod auf der Stelle.

Freitags stand im Hause Kincaid/James immer der große Pizza-und-Spiele-Abend an. Aber das Ritual hatte seine Regeln, und die lauteten, dass die Pizza selbstgemacht sein musste und keine elektronischen Geräte erlaubt waren. Die Idee war anfangs bei den Jungs auf Protest gestoßen – Toby wollte Pizza vom Italiener *und* Fernsehen *und* elektronische Spiele, während Kit nichts gegen selbst gebackene Pizza hatte, aber nicht so lange von seinem iPod getrennt sein wollte. Charlotte war mit allem einverstanden, solange sie es nur alle zusammen machten.

Kincaid erreichte sein Heim heil, mit nur ein paar Minuten Verspätung, und parkte den Astra hinter Gemmas Escort. Er stieg aus und schloss das Auto ab, aber dann stand er noch einen Moment da und blickte zum Haus hinüber. Die Jalousien waren noch nicht heruntergelassen, und in den vorderen Fenstern brannte Licht. Er konnte Gemma und Kit in der in fröhlichem Blau und Gelb gehaltenen Küche sehen.

Sie alle hatten dieses Haus ins Herz geschlossen. Es bot den Kindern Geborgenheit, und es war die erste gemeinsame Wohnung für ihn und Gemma. Wenn Denis Childs oder dessen Schwester irgendetwas zugestoßen war, würden sie es dann verlieren?

Mach dir nicht zu viele Sorgen, sagte er sich. Damit tat er

weder sich noch irgendjemand sonst einen Gefallen. Aber er hasste das Gefühl, sein eigenes Leben nicht mehr unter Kontrolle zu haben, und dieses Gefühl ließ ihm seit seiner Versetzung keine Ruhe.

Gemma schaute kurz zum Küchenfenster hinaus und wandte sich dann wieder ab. Sicherlich hatte sie ihn nicht gesehen, wie er hier draußen im Dunkeln und in der Kälte stand. Er gab sich innerlich einen Ruck, ging auf die kirschrote Haustür zu und steckte seinen Schlüssel ins Schloss.

Ein verlockender Duft schlug ihm entgegen, und er wurde von Hundegebell und Charlottes Freudengekreisch begrüßt. Die Kleine kam mit ausgestreckten Armen auf ihn zugerannt.

»Daddy, ich hab nach dir Ausschau gehalten«, sagte sie, als er sie hochnahm, um sie zu knuddeln.

»Wirklich? Na, dann bist du ja ein guter Wachhund.«

Charlotte kicherte. »Ich bin doch kein Hund.«

»Oh. Ich dachte, du bist Geordie. Mal sehen – lockiges Fell«, er streichelte ihre Haare, »lange Schnauze«, er kniff ihr in die Nase.

»Ich bin *Char*lotte«, verkündete sie mit entschiedener Betonung auf der ersten Silbe. Sie wand sich aus seinen Armen. »Komm, ich zeig dir was. Toby tanzt!«

Gemma kam aus der Küche.

»Schatz, ich bin zu Hause«, sagte er grinsend.

»Das sehe ich.« Als sie ihn küsste, bemerkte er, dass sie Tomatensauce an der Wange hatte. Er wischte sie mit dem Finger weg und gab ihr noch einen Kuss. »Mmh, lecker.« Während er seinen Mantel auszog und an den Haken über der Bank hinter der Haustür hängte, fragte er: »Was hör ich da von Tanzen?«

»Wir haben ein Ballett gesehen«, sagte Charlotte und wippte auf den Fußballen auf und ab. »MacKenzie hat Toby und mich in Olivers Ballettstunde mitgenommen.«

»Oliver hat Ballettstunden?« Kincaid sah Gemma fragend an. Oliver Williams war Charlottes bester Freund. Kincaid hatte Oliver und seine Mutter MacKenzie während seiner Elternzeit in einem der Cafés des Viertels kennengelernt. MacKenzie hatte es fertiggebracht, Charlotte in Olivers höchst renommierter Vorschule unterzubringen, nachdem ihr Versuch, Charlotte an Tobys ehemaligen Kindergarten zu gewöhnen, in einem kompletten Fiasko geendet hatte.

Als Kincaid erfahren hatte, dass seine praktische und bodenständige Bekannte MacKenzie zusammen mit ihrem Ehemann Bill Inhaberin des ausgesprochen erfolgreichen Online-Modekaufhauses *Ollie* war *und* außerdem das Topmodel des Katalogs, war ihm das ungeheuer peinlich gewesen. MacKenzie und Gemma, die sich seither angefreundet hatten, machten sich immer noch über seine Ahnungslosigkeit lustig.

»Das ist zurzeit offenbar der letzte Schrei für kleine Jungs in Notting Hill«, sagte Gemma. »MacKenzie ist heute nach der Schule mit Charlotte und Toby hingegangen. Charlotte hat sich nicht sonderlich dafür interessiert«, fügte sie leise hinzu, während Charlotte davonlief, »aber Toby ist ganz hin und weg.«

Toby kam aus dem Wohnzimmer gehüpft, die Arme waagerecht ausgestreckt, und rief: »Schaut mal, was ich kann! Das ist eine … eine … Ich hab vergessen, wie es heißt, aber ich kann es!«

»Dann sind die Piraten wohl Geschichte?«, flüsterte Kincaid Gemma ins Ohr.

»Nehme ich an.« Sie seufzte. »Aber ich fürchte, das da wird wesentlich teurer. Komm, die Pizza ist im Ofen, und ich hab Teewasser aufgesetzt.«

Während sie auf die Pizza warteten, ging Kit mit Kincaid nach den Kätzchen sehen. Nachdem Geordie Kincaid begrüßt hatte, lag er nun vor der Tür des Arbeitszimmers, den Kopf auf den Vorderpfoten.

»Was hat das denn zu bedeuten?«, fragte Kincaid, während er sich bückte und den Spaniel hinter den Ohren kraulte.

»Er ist heute Nachmittag ins Zimmer geschlüpft – Toby hatte die Tür nicht richtig zugemacht«, erklärte Kit. »Xena ist wie der Blitz aus ihrer Kiste geschossen, hat ihn angefaucht und ihm eins auf die Nase gegeben. Seitdem bewacht er das Zimmer, als ob er persönlich für sie verantwortlich wäre. Glaubst du, er ist nahe genug rangekommen, um zu merken, dass sie Junge hat?«

»Durchaus denkbar. Er ist ein schlauer Hund.«

Kit öffnete die Tür, doch Geordie versuchte gar nicht erst hineinzuschlüpfen, sondern hielt weiter Wache und nahm wieder seine vorige Haltung ein.

Als sie ins Zimmer traten, begrüßte Xena sie mit einem leisen Gurren. Sie stand auf und streckte sich, und als Kincaid sich vor ihre Kiste kniete, stieß sie mit dem Kopf gegen seine Hand, und er kraulte sie hinter den Ohren.

Die Kätzchen schliefen. Ihre Bäuche waren rundlicher geworden, und jetzt glichen sie eher Würstchen als Ratten.

»Sie fangen schon an, in der Kiste rumzukrabbeln«, sagte Kit und kniete sich neben Kincaid. »Ist echt witzig, ihnen zuzuschauen. Sie sind noch blind und rumpeln dauernd zusammen. Bryony sagt, in ein paar Tagen müssten sie die Augen aufmachen.«

»Bryony war heute hier?«

»Heute Nachmittag, als Toby und Charlotte mit MacKenzie unterwegs waren. Sie hat mir beigebracht, wie man das Geschlecht bestimmen kann«, fügte Kit stolz hinzu. »Sie meinte, jetzt wäre es noch einfacher als später, wenn sie schon älter sind.« Er berührte die Dreifarbige. »Die hier ist natürlich ein Weibchen – ich hab mich über die Genetik von Katzen schlaugemacht – und das Tigerkätzchen auch. Das Schwarze und das Schwarz-Weiße sind beides Kater.«

»Ich bin beeindruckt.« Kincaid konnte sehen, dass es der Katzenmutter auch besser ging. Sie war nicht mehr so mager, ihr Fell glänzte, und ihre Augen strahlten. »Verblüffend, was ein paar Tage mit guter Ernährung bewirken können. Sie ist wirklich gar nicht scheu«, sagte er zu Kit. »Hat sich schon jemand auf deine Aushänge hin gemeldet?«

Es war die falsche Frage. Kit setzte sich auf die Fersen, und seine Miene verfinsterte sich. »Nein. Und wenn jemand sie vermisst, hätte der- oder diejenige nicht längst angerufen? Ich würde die Zettel gerne abnehmen.«

»Wir können nicht die Mutter und alle Kätzchen behalten«, sagte Kincaid behutsam.

»MacKenzie sagt, sie nimmt eins. Oliver ist ganz begeistert von ihnen. Gemma will mit Hazel reden, und ich frag mal Erika. Wir sind am Sonntag zum Mittagessen bei ihr. Ich glaube, eine Katze würde ihr guttun.«

»Kann sein. Aber dann bleibt immer noch ein Kätzchen übrig.«

»Wir können doch sicher Xena und eins von den Kätzchen behalten?« Es gelang Kit nicht ganz, den flehenden Ton in seiner Stimme zu unterdrücken.

Kincaid streichelte das schwarze Kätzchen, das sogleich den Kopf hob und nach seiner Mutter zu suchen begann. »Ich denke, es hängt davon ab, wie sie sich mit Sid vertragen.« Er fühlte sich von der ganzen Geschichte einigermaßen überfordert, aber die Katzen waren ihm selbst schon ans Herz gewachsen. »Welches würdest du denn gern behalten?«, fragte er.

Kit beugte sich wieder über die Kiste und streichelte nacheinander jedes einzelne Kätzchen. »Ich weiß nicht. Ich mag die Dreifarbige. Ich find's cool, dass nur Weibchen dreifarbig sein können. Und der Schwarz-Weiße gefällt mir auch. Er sieht aus wie James Bond im Smoking.«

Kincaid hörte, wie Gemma sie rief. »Na ja, ich denke, wir können uns für die Entscheidung noch reichlich Zeit lassen. Und du kannst morgen noch Bryony fragen, aber ich würde sagen, es ist okay, wenn du die Zettel abnimmst.«

»Wirklich?« Kit machte vor Begeisterung einen Luftsprung, der ein bisschen an Toby erinnerte.

Kincaid stand auf und legte ihm eine Hand auf die Schulter, um seinen Enthusiasmus zu dämpfen. »Aber lass uns noch nichts sagen, bis du mit Bryony gesprochen hast, okay?«

»Abgemacht«, sagte Kit.

»Du verwöhnst ihn ganz fürchterlich«, sagte Gemma, als sie ein paar Stunden später die letzten Teller abwuschen.

»Wen, Kit?«, fragte Kincaid mit Unschuldsmiene.

Sie hatten ihre Pizza gegessen und dann die Brettspiele hervorgeholt. Charlotte zuliebe gab es zuerst eine Runde Leiterspiel – wobei Toby wieder mal kräftig schummelte – und dann eine Partie Beatles-Monopoly. Charlotte durfte auch mitspielen und bekam ein paar Extra-Spielsteine, doch nach einer Weile fielen ihr auf Gemmas Schoß schon die Augen zu. Als Charlotte eingeschlafen war und Toby allmählich quengelig wurde, brachten sie die Kleinen ins Bett, und Kit durfte sich wieder seinem iPod widmen.

Als er das Zimmer verließ, hatte er ihnen noch über die Schulter entgegengeschleudert: »Ich darf meinen Freunden echt nicht erzählen, warum ich am Freitagabend nie ausgehen kann. Die würden ja denken, ich bin total beh…«

Gemmas strenger Blick ließ ihn seine Wortwahl überdenken.

»Die würden denken, ich bin total hinter dem Mond«, verbesserte er sich, ehe er mit einem Grinsen verschwand. Gleich darauf hatten sie ihn die Treppe hinaufrennen gehört.

»Ja, Kit«, sagte Gemma jetzt. »Ich weiß nicht, was du ihm im Arbeitszimmer erzählt hast, aber er hat den Rest des Abends zufrieden gegrinst wie ein Honigkuchenpferd. Und ich habe den Verdacht, dass es etwas mit den Katzen zu tun hatte.«

»Er will nur die Mutter und ein Kätzchen behalten.«

»Das sagt er *jetzt*. Und stell dir bloß mal die Streitereien mit Toby und Charlotte vor, wenn es darum geht, welches sie behalten sollen.«

»Na, dann müssen sie eben lernen zu verhandeln, nicht wahr? Und erzähl mir nicht, dass du nicht mit dem Gedanken liebäugelst, wenigstens eins von den kleinen Pelzmonstern zu behalten. Du hast doch neulich abends gesagt, dass dir das Schwarz-Weiße am besten gefällt.«

Gemma ließ sich auf einen der Küchenstühle sinken, und er fand, dass sie müde aussah – müde und … noch etwas anderes.

»Wir sollten ihnen wohl geben, was sie sich wünschen, soweit wir das können – innerhalb gewisser Grenzen natürlich«, sagte sie gedehnt.

Kincaid sah sie an, dann nahm er eine ziemlich teure Flasche Sancerre aus dem Kühlschrank, die er fürs Wochenende aufgehoben hatte, entkorkte sie und schenkte zwei Gläser ein. Er gab das eine Gemma, die ihm mit einem Lächeln dankte, und setzte sich ihr gegenüber.

»Was hast du, Schatz?«, fragte er leise. »Ich glaube nicht, dass es die Katzen sind.«

»Nein.« Gemma erzählte ihm von ihrer Vernehmung von Dillon Underwood. »Und jetzt denke ich die ganze Zeit«, füge sie hinzu, »was wäre gewesen, wenn Mercys Mutter mitgegangen wäre, um mit ihr den Computer auszusuchen, den sie sich so sehr gewünscht hatte? Oder wenn ihre Mutter wegen des verlorenen Handys nicht so streng mit ihr gewesen wäre? Melody und ich haben übrigens den Verdacht, dass Underwood es ihr heimlich weggenommen hat, um sie besser manipulieren zu können.«

»Gemma.« Er nahm ihre Hand. »Mercys Mutter hat nichts falsch gemacht. Und Mercy auch nicht. Das weißt du.«

Aber auch ihn fröstelte bei dem Gedanken. Es gab keine Garantie dafür, dass Brettspiele am Freitagabend oder all die anderen Arten, wie sie sich um ihre Kinder kümmerten und sie ihre Liebe spüren ließen, sie vor Ungeheuern wie Dillon Underwood schützen würden. Das wussten sie beide besser als irgendjemand sonst.

»Du musst dir das Wochenende freinehmen«, sagte er und schenkte ihr noch etwas Wein nach. Ihre Züge hatten sich entspannt, ihre Wangen hatten ein wenig Farbe bekommen, aber der schuldbewusste Ausdruck, der über ihr Gesicht huschte, entging ihm nicht. »Du willst doch nicht das Wochenende arbeiten? Du hast doch gesagt, solange ihr die DNS-Ergebnisse nicht habt, kommt ihr in dem Fall sowieso nicht weiter.«

»Nein. Nein, ich fahr nicht in die Arbeit. Aber …« Gemma sah ihn flüchtig an und nahm noch einen Schluck von ihrem Wein. »Ich habe ihre Fallakte mit nach Hause genommen. Ich denke die ganze Zeit, dass ich da irgendetwas übersehen habe. Und halt mir jetzt keine Strafpredigt«, fügte sie hinzu, bevor er etwas erwidern konnte. »Du gehst ja selbst am Wochenende ins Büro.«

Kincaid verzog das Gesicht. »Ehrlich gesagt, bei diesem Fall weiß ich langsam nicht mehr, ob ich komme oder gehe. Je mehr ich herausfinde, desto weniger weiß ich.«

Gemma runzelte die Stirn. »Melody hat mir gesagt, sie sei gestern Abend noch schnell zu Doug gefahren. Hast du die beiden für diese Geschichte eingespannt?«

»Doug, ja«, gab er zu. »Aber man könnte wohl sagen, dass Melody sich selbst eingespannt hat, in Anbetracht der Umstände.«

»Was machen die zwei denn, was dein Team nicht machen kann?«

»Ah. Das ist genau der Haken an der Sache. Es scheint, dass Tam recht hatte. Wir haben das Opfer identifiziert. Er war jung, erst zwanzig.« Dann holte er nach, wozu er bisher keine Gelegenheit gehabt hatte, und erzählte ihr von seinem und Dougs Verdacht, es könne sich bei Ryan Marsh, den sie zunächst für das Opfer gehalten hatten, um einen verdeckten Ermittler handeln, und dass Doug anschließend Beweise dafür gefunden hatte, dass Ryan Marsh zumindest einmal Polizist *gewesen* war. Dass Melody bei der Suche nach Fotos von der Protestgruppe Ryan Marsh als den Mann identifiziert hatte, der ihr am Tatort geholfen hatte. Dass Ryan Marsh jetzt nicht auffindbar war und dass ein Mädchen aus der Gruppe an Neujahr ebenfalls urplötzlich verschwunden war.

Und er erzählte ihr von Ariel Ellis, die ihn aufgesucht hatte, um ihren Freund als vermisst zu melden, nachdem sie sich wegen ihrer Fehlgeburt gestritten hatten.

An dieser Stelle zögerte er ein wenig, weil es ihm widerstrebte, Gemma an das Kind zu erinnern, das sie verloren hatten, doch er wusste, dass sie böse auf ihn wäre, wenn er es ihr verschwiege.

»Glaubst du, es war Selbstmord?«

Kincaid zuckte mit den Schultern. »Laut den Beschreibungen war Paul Cole ein launischer Charakter mit erhöhtem Geltungsbedürfnis, aber niemand glaubt, dass er selbstmordgefährdet war. Und offenbar hat er regelmäßig ein Tagebuch geführt, das aber unter seinen persönlichen Sachen nicht gefunden wurde.«

»Und du hast deinem Team nicht gesagt, was ihr über Ryan Marsh herausgefunden habt? Warum denn nicht?«

»Wenn er immer noch undercover war, für wen hat er gearbeitet?« Kincaid beugte sich vor, die Ellbogen auf dem Tisch aus gebürstetem Kiefernholz, das Weinglas zwischen den Händen. »Warum hätte er sich in diese Gruppe eingeschleust, wenn sie keine ernste Bedrohung darstellte? Warum hat niemand bei der Polizei sich dazu bekannt, dass er für sie gearbeitet hat? Warum ist er verschwunden?«

»Du denkst, die Granate war für ihn bestimmt?«

»Melody sagte, er habe auf die Explosion wie ein ausgebildeter Polizist reagiert, aber als er die Leiche sah, sei er erschüttert gewesen. Es war etwas Persönliches. Ich glaube, er war mehr als nur geschockt. Ich glaube, er hatte Angst, und solange ich nicht weiß, warum und vor wem, werde ich niemandem sonst verraten, dass ich weiß, wer er ist, *oder* dass er noch am Leben ist.«

Gemma nippte nachdenklich an ihrem Glas. »Du nimmst an, dass Ryan Marsh eingewilligt hatte, Paul Cole die Rauchbombe zünden zu lassen, und dass jemand ohne Marshs Wissen die Rauchbombe gegen eine Granate ausgetauscht hat. Wer könnte das gewesen sein?«

»Matthew Quinn drängt sich da geradezu auf. Ich habe herausgefunden, dass Quinns Vater eine der treibenden Kräfte bei der Sanierung des Viertels ist und dass er Matthew finanziell unterstützt hat. Vielleicht hatte Matthew radikalere Aktionen geplant, und Marsh hatte gedroht, es seinem Vater zu erzählen. Oder der Polizei. Oder Matthew war dahintergekommen, dass Marsh ein verdeckter Ermittler war.«

»Aber«, wandte Gemma ein, »hätte Matthew Quinn sich so offensichtlich verdächtig gemacht?«

Kincaid schenkte ihnen beiden nach. »Das klingt eher unwahrscheinlich, nicht wahr? Er ist vielleicht ein bisschen zwanghaft, aber dumm ist er nicht, wenn du mich fragst.«

»Es sei denn, er hätte geglaubt, die Leute davon überzeugen zu können, dass Marsh selbstmordgefährdet war«, gab Gemma zu bedenken.

»Mehrere Gruppenmitglieder haben gesagt, Ryan sei vollkommen verändert gewesen, seit dieses Mädchen – Wren hieß sie – verschwunden war«, sagte Kincaid. Er versuchte sich genau an ihre Aussagen zu erinnern. »Aber ich glaube, Matthew gehörte nicht dazu.«

»Und niemand hat gesagt, was mit dem Mädchen war?«

»Nein. Nur dass sie weggegangen und nicht mehr wiedergekommen sei.«

»Tja«, meinte Gemma und prostete ihm zu. »Da hast du dein fehlendes Puzzleteil, Schatz. Finde heraus, was mit dem Mädchen passiert ist. Und warum das Ryan Marsh so tief getroffen hat.«

18

Jeder Arm (von Barlows Bogendecke in St. Pancras) ist aus stabilen parallelen Elementen konstruiert, die aus vernieteten Eisenplatten bestehen, verbunden durch fünfzehn Hauptstreben und ein Gitterwerk von fünfzig Querstreben. Es sind insgesamt fünfundzwanzig Bögen, gesetzt in Abständen von 8,94 m, das Doppelte der Distanz zwischen den Säulen im Kellergeschoss. Wieder geben die Bierfässer das Maß vor für einen geschlossenen Raum von 210 m Länge. Der überwältigende visuelle Eindruck dieses riesigen Gewölbes rührt zum großen Teil daher, dass das Auge dank der weit geschwungenen Bögen den Raum mit einem Blick erfassen kann.

Simon Bradley, *St. Pancras Station*, 2007

»Hast du was dagegen, wenn ich heute den Astra nehme?«, fragte Gemma am Samstagmorgen Kincaid, der gerade eine Scheibe Toast aß und mit einer Tasse Tee hinunterspülte. »Ich habe versprochen, heute Nachmittag mit den Kindern zu meinen Eltern nach Leyton zu fahren, und die Kinder wollen die Hunde mitnehmen. Ich kann sie ja nicht alle in den Escort quetschen.«

Kincaid nickte, den Mund voll Toast und Marmelade.

»Du kannst den Escort haben«, fügte Gemma großzügig hinzu.

»Ich fahre nicht mit einem lila Auto in die Arbeit«, sagte Kincaid, nachdem er geschluckt hatte. »Ich würde mich doch zum Gespött von Holborn machen.« Als er Gemmas beleidigten Blick sah, lachte er und gab ihr einen Kuss. »Ich mach doch nur Spaß, Schatz. Aber es ist ein bisschen schwierig, meine langen Beine in deinem kleinen Orchideen-Mobil zu verstauen. Ich nehme einfach die U-Bahn. Die paar Meter Fußmarsch hier und drüben in Holborn tun mir ganz gut.«

Heute war der Himmel nicht mehr bleigrau, sondern eher perlgrau, und im Moment war es auch noch relativ windstill. Bei einem Spaziergang könnte er das schöne Wetter am besten genießen.

Er hatte seine Garderobe an diesem Morgen mit Bedacht gewählt. Da er an einem Samstag nicht im Anzug im Büro erscheinen wollte, hatte er sich für ein frisch gebügeltes hellblaues Hemd, ein Sportsakko und eine Jeans entschieden. Er hoffte nur, dass er damit in der Booking Office Bar nicht unangenehm auffallen würde.

Jetzt zog er seinen Mantel an, griff nach dem Schirm, küsste Gemma und rief den Kindern, die alle noch oben waren, einen Abschiedsgruß zu.

Der kürzeste Weg zur U-Bahn führte geradewegs die Lansdowne Road hinauf. Im Vorbeigehen fiel ihm auf, dass die Zweige der Bäume mit anschwellenden Knospen besetzt waren, und in den Vorgärten reckten schon ein paar unerschrockene Narzissen ihre Köpfe. Bald würde das Wetter umschlagen, und dann würde der Frühling mit Pauken und Trompeten Einzug halten. Aber noch war es nicht so weit – Kincaid knöpfte seinen Mantel bis unters Kinn zu und wünschte, er hätte einen Schal mitgenommen.

Bevor er die U-Bahn-Station Holland Park erreichte, rief er mit dem Handy Doug an.

»Bist du zu Hause?«, fragte er, als Doug sich meldete.

»Nein, ich bin beim Rudern.« Dougs Stimme triefte vor

Sarkasmus. »Natürlich bin ich zu Hause. Es ist Samstag, und ich recherchiere für dich im Internet.«

»Schon was zu Ryan Marlowe alias Marsh gefunden?«

»Noch nicht.«

»Verdammt.« Kincaid überlegte einen Moment und sagte dann: »Kannst du noch etwas anderes recherchieren? Ich will wissen, was aus dem verschwundenen Mädchen geworden ist – du weißt schon, diese Wren. Ich glaube, das könnte sie sein, die auf diesem Foto neben Ryan Marsh steht. Nach allem, was die anderen mir erzählt haben, halte ich es für unwahrscheinlich, dass sie einfach aus eigenem Antrieb die Gruppe verlassen hat.«

»Vielleicht hat Ryan Marsh sie umgebracht, und Paul Cole hat es herausgefunden. Das hätte Marsh ein Motiv geliefert, in die Änderung des Plans einzuwilligen und Cole eine Granate anstelle einer Rauchbombe zu geben.«

»Das könnte ich fast glauben, aber die Theorie hat zwei Haken«, erwiderte Kincaid. »Erstens Melodys Beteuerung, dass Marsh zutiefst erschüttert war, als er Coles Leiche sah. Und zweitens die Aussagen verschiedener Gruppenmitglieder, dass Ryan Marsh nach Wrens Verschwinden völlig verändert war.«

»Dann hat vielleicht Paul Cole sie umgebracht, und Marsh hat es herausgefunden?«, spekulierte Doug. »Damit hätte er ein sehr gutes Motiv gehabt, Paul Cole zu töten. Aber«, fuhr er fort, ehe Kincaid widersprechen konnte, »das berücksichtigt wiederum nicht Melodys Beobachtung, und auch wenn es eine Extremsituation war, glaube ich nicht, dass sie seine Reaktion so völlig falsch gedeutet haben könnte. Und warum sollte Paul Cole dieses verschwundene Mädchen ermordet haben, es sei denn, er war irgendwie nicht ganz richtig im Kopf?«

Kincaid hatte inzwischen Holland Park erreicht. »Kannst

du nachschauen, ob du etwas über den Tod einer jungen Frau findest, vielleicht um die zwanzig, wahrscheinlich nicht identifiziert, so um Neujahr herum? Niemand hat mir das genaue Datum ihres Verschwindens genannt, also würde ich für Silvester und Neujahr suchen. Ich kann noch mal nachfragen, aber ich will Matthew Quinn und seine Anhänger erst wieder vernehmen, nachdem ich mit Quinns Vater gesprochen habe.«

»Du verlangst gar nicht viel, wie?«

»Ich vertraue dir voll und ganz«, erwiderte Kincaid grinsend und legte auf.

Kincaids neuer Vorgesetzter, Detective Chief Superintendent Faith, war offenbar nicht so zufrieden mit ihm.

Sowohl Jasmine Sidana als auch Simon Gikas waren schon vor ihm da. Kaum hatte Kincaid die Einsatzzentrale betreten, da deutete Gikas schon mit einer Kopfbewegung zu den oberen Etagen. »Der Boss will Sie sprechen.«

»Können wir ihm irgendetwas Neues sagen?«

Gikas schüttelte den Kopf. »Rein gar nichts, Chef. Wir versuchen immer noch, irgendeine Spur von diesem Ryan Marsh zu finden, aber er scheint wie vom Erdboden verschluckt.«

»Wo ist Sweeney?«

»Klagt immer noch über eine Sehnenzerrung, Sir«, antwortete Sidana.

»Na gut.« Kincaid ging wieder hinaus und fuhr mit dem Aufzug hinauf zu Faiths Büro.

Die Vorzimmerdame des Chief Super war nicht am Platz. Als Faith Kincaid erblickte, stand er auf und bat ihn selbst in sein Büro.

»Sagen Sie mir bitte, dass Sie in dieser Geschichte Fortschritte gemacht haben«, begann Faith ohne Vorrede, nachdem Kincaid Platz genommen hatte. »Wir mussten den Namen des Opfers an die Presse herausgeben, nachdem wir eine wahrscheinliche Identifizierung haben und auch die Angehörigen bereits informiert sind. Glauben Sie, dass dieser dumme Junge sich absichtlich verbrannt hat?« Er schüttelte den Kopf. »Ich habe selbst Söhne im Studieralter. Ich will mir gar nicht vorstellen, was seine Eltern durchmachen müssen.«

»Nein, Sir.« Kincaid rutschte unbehaglich auf seinem Stuhl hin und her. Er war zu niedrig für ihn, sodass seine Knie in die Luft standen, und er fragte sich, ob Faith den Stuhl absichtlich für ihn ausgesucht hatte. Aber im Gegensatz zu Chief Superintendent Denis Childs schien ihm Faith eher der offene und direkte Typ zu sein, wenn auch vielleicht mit Defiziten, wenn es um Inneneinrichtung oder ergonomische Möbel ging. »Nichts von dem, was wir bisher in Erfahrung bringen konnten, deutet darauf hin, dass Paul Cole selbstmordgefährdet war«, sagte er, »oder dass er sich als Märtyrer für irgendeine Sache betrachtete.

Das Mitglied der Gruppe, das die Rauchbombe zünden sollte, Ryan Marsh, ist offenbar verschwunden, aber wir haben nichts über seine Vorgeschichte finden können, und wir haben keinen Grund zu der Annahme, dass er Cole absichtlich getötet haben könnte.«

»Was ist mit dem Anführer, diesem Quinn? Könnte er ein Motiv gehabt haben, Marsh oder auch Cole nach dem Leben zu trachten?«

»Das scheint die aussichtsreichere Spur zu sein. Wir haben herausgefunden, dass Matthew Quinns Vater der Hauptanteilseigner von King's Cross Development ist, der Firma, der nicht nur das Gebäude gehört, in dem Quinn mit seiner Gruppe wohnt, sondern die auch in just die Art von Projekten involviert ist, gegen die Quinn so lautstark protestiert hat. Und Quinn wird von seinem Vater finanziell unterstützt. Es könnte sein, dass Marsh das herausgefunden und gedroht hat, Matthew Quinns Vater zu verraten, was sein Sohn so trieb.«

»Sie glauben, dass Quinns Vater nichts davon wusste?«, fragte Faith und zog eine Braue hoch.

»Ich habe nach dem Mittagessen ein Gespräch mit ihm – mal sehen, was dabei herauskommt.«

Faith lehnte sich in seinem Sessel zurück und seufzte. »Es würde die Sache sicher erleichtern, wenn sich herausstellen sollte, dass der Junge Selbstmord begangen hat.«

Kincaids Nackenhaare sträubten sich. Er hatte schon einmal so einen Satz gehört, der mit »Es würde die Sache sicher erleichtern …« begonnen hatte. Damals hatte ihm der Wink mit dem Zaunpfahl nicht gefallen, und jetzt gefiel er ihm noch weniger.

Er hatte Thomas Faith als ehrlichen und bodenständigen Polizisten eingeschätzt, doch er traute seinem eigenen Urteil nicht mehr. Er konnte nur hoffen, dass Faith die Bemerkung ganz wörtlich und nicht als versteckte Anweisung gemeint hatte.

»Nun«, sagte Faith, »treten Sie Mr Quinn nicht auf den Schlips, aber tun Sie, was Sie tun müssen. Haben Sie sich mit dem SO15 verständigt?«

»Nicht mehr, seit sie sich aus der Ermittlung zurückgezogen haben, nein.«

»Tun Sie es. Wir haben es hier möglicherweise mit Schlimmerem als Mord zu tun.«

Kincaid wartete darauf, dass Faith fortfuhr.

»Was ist, wenn Matthew Quinn tatsächlich geglaubt hat, eine Rauchbombe zu kaufen? Und dieser Ryan Marsh das, was *er* für eine Rauchbombe hielt, an Paul Cole weitergegeben hat? Alles in gutem Glauben.«

»Sie wollen also andeuten, dass der Mann, von dem Quinn

die Rauchbombe gekauft hat, ihm stattdessen eine Phosphor-granate angedreht hat« – Kincaid brauchte einen Moment, um den Gedanken zu verarbeiten – »und zwar vorsätzlich?«

»Ganz genau«, antwortete Faith. »Und wer weiß, was dieser Mensch noch alles hat oder im Schilde führt. In diesem Fall hätten wir ein ganz gewaltiges Problem. Ich will, dass Sie herausfinden, wer Matthew Quinn diese Granate verkauft hat. Und wenn Sie das getan haben, setzen Sie sich mit dem SO15 in Verbindung.«

»Sir«, sagte Kincaid.

»Sie lassen mich wissen, was Sie von Quinn senior erfahren haben?«

»Ja, Sir.« Kincaid interpretierte die Bemerkung als Signal, dass das Gespräch beendet war, und stand auf. Er ging bereits im Kopf die Möglichkeiten durch. »Ich kümmere mich darum.«

»Kincaid.« Faith hielt ihn zurück, ehe er die Tür erreicht hatte. »Ich weiß, dass Sie es gewohnt waren, Ihr eigener Herr zu sein. Aber wir sind hier nicht bei Scotland Yard, und ich erwarte regelmäßige Lageberichte.«

»Ja, Sir.« Kincaid wartete.

»Wie klappt eigentlich die Zusammenarbeit mit Ihrem neuen Team?«

»Wunderbar«, antwortete Kincaid, und er stellte zu seiner Überraschung fest, dass er es – mit einer Ausnahme – auch so meinte. Aber er war nicht bereit, Detective Constable George Sweeney ans Messer zu liefern.

Noch nicht.

Er hatte gerade Faiths Büro verlassen, als sein Handy klingelte. Es war Gemma.

»Hallo, Schatz«, sagte er, während er die Treppe zur Einsatz-zentrale hinuntertrabte. »Ist alles in Ordnung?«

»Der Astra springt nicht an. Wir haben versucht, ihm mit dem Escort Starthilfe zu geben, aber es tut sich nichts.«

Kincaid stöhnte. Es kam aber auch immer alles zusammen. »Dann müssen wir ihn mal anschauen lassen, aber vor Montag wird das niemand machen.« Der alte Kombi war, wie ihm jetzt einfiel, schon seit ein paar Tagen ein wenig schwerfällig gewesen, aber er hatte es auf die Kälte geschoben.

»Kit hat mal einen Blick unter die Haube geworfen, aber damit ist er ein bisschen überfordert, der Ärmste.«

Als Kincaid so alt war wie Kit jetzt, hatte er schon die wichtigsten Reparatur- und Wartungsarbeiten bei ihrem Auto selbst durchführen können, doch sein Geschick war aus der Not geboren. Sie hatten auf dem Land gelebt, sein Vater war bekannt dafür, dass er zwei linke Hände hatte, und wenn die Familienkutsche nicht ansprang, bedeutete das einen Fußmarsch von fünf Meilen in die Stadt. »Ich muss ihm mal ein paar Sachen beibringen«, sagte er, »aber könnt ihr jetzt erst mal mit dem Escort zu deinen Eltern fahren?«

»Also, wir haben uns gedacht, da sowieso kein Platz für die Hunde ist, könnten wir einfach die U-Bahn nehmen. Die Kinder wollen mal sehen, wo du arbeitest. Ich weiß, dass du einen Termin hast, aber gibt es vielleicht bei dir in der Nähe ein kinderfreundliches Lokal, wo wir uns zu einem frühen Mittagessen treffen können?«

Sie würden die Central Line von Holland Park nach Leyton nehmen, und die führte über Holborn. Kincaid sah auf seine Uhr. Er könnte einen schnellen Lunch einschieben, wenn es nicht zu lange dauerte und er danach noch rechtzeitig zu seinem Termin mit Lindsay Quinn in St. Pancras käme. »Es gibt da ein kleines Café drüben in der Great Ormond Street. Es heißt Tutti oder so ähnlich. Aber kommt einfach zuerst aufs Revier, dann kann ich euch eine kleine Führung geben.«

Der Wetterumschwung verstärkte seine Unruhe noch. Der Tag war mit einer verschleierten Sonne angebrochen, und der brutale Wind hatte sich gelegt. Auf der Insel war es geradezu unheimlich still. Zum ersten Mal registrierte er bewusst das Flattern und Rascheln der Vögel in den Bäumen und ein fernes Zwitschern.

Kurz nach Tagesanbruch hatte er zwei Barsche gefangen, hatte sie ausgenommen und auf der Glut seines heruntergebrannten Feuers zum Frühstück gegart. Aber irgendwie machten der Geruch und der Geschmack von frisch zubereitetem Essen seine Isolation noch weniger erträglich als zuvor.

Die Tage waren nur so an ihm vorübergezogen, doch während er aufräumte, wurde ihm bewusst, dass heute Samstag war. Das hieß, dass vielleicht Menschen auf dem Fluss unterwegs wären, auch wenn es noch sehr kalt war. Ruderer, Fischer, eventuell auch Kajakfahrer mit Neoprenanzügen. Deshalb ließ er das Feuer ausgehen – es sollte auch nicht die kleinste Rauchfahne über den Bäumen zu sehen sein – und sammelte noch mehr Zweige und totes Holz, um sein kleines Lager zu tarnen.

Danach konnte er nichts weiter tun, als still dazusitzen, den Fluss durch eine kleine Lücke zwischen den Bäumen zu beobachten und nachzudenken. Und er hatte das Gefühl, dass er zum ersten Mal seit Monaten in Ruhe nachdenken konnte. Die letzten Tage hatten eine unerwartete Klarheit gebracht.

Wie hatte er auch nur für einen Moment glauben können, Wren hätte Selbstmord begangen? Er kannte sie doch. Er kannte sie besser, als er je einen Menschen gekannt hatte. Sie hatte das Leben geliebt, mit allem, was dazugehörte. Und sie hatte ihn geliebt.

Hatte Uncle sie als Strafe für sein Versagen in Henley getötet? Oder als Warnung, um ihm zu demonstrieren, was seiner Familie zustoßen könnte, wenn er nicht kooperierte?

Ariel war dort gewesen, aber sie hatte Wren nicht mit eigenen Augen springen sehen. War Wren gestoßen worden? Oder – hatten sie

Wren irgendwie davon überzeugt, dass sie um seinetwillen ein Opfer bringen musste?

Im Manipulieren waren sie weiß Gott gut.

Er stocherte mit einem Stecken in der Asche herum. Es waren noch Glutnester darunter.

Ob es Christie und den Kindern gut ging? Er sehnte sich so danach, sie zu sehen, seine Töchter im Arm zu halten und den sauberen, süßen Duft ihrer Haare und ihrer Haut einzuatmen und seinen braven alten Hund zu tätscheln.

Aber wie konnte er das tun? Wenn Uncle für diese Sache verantwortlich war, und wenn sie inzwischen herausgefunden hatten, dass er nicht das Opfer war, dann würden sie sein Haus observieren, seine Familie. Was in drei Teufels Namen sollte er tun? Er könnte ins Ausland gehen – er hatte genug Geld und einen falschen Pass. Aber was dann? Er würde Christie ohne Unterstützung zurücklassen, und was sollte aus ihm selbst werden? Er war nie etwas anderes gewesen als Polizist, hatte nie etwas anderes sein wollen.

Und so hatten sie ihn gekriegt, vor all den Jahren. Es war seine erste verdeckte Operation bei Thames Valley gewesen. Jemand hatte ihre Identitäten auffliegen lassen. Sein Partner und Vorgesetzter war niedergestochen worden, und alle Bluttransfusionen hatten ihn nicht retten können. Danach hatte es angefangen mit den verstohlenen Blicken, dem Geflüster. Im Pub wichen seine Kollegen ihm aus. Er hörte, wie sie hinter seinem Rücken tuschelten, es fielen Worte wie »Verräter« und »Feigling«. Als er schließlich einen der Flüsterer zur Rede gestellt hatte, war er so wütend geworden, dass er den anderen Polizisten ins Gesicht geschlagen hatte. Das war der Vorwand gewesen, den seine Vorgesetzten noch gebraucht hatten, um ihn zu suspendieren.

Während seiner erzwungenen Auszeit waren eines Tages Männer aus London zu ihm nach Hause gekommen und hatten um ein Gespräch gebeten. Sein Ruf sei ruiniert, hatten sie gesagt, ob es nun seine Schuld sei oder nicht. Niemand in der Truppe würde noch mit ihm arbeiten wollen. Aber sie hätten einen anderen Job für ihn, der ihm einen Neuanfang ermöglichte. Und er wäre immer noch Polizist.

Jetzt wusste er, er hätte sie wegschicken sollen, ganz gleich, welche Folgen es gehabt hätte.

Kincaid traf sich mit Gemma und den Kindern im Empfangsbereich des Reviers. Er hatte sie gerade der Diensthabenden vorgestellt, als Toby sagte: »Ich will sehen, wo du arbeitest. Dürfen wir?«

»Bedaure, nein. Super-duper-geheim und nur für Erwachsene.« Das Whiteboard in der Einsatzzentrale war mit Fotos von Paul Coles verkohltem Leichnam gepflastert. Ganz bestimmt kein Anblick für kleine Kinder.

»Ich will durch die Scheibe gucken«, sagte Charlotte und zeigte auf den Empfangsschalter.

»*Das* können wir einrichten, Schatz.« Kincaid hatte sie gerade hochgehoben, als Jasmine Sidana zum Haupteingang hereinkam. Sie hatte das Haus verlassen, als Kincaid bei Chief Superintendent Faith gewesen war – um nach Sweeney zu sehen, wie Simon Gikas Kincaid erklärt hatte.

Ihre Gewittermiene ließ darauf schließen, dass sie nicht gerade erbaut war von dem, was sie vorgefunden hatte. Sie blieb abrupt stehen, als sie Kincaid erblickte. »Sir? Ist alles in Ordnung?«

Er lächelte. »Detective Inspector Sidana, das ist meine Frau, Detective Inspector Gemma James. Und das ist Kit …« Er wies auf seinen Sohn.

Kit gab ihr die Hand. »Angenehm!« Erika hatte ihm offensichtlich Benimmunterricht erteilt.

»Und das ist Toby«, fuhr Kincaid fort.

»Ich bin sechs«, klärte Toby sie auf. »Auch angenehm!«, imitierte er sodann seinen Bruder.

Sidana schüttelte auch ihm feierlich die Hand.

»Und das ist Charlotte.« Charlotte lächelte und barg dann schüchtern ihren Kopf an Kincaids Schulter. »Die Herrschaften entführen mich für eine halbe Stunde. Wenn ich wieder da bin, können Sie mir erzählen, was Sweeney ausgefressen hat.«

Er warf noch einmal einen Blick über die Schulter, als er seine Familie nach draußen führte. Sidana stand mitten im Empfangsbereich und starrte ihnen vollkommen perplex nach.

Kincaid kam sich ein bisschen vor wie der Rattenfänger von Hameln, als er seine Familie die Straße entlangführte und immer mal wieder ein Kind weiterscheuchen musste, das vor einem Schaufenster hängen geblieben war.

»Das ist deine DI?«, sagte Gemma halblaut zu Kincaid, während sie nebeneinander hergingen. »Sie sah ja alles andere als begeistert aus. Worum ging es eigentlich?«

»Hoffentlich ausnahmsweise nicht um mich. Aber ich glaube, der DC kann sich schon mal warm anziehen.«

Sie erreichten das Lokal, ein freundliches Café an der Ecke Lamb's Conduit Street, gegenüber dem Great Ormond Street Hospital. Indem er sich einen Stuhl auslieh und die beiden Jungs an den erhöhten Fenstertisch platzierte, gelang es Kincaid, sie in dem gut besuchten Lokal alle mit Sitzplätzen zu versorgen. Es waren noch andere Familien mit Kindern dort, und mehrere Kinderwagen verstellten den ohnehin schon beengten Raum.

»Ihr müsst euch schnell entscheiden«, mahnte er die Kinder. Er wusste, dass insbesondere die Kleinen sich ewig Zeit lassen würden, wenn man sie gewähren ließe. »Charlotte und Toby, wie wär's mit einem Schinken-Käse-Sandwich mit Gürkchen?«

»Können wir Orangina haben?«, fragte Toby.

»Könnt ihr. Und du, Kit?«

»Ich will heiße Schokolade«, meldete sich Charlotte. Kincaid nahm ihre kalten Hände in seine und rieb sie. »Gute Idee. Das wird dich aufwärmen. Kit?«

Kit studierte noch die Speisekarte, doch er sagte: »Ich nehme den Hummus-Feta-Wrap mit Gurke und Minze. Und kann ich einen Milchkaffee haben?«

Kincaid musste ein Grinsen unterdrücken. Kit und seine Freunde trafen sich neuerdings immer in Cafés, und Kit gab sich redlich Mühe, Geschmack an Kaffee zu finden. Kincaid vermutete, dass er viel lieber eine heiße Schokolade getrunken hätte.

»Ein Sandwich mit Krebsfleisch und Rucola für mich«, sagte Gemma. »Und ich nehme auch einen Milchkaffee.« Sie zwinkerte Kit zu.

»Und Thunfisch für mich.« Kincaid klappte die Speisekarte mit einem Knall zu. »Bleibt sitzen, ich geh bestellen. Und passt auf, dass mir niemand den Stuhl klaut.«

Als er an den Tisch zurückkam, zupfte Toby ihn am Ärmel. »Wir gehen ins Ballett. Morgen. MacKenzie nimmt uns zur … Matinee mit.« Er kämpfte ein wenig mit dem schwierigen Wort.

»Es ist *Dornröschen*«, warf Charlotte ein, die vor Aufregung auf ihrem Stuhl wibbelte. »Ich will die Prinzessin sein.«

»Du kannst nicht die Prinzessin sein, du Dussel. Du bist noch zu klein, und außerdem spielst du gar nicht mit. Und sie schläft sowieso die ganze Zeit. Laaangweilig.« Toby rollte die Augen.

»Benimm dich, Toby«, sagte Gemma. »Du sollst deine Schwester nicht beschimpfen.«

Kincaid sah Gemma fragend an. »Ich dachte, ihr wolltet morgen bei Erika zu Mittag essen?«

»Kit und ich gehen auch hin. MacKenzie hat gerade noch in letzter Minute Eintrittskarten für die Kinder ergattern können.«

Während ihre Getränke gebracht wurden, warf Kincaid Gemma einen amüsierten Blick zu. Er kannte MacKenzie Williams. Wenn sie beschlossen hatte, dass die Kinder ins Ballett gehen sollten, dann waren natürlich auf wundersame Weise auch noch Eintrittskarten aufgetaucht. Er hatte den Verdacht, dass sie irgendetwas ausheckte, und da Charlotte von der Ballettstunde nicht so begeistert gewesen war, hatte MacKenzies Plan wohl etwas mit Toby zu tun.

Gemma hob nur leicht die Schultern und gab ihm damit zu verstehen, dass sie das Gleiche dachte. »Ich habe Erika gesagt, dass ich nicht weiß, ob du zum Mittagessen kommen kannst«, sagte sie.

»Sieht nicht danach aus«, antwortete er, als ihre Sandwiches kamen.

Er brauchte dringend einen Durchbruch in diesem Fall. Doug hatte sich noch nicht mit neuen Informationen zu Ryan Marlowe oder dem vermissten Mädchen gemeldet, und sein Team hatte auch nichts zutage gefördert, was ihm weitergeholfen hätte, bis auf die Verbindung zwischen Matthew und Lindsay Quinn. Sobald er mit Lindsay Quinn gesprochen hätte, würde er sich Matthew vorknöpfen und ihn nach dem Verkäufer der Granate ausquetschen.

»Dad, du hörst ja gar nicht zu.« Es war Kit, und er klang gekränkt. »Ich will mich mit ein paar Freunden im Starbucks treffen, wenn wir aus Leyton zurück sind. Gemma hat gesagt, ich soll dich fragen.«

»Ich wüsste nicht, was dagegenspricht. Das heißt, wenn du den am Holland Park …« Kincaid brach ab, als die Tür des Cafés aufging und Ariel Ellis eintrat. Sie blieb unschlüssig am

Eingang stehen, bis Kincaid aufsprang und auf sie zueilte, um sie zu begrüßen.

»Ariel? Geht es Ihnen gut? Was tun Sie hier?«

»Es tut mir so leid. Ich wollte Sie nicht stören.« Sie errötete und strich sich das feine Haar aus dem Gesicht. »Es ist nur – ich wollte aufs Revier kommen, um mit Ihnen zu sprechen und mich für gestern zu entschuldigen, und da habe ich Sie durchs Fenster gesehen. Ich warte dann auf dem Revier.«

»Nein, kommen Sie und setzen Sie sich.« Er fasste ihren Ellbogen und führte sie an den Tisch. »Das ist Ariel. Sie hat uns … bei einer Ermittlung geholfen.« Er stellte Gemma und die Kinder vor und fügte dann hinzu: »Kann ich Ihnen etwas bringen? Ein Sandwich? Etwas zu trinken?«

Ariel lächelte sie schüchtern an. »Nichts zu essen, danke. Aber ich nehme gerne eine heiße Schokolade.«

»Ich hol sie.« Kit sprang auf und ließ sein halb aufgegessenes Sandwich auf dem Teller liegen. »Mit Sahne?«

Sie schüttelte den Kopf. »Nein, danke, ohne alles.« Ihre blasse Haut schien sich über ihren Wangenknochen zu spannen, und Kincaid hatte den Eindruck, dass sie seit gestern noch abgenommen hatte.

Er überbrückte die peinliche Pause, indem er ihr einen Stuhl von einem anderen Tisch holte. Als sie sich gesetzt hatte, kam auch schon Kit mit der Schokolade zurück, die er so formvollendet servierte, als ob er Oberkellner im Savoy wäre. Sie dankte ihm mit einem Lächeln, und Kit schaffte es tatsächlich, wieder zu seinem Hocker zurückzugehen, ohne über irgendetwas zu stolpern.

»Bitte«, sagte Ariel, »lassen Sie sich durch mich nicht vom Essen abhalten. Gibt es einen besonderen Anlass?«

»Unser Auto ist nicht angesprungen, und da mussten wir die U-Bahn nehmen«, erklärte Toby mit vollem Mund.

Kit strafte ihn mit einem bösen Blick und erklärte: »Dad hat uns heute seinen Wagen überlassen, damit wir die Hunde zum Besuch bei unseren Großeltern in Leyton mitnehmen können. Aber heute früh ist er nicht angesprungen. Ich glaube, es ist die Lichtmaschine«, fügte er hinzu, in einem Ton, als ob er ein Auto im Schlaf auseinandernehmen könnte.

»Ihr habt Hunde?«, fragte Ariel. »Welche Rassen? Ich liebe Hunde.«

»Ich habe eine Terrierhündin namens Tess. Wir sind allerdings nicht sicher, welche Art Terrier. Sie ist mir zugelaufen. Und wir haben einen Cockerspaniel namens Geordie. Er ist ein Blau…«

»Wir haben auch eine Katze«, redete Toby dazwischen. »Sie heißt Xena. Und sie hat Junge! Wir haben sie gerettet. Sie waren in einem Schuppen im Garten, und sie wären fast *erfroren*! Wir mussten die Tür aufbrechen.«

Kincaid zerraufte Toby die Haare. »Das sollst du doch niemandem erzählen, Sportsfreund.«

»Das war wirklich mutig von euch«, sagte Ariel zu Toby, aber mit einem Seitenblick zu Kit, der darauf gleich rot wurde.

»Ich habe die Zettel heute Morgen abgenommen«, sagte Kit ein wenig trotzig. »Bryony hat gesagt, es wäre in Ordnung.«

»Bryony ist unsere Tierärztin«, erklärte Gemma. »Die Katze war nicht gechippt, aber Bryony sagte, wir sollten in den ersten Tagen in der Nachbarschaft Zettel aufhängen für den Fall, dass jemand nach ihr sucht.«

Ariel machte ein betrübtes Gesicht. »Ich hatte nie eine Katze. Meine Mutter war allergisch, und wir haben einfach nie …«

An Kits Miene konnte Kincaid ablesen, dass ihm die Vergangenheitsform aufgefallen war. Um zu verhindern, dass das

Gespräch in diese Richtung driftete – zumal, da Charlotte mit am Tisch saß –, sagte Kincaid schnell: »Wie ich sehe, gibt es hier Smoothies. Hat jemand Lust auf eine besondere Leckerei?«

»Ich!« Tobys Hand schoss in die Höhe.

»Ich«, echote Charlotte.

Kit zögerte, und Kincaid vermutete, dass er hin- und hergerissen war, weil er einerseits gerne abgelehnt hätte, um cool und erwachsen zu wirken, aber andererseits wirklich Lust auf einen Smoothie hatte.

Kincaid zog seine Brieftasche hervor und drückte Kit ein paar Scheine in die Hand. »Ich schlage vor, jeder sagt, was er will, und du bestellst dann«, sagte er. »Ariel, möchten Sie auch einen?«

Sie schüttelte den Kopf. »Nein, vielen Dank.«

Während Kit die Kleinen zum Tresen mitnahm, wandte Ariel sich zu Gemma um. »Sie haben eine wunderbare Familie. Danke, dass Sie mich so mit einbeziehen.«

Gemma lächelte und legte ihr die Hand auf den Arm. »Ich danke *Ihnen*. Aber manchmal ist es schon ganz schön anstrengend mit den Kleinen.« Mit leiserer Stimme fügte sie hinzu: »Übrigens, mein herzliches Beileid. Duncan hat es mir erzählt.«

Ariels Augen füllten sich mit Tränen. »Ich kann es immer noch nicht glauben«, sagte sie mit zitternder Stimme. Sie atmete durch und wandte sich Kincaid zu. »Ich habe etwas gefunden. Das ist der andere Grund, weshalb ich zu Ihnen wollte. Es war in meinem Postfach an der Uni. Eine Nachricht von Paul. Ich weiß nicht, ob das irgendetwas zu bedeuten hat.« Sie wollte in ihre Tasche greifen, doch Kincaid schüttelte bereits den Kopf.

»Wir schauen uns das auf dem Revier an, einverstanden?«

»Geht nur«, sagte Gemma zu Kincaid, während er den letzten Bissen seines Sandwichs verzehrte. »Ihr beide müsst reden. Ich kümmere mich hier um alles. Wir sollten uns sowieso langsam auf den Weg nach Leyton machen. Ich habe Dad versprochen, ihm im Laden zu helfen, weil doch am Samstagnachmittag immer Hochbetrieb ist.«

»Gut.« Kincaid dankte ihr mit einem Blick. Als die Kinder mit ihren Smoothies zurückkamen, stand er auf und sagte: »Ariel und ich müssen auf dem Revier etwas besprechen.« Er hob Charlotte hoch, um sie zu knuddeln, tätschelte Toby den Kopf und winkte Kit zu. »Wir sehen uns heute Abend.« Nachdem er Gemma noch einen flüchtigen Kuss auf die Wange gegeben hatte, führte er Ariel hinaus.

Während sie in Richtung Revier gingen, fragte sie: »Sie erzählen Ihrer Frau von Ihren Fällen?«

»Sie ist auch bei der Polizei. Detective Inspector. Also, dann zeigen Sie mir mal diese Nachricht.«

Ariel griff in ihre Handtasche und gab ihm ein Blatt Papier, das aussah, als wäre es aus einem billigen Notizbuch gerissen worden.

Die Handschrift war kaum leserlich, aber es gelang Kincaid, die Worte zu entziffern, die quer über die Seite gekritzelt waren.

Es wird euch allen noch leidtun.

19

In den ersten zwei Jahren nach Erteilung der Genehmigung für die Bahnstrecke nach London hatte die Gesellschaft ihre gesamten Anstrengungen auf den Bau der Gleise von Bedford nach London sowie der Bahnhofshalle konzentriert, was die erste Voraussetzung für die Aufnahme von Passagieren in St. Pancras war. Es fehlten noch die Schalterhallen, die Warteräume und andere erforderliche Einrichtungen und auch das Hotel, das die Fassade des Bahnhofs zur Euston Road hin bilden sollte.

Jack Simmons und Roger Thorne, *St. Pancras Station*, 2012

»Haben Sie eine ungefähre Vorstellung, wie lange diese Nachricht schon in Ihrem Postfach gelegen haben könnte?«, fragte Kincaid Ariel, nachdem er ihr im Besprechungsraum des Reviers einen Platz angeboten hatte.

»Ich hatte nicht mehr hineingeschaut, seit … es passiert ist«, antwortete sie. »Ich glaube, ich habe am Tag davor nachgesehen, aber ich bin mir nicht sicher. Normalerweise ist da nichts Wichtiges drin, nur Uni-Flyer und dergleichen, also schau ich nur rein, wenn ich im Gebäude bin und zufällig mal daran denke.«

»Aber Paul wusste, wo es war?«

Ariel nickte. »Natürlich. Er hatte auch eins, und unsere Namen stehen dran.«

Kincaid nahm sich vor, beim Suchteam nachzufragen, ob sie auch Paul Coles Postfach überprüft hatten. Er sah wieder auf das Blatt, das nun in einer Plastikhülle steckte. »Und Sie sind sicher, dass das hier Pauls Handschrift ist?«

»Das kann niemand sonst geschrieben haben. Pauls Handschrift ist – war – fürchterlich. Ich habe nie verstanden, warum er ein Tagebuch auf Papier geführt hat. Er redete immer davon, dass Samuel Pepys' Tagebuch für die Nachwelt erhalten geblieben ist, während die Aufzeichnungen über das Leben von heute – E-Mails und SMS – irgendwann einfach im Äther verschwinden würden. Wie das verschwindende historische London, denke ich mir.«

»Er hat also ein Tagebuch geführt?«, fragte Kincaid und behielt für sich, dass er das bereits wusste. Er fragte sich, warum Paul Cole geglaubt hatte, dass irgendjemand in ein- oder zweihundert Jahren sein Gekritzel überhaupt würde lesen *wollen*. Andererseits, warum hatte Sam Pepys geglaubt, dass künftige Generationen sich für seine Verdauungsprobleme und sonstige intime Details interessieren würden?

»Ja«, antwortete Ariel. »So ein billiges schwarzes.«

»Haben Sie eine Ahnung, was damit passiert ist?«

»Es war nicht in seinem Zimmer? Oder in seinem Ruck… O Gott.« Sie vergrub das Gesicht in den Händen. »Ich kann nicht … Ich mag gar nicht daran denken …«

»Tun Sie es nicht«, sagte Kincaid. »Es bringt nichts, wenn Sie versuchen, es sich vorzustellen, damit quälen Sie sich nur. Halten Sie es für möglich, dass er die Nachricht am Tag des … Zwischenfalls in Ihr Fach gelegt hat?«

»Ich weiß es nicht.« Ariel schien wieder den Tränen nahe.

»Dann erzählen Sie mir doch, was an dem Tag genau passiert ist. Sie sagten, Sie und Paul hätten gestritten. Wo war das? In Matthews Wohnung?«

»Da fing es an, ja. Aber dann sind wir in sein Zimmer an der Uni zurückgegangen.«

»Und?«

Ariel hüllte sich fester in ihre gefütterte Jacke und fuhr fort: »Es ging damit los, dass ich ihm sagte, er solle das bleiben lassen – Matthew wegen der Rauchbombe in den Ohren zu liegen, meine ich. Ich sagte ihm, es sei dumm und seine Eltern, mein Vater und ich wären stinksauer auf ihn, wenn er ins Gefängnis müsste. Und dann …«

Kincaid wartete.

»Dann … dann fing er damit an, dass das mit der Fehlgeburt meine Schuld sei. Als ob ich irgendetwas dafür könnte. Und ich sagte, wie hätten wir denn für ein Kind sorgen wollen und wieso sollte ich ein Kind mit jemandem haben wollen, der so etwas Dummes macht wie eine Rauchbombe in einem Bahnhof zu zünden?« Ariel holte tief Luft. »Ich habe es nicht gewollt. Aber ich war so wütend. Ich habe gezittert.«

»Was haben Sie getan?«, fragte Kincaid.

»Ich bin gegangen. Ich glaube, er hat hinter mir noch etwas gegen die Tür geworfen. Ich habe … ich habe ihn nie wiedergesehen.« Sie presste die Lippen zusammen und kämpfte gegen die Tränen an. »Wenn ich nicht …«

»Hören Sie auf«, sagte Kincaid bestimmt. »Sie sind nicht verantwortlich für Pauls Entscheidungen. Und wir haben immer noch keine wirklich schlüssigen Erklärungen für das, was passiert ist.« Er stand auf. »Kommen Sie, ich begleite Sie hinaus. Fahren Sie nach Hause und ruhen Sie sich ein wenig aus. Und essen Sie etwas. Keine Ohnmachten mehr, okay?«

»Okay«, versprach Ariel und schenkte ihm ein etwas wackliges Lächeln.

Doch am Ausgang des Reviers drehte sie sich noch einmal um. »Ich mache mir solche Sorgen um Ryan. Niemand hat ihn gesehen. Was ist, wenn er glaubt, es sei seine Schuld?«

»Wir gehen dem nach. Nun machen Sie sich nicht zu viele

Gedanken. Wir sagen Ihnen Bescheid, wenn es irgendetwas Neues gibt.«

Nachdem er sich von Ariel verabschiedet hatte, betrachtete er noch einmal eingehend den Zettel, während er zur Einsatzzentrale zurückging. Er war immer noch nicht hundertprozentig sicher, dass Paul Cole die Absicht gehabt hatte, sich das Leben zu nehmen. »Es wird euch allen noch leidtun« konnte bedeuten, dass er Ryan dazu überredet hatte, ihn die Rauchbombe zünden zu lassen. Es konnte auch heißen, dass er die Gruppe verlassen würde, weil er sich zu wenig beachtet fühlte. Niemand schien ihn sonderlich gemocht zu haben, den armen Kerl. Und alle hatten Ryan gemocht.

Und wo zum Teufel steckt Ryan?, fragte er sich wohl zum hundertsten Mal.

In der Einsatzzentrale angekommen, wies er Simon an, den Zettel zu den Asservaten zu legen, und ging dann zu Sidanas Schreibtisch. Er erzählte ihr von der Nachricht und bat sie, eine Probe von Paul Coles Handschrift für einen Abgleich zu besorgen. Dann sagte er mit gedämpfter Stimme: »Dürfte ich erfahren, was Sweeney angestellt hat?«

Sie schien zu zögern, und er vermutete, dass sie fürchtete, Sweeneys Benehmen würde ein schlechtes Licht auf sie selbst werfen. Nach einer Weile antwortete sie widerstrebend: »Ich habe mit einem der Constables gesprochen und ihn gefragt, ob er Sweeney gesehen habe. Er meinte, heute noch nicht, aber am Donnerstag habe er beobachtet, wie Sweeney vor der Pressekonferenz draußen auf dem Parkplatz mit einem der Reporter sprach.«

Kincaid starrte sie an. »Sie glauben also, Sweeney hat der Presse verraten, dass wir Verdächtige in Gewahrsam hatten?«

Sie nickte. »Das wäre meine Vermutung.«

»Diese elende Tratsche.« Kincaid erinnerte sich mit einiger

Scham an seinen Verdacht, es könnte Sidana gewesen sein, die ihn bei seiner ersten Pressekonferenz in seiner neuen Dienststelle schlecht aussehen lassen wollte.

»Und ich glaube, seine Entschuldigung, warum er heute nicht zum Dienst kommen konnte, war gelogen«, fügte Sidana hinzu. »Ich werde mich im Fitnessstudio erkundigen. Er hatte zwar keine offizielle Anweisung, zum Dienst zu erscheinen, aber wir gehen doch alle davon aus, dass wir gebraucht werden, wenn eine wichtige Ermittlung im Gang ist.«

»Lassen Sie mich wissen, was Sie herausfinden«, sagte Kincaid. Er wollte die Sache ungern vor Faith bringen, aber er wollte auch niemanden im Team haben, dem er nicht vertrauen konnte, und seien die Gründe auch noch so banal.

»Sir«, rief Sidana ihn zurück, als er sich schon zum Gehen wandte. »Kann ich Sie kurz sprechen? In Ihrem Büro?«

»Natürlich.« Nach einem Blick auf die Uhr ging er voran und forderte sie auf, Platz zu nehmen.

»Nein, es … es dauert nur einen Moment.« Es war das erste Mal, dass er Jasmine Sidana unsicher erlebte. »Es ist etwas Persönliches«, fuhr sie fort, »und ich habe eigentlich kein Recht, Sie das zu fragen.«

Jetzt war er neugierig. »Fahren Sie fort.«

Sidana trat von einem Fuß auf den anderen und verschränkte die Hände vor dem Bauch. »Ich wusste ja nicht, dass Ihre Frau auch im höheren Polizeidienst ist«, platzte sie heraus. »Sie haben – eine sehr nette Familie, denke ich. Aber Ihre Tochter – Ihr kleines Mädchen – sie ist …«

»Charlotte ist unsere Pflegetochter. Sobald das Jugendamt uns grünes Licht gibt, werden wir das offizielle Adoptionsverfahren einleiten. Charlotte hat letztes Jahr ihre Eltern verloren.« Mehr wollte er nicht sagen, jedenfalls nicht gegenüber Menschen, die Charlotte nicht sehr nahestanden.

»Aber ich dachte, das Jugendamt vermittelt farbige Kinder nicht an weiße Familien.«

»Unsere Ansprechpartnerin im Jugendamt hat uns gesagt, dass die Vorschriften da etwas gelockert wurden. Und es spielen noch andere Faktoren eine Rolle.«

»Oh«, sagte Sidana und runzelte die Stirn. »Na, dann viel Glück, Sir. Und danke.«

Kincaid sah ihr nach, als sie zu ihrem Schreibtisch zurückging, und er stellte sich drei Fragen: Warum hatte sie überhaupt gefragt, warum hatte sie die Stirn gerunzelt und wofür hatte sie ihm gedankt?

Kincaid hielt in der Theobald's Road ein Taxi an. Es hatte zu regnen begonnen, ein feines, kaltes Nieseln, und außerdem hatte er nicht die Zeit, zu Fuß nach St. Pancras zu gehen. Er bezahlte gerade vor dem Renaissance Hotel den Fahrer, als sein Handy klingelte. Er hätte es beinahe ignoriert, doch dann sah er, dass es Doug war, und nahm den Anruf an, während er auf das bogenförmige Eingangsportal des Hotels zulief.

»Sie hat sich vor den Zug geworfen«, sagte Doug.

»Was?« Kincaid hielt sich mit der anderen Hand das Ohr zu, um den schlimmsten Verkehrslärm auszublenden.

»Dieses Mädchen, nach dem du gefragt hast. Es war ein Schienensuizid.«

»Ein Schienensuizid? Gütiger Himmel.« Kincaid dachte an das Mädchen auf dem Foto, und ihm wurde ganz übel. Es gab nichts Schlimmeres als das. »Wo? Wann?«

»An Silvester. Westlich von London. An einer der Strecken, die nach Paddington reinführen.«

»Aber woher weißt du, dass sie es war?«, fragte Kincaid. Von einem Menschen, der sich vor einen Zug warf, blieb in der Regel nicht viel übrig.

»Ihr Gesicht war noch relativ unversehrt. Sie lag nur halb auf den Schienen.Vielleicht hatte sie es sich noch anders überlegt.« Doug räusperte sich. »Die Fotos willst du lieber nicht sehen, Chef.«

»Könnte es ein Unfall gewesen sein?«

»Nur wenn es zufällig ihr Hobby war, mitten in der Nacht auf Bahndämme zu klettern.«

»Und es haben sich keine Angehörigen oder Bekannten gemeldet, die sie identifizieren konnten?«

»Nein. Und es gab auch keine Vermisstenmeldung, die auf sie gepasst hätte.«

Warum hatte niemand aus der Gruppe sie als vermisst gemeldet?, fragte sich Kincaid. »Hör zu, ich muss jetzt Schluss machen. Ich treffe mich mit Matthew Quinns Vater. Kannst du schauen, ob du noch mehr zu Ryan Marsh alias Marlowe herausfindest?«

»Stets zu Diensten«, antwortete Doug und legte auf. Kincaid konnte sich ein Grinsen nicht verkneifen.

Doch es verging ihm gleich wieder, als er an das Mädchen dachte. Wren. Wusste die Gruppe, was ihr zugestoßen war? Sie hatten alle ausweichend geantwortet, wenn die Rede auf sie gekommen war.

Und gab es irgendeine Verbindung zwischen ihrem Tod und Paul Coles Eisenbahn-Begeisterung?

Er sah auf seine Uhr und schüttelte den Kopf. Das würde warten müssen.

Er nickte dem Portier zu, als er das Hotel betrat, und hielt dann einen Moment inne, um sich in der Eingangshalle umzuschauen. Er war zum ersten Mal seit der Wiedereröffnung hier. Die Renovierung war dem Entwurf des viktorianischen Architekten George Gilbert Scott durchaus gerecht geworden, dessen verglaste Eingangshalle Barlows spektakuläres

Hallendach im angrenzenden Bahnhof widerspiegelte. Selbst an diesem trüben Tag war der Raum von Licht durchflutet. Es war jetzt eine höchst elegante Lounge mit bequemen Sitzgruppen. Einige der Gäste, die hier bei Tee oder Cocktails zusammensaßen, machten einen extrem betuchten Eindruck, während andere eher nach erschöpften Touristen aussahen.

An der Rezeption fragte er nach der Booking Office Bar und wurde auf eine Tür zu seiner Rechten verwiesen.

Es dauerte einen Moment, bis seine Augen sich an das Dämmerlicht gewöhnt hatten. Der Kontrast war wirklich auffallend, aber es war eine glanzvolle Düsternis, die hier herrschte. Der Raum war früher die Schalterhalle des Bahnhofs St. Pancras gewesen, und die Restaurierung hatte den neugotischen Entwurf von George Gilbert Scott nicht nur erhalten, sondern sogar noch betont. Die dezente Einrichtung mit indirektem Licht und gemütlichen Sitzgruppen mit Tischen und Ledersesseln lenkte die Aufmerksamkeit auf Scotts dunkelrote Backsteinwände und die hohen Fenster, durch die das Licht von der Lobby auf der einen Seite und dem Bahnhof selbst auf der anderen fiel.

Der mittägliche Andrang war schon vorbei, aber in der Bar herrschte immer noch reger Betrieb. Die hohe Decke und die Backsteinwände verstärkten das Stimmengewirr und das Klappern von Besteck und Geschirr. Eine attraktive blonde Empfangsdame begrüßte Kincaid, und er sagte ihr, dass er mit Mr Lindsay Quinn verabredet sei.

»Oh, Mr Quinn, natürlich. Er erwartet Sie bereits.« Sie lächelte und führte ihn durch den ganzen Saal bis zu einem Tisch an der hinteren Wand, der hinter einem dekorativen Paravent verborgen war.

Kincaid hätte den Mann, der aufstand, um ihn zu begrüßen, auch ohne Vorstellung erkannt. Er hatte die gleiche auffällig hohe, langknochige Statur wie sein Sohn, allerdings ohne dessen gebeugte Haltung. Seine Haare, lockig wie bei Matthew, waren von ein paar grauen Strähnen durchzogen, und er strahlte ein unverkrampftes Selbstbewusstsein aus, das weit von Matthews dominant-aggressiver Selbstgefälligkeit entfernt war. Wie Kincaid trug er Jeans, doch sein sportliches Tweed-Sakko hatte modische Wildleder-Aufnäher an den Ellbogen, und Kincaid vermutete, dass es eine Maßanfertigung war.

»Mr Kincaid, nehmen Sie doch Platz.«

Als Kincaid sich in einen der Ledersessel setzte, sah er, dass auf dem Tisch eine Kanne Tee und zwei Tassen standen, dazu ein Krug mit Wasser und zwei Gläser mit einem auffälligen Ätzmuster.

Während Quinn wieder Platz nahm, sagte er: »Ich mag diesen Tisch, weil es hier hinten ruhiger ist. Da kann man sich wenigstens unterhalten. Ich habe Tee bestellt – um diese Tageszeit bevorzuge ich Ceylon –, aber wenn Sie lieber etwas anderes hätten?«

»Tee ist wunderbar«, antwortete Kincaid. »Mit einem Schuss Milch und ohne Zucker, danke.«

Quinn spielte den Gastgeber mit ausgesuchter Höflichkeit, doch der Blick, mit dem er Kincaid musterte, war durchdringend.

»Also, Mr Kincaid«, sagte er, während er Kincaid seine Tasse reichte, »nun erklären Sie mir doch einmal, warum ein hochrangiger Beamter der Metropolitan Police mit mir über meinen Sohn reden will.«

»Haben Sie mit Matthew gesprochen?«, fragte Kincaid zurück.

»Ich dachte mir, ich warte lieber das Gespräch mit Ihnen ab. Ich wäre ganz gerne vorbereitet.«

Kincaid rührte seinen Tee um, obwohl es nicht nötig gewesen wäre. »Wenn ich richtig informiert bin, sind Sie einer der Hauptanteilseigner der Gesellschaft, der das Gebäude gehört, in dem Matthew wohnt.«

»Das Gebäude soll demnächst saniert werden. Es ist besser, wenn es bis dahin bewohnt bleibt.« Quinn runzelte die Stirn. »Aber wieso interessiert sich die Polizei dafür? Ist in dem Haus etwas passiert?«

»Nicht in dem Haus, nein.« Kincaid nahm einen Schluck von seinem Tee. Eindeutig nicht aus einem Teebeutel, wie er sofort bemerkte. »Wussten Sie, dass Ihr Sohn sich in einer radikalen Protestgruppe gegen die Sanierung engagiert, Mr Quinn?«

»Radikal? Das ist ein bisschen übertrieben ausgedrückt, finden Sie nicht? Matthew ist ein heller Bursche, aber es fällt ihm ein bisschen schwer, im Leben Fuß zu fassen. Ich hielt es für das Beste, ihm etwas Zeit zu geben, damit er sich austoben kann. Die meisten jungen Männer machen so eine rebellische Phase durch.«

Durchaus richtig, dachte Kincaid, während er an seinem Tee nippte, nur dass diese rebellischen Phasen normalerweise nicht von den Eltern finanziert wurden.

»Matthew hat Bautechnik studiert«, fuhr Quinn fort, während er sich nachschenkte, »und er sorgt sich um die Erhaltung der historischen Bausubstanz von London. So wie ich auch. Ich hoffe, dass er sich für ein Architekturstudium entscheiden wird, wenn er ein wenig Zeit gehabt hat, darüber nachzudenken, und dass er seine Ideen dann nutzbringend in Taten umsetzen kann.«

»Dann durfte Matthew also in dem Haus wohnen und musste es als Gegenleistung in Schuss halten. Das klingt nach einer vernünftigen Regelung.«

»Das dachte ich auch. Ist heutzutage leider eine Notwendigkeit, angesichts der Gefahren durch Hausbesetzer und Vandalismus.« Quinns Miene war neugierig, aber immer noch entspannt. Kincaid war sich jetzt ziemlich sicher, dass Matthew mit seinen Sorgen *nicht* zum Herrn Papa gerannt war.

»War Ihnen bekannt, dass Matthew die Wohnung mit einem halben Dutzend Aktivisten aus der Protestszene geteilt hat?«, fragte Kincaid, während er sich ein Glas Wasser einschenkte.

Quinn reagierte bestürzt. »Aktivisten? Die bei Matthew *wohnen*? Das muss wohl ein Irrtum sein. Ich bin davon ausgegangen, dass er gelegentlich Freunde zu sich einladen würde, aber ich kann mir nicht vorstellen …«

»Es waren drei andere Männer und drei Frauen, die dort regelmäßig übernachtet haben. Matthew hat sie offenbar unterstützt.«

Quinn schien wieder protestieren zu wollen, doch dann zuckte er mit den Schultern. »Ich zahle meinem Sohn Unterhaltsgeld. Ich schreibe ihm nicht vor, wofür er das Geld ausgeben darf. Und wie ich meine Immobilie verwalte, braucht Sie eigentlich nicht zu interessieren.« Dann runzelte er die Stirn und sah Kincaid durchdringend an. »Sie sagten ›haben übernachtet‹ und ›hat unterstützt‹, Mr Kincaid. Nun verraten Sie mir endlich, worum es hier geht.«

Kincaid beugte sich vor und sagte leise: »Mr Quinn, wussten Sie, dass Matthews Anti-Crossrail-Protestgruppe in den Zwischenfall in St. Pancras vergangenen Mittwoch verwickelt war?«

»Was? Hier?« Quinns Augen weiteten sich vor Entsetzen. »Die Sache mit dem Mann, der verbrannt ist? Aber das ist doch absurd.«

»Das ist es leider nicht.« Als er Lindsay Quinns Gesichtsausdruck sah, glaubte Kincaid zu verstehen, warum Matthew Quinn keinen Anwalt verlangt hatte. Sein Vater hatte nicht erfahren sollen, dass er in Schwierigkeiten steckte.

Aber was hatte er geglaubt, was passieren würde, wenn seine Protestaktion wie geplant verlaufen wäre? Hatte er angenommen, dass Ryan sich der Verhaftung würde entziehen können und dass die Gruppe die Aufmerksamkeit der Medien auf sich lenken würde, nur weil sie in der Nähe des Geschehens gewesen war? Selbst wenn Matthew nie mit der Rauchbombe in Verbindung gebracht worden wäre, sein Vater wäre jedenfalls nicht begeistert gewesen, wenn er ihn Plakate schwenkend in den Fernsehnachrichten gesehen hätte.

»Wir haben den jungen Mann, der getötet wurde, als Paul Cole identifiziert«, fuhr Kincaid fort. »Er war ein Student, der mit Matthews Gruppe in Verbindung stand, obwohl er nicht in dem Haus wohnte.«

»Das heißt noch nicht, dass mein Sohn irgendetwas damit zu tun hatte, dass dieser Bursche beschlossen hatte, sich zu verbrennen.« Quinn war jetzt misstrauisch und ging in die Defensive.

»Wir sind nicht sicher, dass Cole sich absichtlich getötet hat. Es war Matthews Idee, dass ein anderes Mitglied der Gruppe eine Rauchbombe zünden sollte, während der Rest Protestplakate hochhielt.«

»Matthews Idee? Was für eine hirnrissige …« Quinn brach ab und fuhr sich mit der Hand durch die lockigen Haare. »Aber Sie sagten etwas von einer Rauchbombe. Das war keine Rauchbombe. Es war eine Granate. Was ist da passiert?«

»Wir hatten gehofft, dass Sie uns das vielleicht sagen könnten. Wissen Sie, wie Matthew in den Besitz einer Phosphorgranate gelangt sein könnte?«

»Eine Phosphorgranate? Matthew? Du lieber Himmel. Natürlich nicht.« Quinn wirkte jetzt vollends verunsichert. »Das muss doch bestimmt jemand anders gewesen …«

»Matthew hat zugegeben, dass er einem Mann, den er bei einer Protestveranstaltung kennengelernt hatte, etwas abgekauft hat, was er für eine Rauchbombe hielt.«

»Sie haben ihn vernommen? Ohne einen Anwalt?«

»Er hat keinen verlangt.«

»Zum Donnerwetter.« Quinn klang gründlich verärgert. »Mein Sohn hat einen extrem hohen IQ, hat er Ihnen das gesagt? Aber keine Spur praktischen Verstand. Ich kann Ihnen allerdings versichern, dass er nie irgendjemandem absichtlich etwas zuleide tun würde. Schon gar nicht auf so schreckliche Art und Weise«, fügte er kopfschüttelnd hinzu. »Ich hatte keine Ahnung, dass er sich in so radikale Aktivitäten hat hineinziehen lassen.«

»Haben Sie zufällig gegenüber irgendjemandem erwähnt, dass Ihr Sohn in Proteste gegen Bauprojekte involviert ist?«

Quinn überlegte einen Moment. »Es kann sein, dass ich in meinem Club die eine oder andere Bemerkung habe fallen lassen. Wenn Männer in meinem Alter bei ein paar Drinks zusammensitzen, klagen sie gerne darüber, was ihre Sprösslinge so treiben. Ich bin sicher, dass niemand das allzu ernst genommen hat.«

Aber wenn doch? Falls Ryan Marsh ein professioneller Unruhestifter war, dann hatte irgendjemand Matthew Quinn ernst genug genommen, um Marsh auf seine Gruppe anzusetzen. Es sei denn, Ryan Marsh hätte die Seiten gewechselt – aber in diesem Fall musste *Marsh* Matthew ernst genug genommen haben, um ihn als Verbündeten gewinnen zu wollen.

Lindsay Quinn lehnte sich mit entschlossener Geste zurück. »Mein Sohn ist mit diesen Protestgeschichten entschieden zu weit gegangen. Ich sehe ein, dass ich mit ihm zu nachsichtig gewesen bin, aber ich hätte nie gedacht, dass er sich in so etwas würde hineinziehen lassen. Mein Gott … Wenn irgendeiner meiner Kunden davon erführe … Wissen Sie eigentlich, Mr Kincaid, was es kostet, einen großen Endbahnhof wie St. Pancras International auch nur für eine halbe Stunde zu schließen? Mit Sicherheit ist der Bahnverkehr im ganzen Land zum Erliegen gekommen, und wegen der Eurostar-Züge ist es wohl auch auf dem Kontinent zu Verspätungen und Umleitungen gekommen. Ich schätze den Schaden auf hunderttausende Pfund, wenn nicht im Millionenbereich.«

Quinn schüttelte sich wie ein Hund, der aus dem Wasser kommt, und Kincaid konnte sehen, dass der schockierte Vater sich in den hart kalkulierenden Geschäftsmann verwandelt hatte.

»Es tut mir leid, dass ich Ihnen bei Ihren Ermittlungen nicht mehr behilflich sein kann«, fuhr Quinn fort, »aber ich bin sicher, dass Matthew sich außer einer großen Dummheit nichts hat zuschulden kommen lassen.«

»Er hat zugegeben, die Rauchbombe gekauft zu haben.«

»Das ist meines Wissens nicht strafbar.«

»Eine Rauchbombe an einem öffentlichen Ort zu zünden in der Absicht, den Betriebsablauf zu stören, ist ganz gewiss strafbar«, entgegnete Kincaid.

»Aber Matthew *hat* sie nicht gezündet, und ich glaube, es dürfte Ihnen schwerfallen, ihm die Absicht nachzuweisen.« Quinn schob seine Teetasse beiseite mit einem Klirren, das selbst bei dem Geräuschpegel in der Bar deutlich zu hören war. »Es tut mir sehr leid für den Jungen, der ums Leben gekommen ist, aber ich möchte nicht, dass mein Sohn in diese Sache hineingezogen wird, Mr Kincaid. Und sollten Sie es für nötig erachten, noch einmal mit Matthew zu sprechen, wird er einen Anwalt an seiner Seite haben.« Er stand auf, und Kincaid fand es interessant, dass er nicht nach der Rechnung rief.

Es war ein offensichtlicher Rausschmiss, und Kincaid ließ sich nicht gerne rausschmeißen. Aber er war bereit, es für den Moment durchgehen zu lassen. Er stand ebenfalls auf und sagte höflich: »Danke, dass Sie sich die Zeit genommen haben, Mr Quinn. Es war höchst aufschlussreich. Ich denke, wir werden uns bald wieder sprechen.« Er gab Quinn die Hand, machte kehrt und ging hinaus.

20

Die Fassade von St. Pancras ist gotisch ... Dass etwas so Neues und Modernes wie ein Bahnhofshotel das architektonische Äquivalent der Sprache von Dante oder Chaucer spricht, ist auf den ersten Blick absonderlich.

Simon Bradley, *St. Pancras Station*, 2007

Kincaid verließ die Bar durch den Ausgang, der direkt auf die obere Ebene des Bahnhofs führte. Er wusste, dass er versuchen sollte, Matthew Quinn zu erwischen, bevor dessen Vater es tat. Es war offensichtlich, dass Lindsay Quinn alles in seiner Macht Stehende tun würde, um zu verhindern, dass von der ganzen Sache etwas an Matthew hängen blieb, und väterliche Sorge war dabei vielleicht sein geringstes Motiv. Der Südausgang auf dieser Ebene führte direkt auf die Euston Road. Er konnte zu Fuß zu der Wohnung in der Caledonian Road gehen.

Doch er blieb noch einen kurzen Moment stehen, um den Blick über das Bahnhofsgebäude schweifen zu lassen. Das Tageslicht strömte durch den weit gespannten Bogen der Bahnhofshalle. Er erinnerte sich, gelesen zu haben, dass es zu der Zeit, als William Henry Barlow den Bahnhof gebaut hatte, das größte Hallendach seiner Art auf der ganzen Welt gewesen war. Auch wenn es inzwischen vielleicht von anderen Bauwerken übertroffen worden war, blieb es ein atemberaubender Anblick. Wie konnten Paul Cole oder Matthew Quinn oder der namenlose Aktivist, der Quinn die Rauchbombe verkauft hatte – wenn es denn so gewesen war –, auf die Idee kommen, etwas so Schönes beschädigen zu wollen?

Doch inzwischen hegte er den Verdacht, dass Matthew Quinn von tief sitzenden Gefühlen der Eifersucht und des Grolls gegen seinen Vater getrieben war, und in diesem Fall wäre alles denkbar.

Der Nieselregen hatte sich zu einem feuchten Dunst abgeschwächt. Als Kincaid die Caledonian Road hinaufging, kam er an Housmans vorbei, dem legendären anarchistischen Buchladen. Er fragte sich, wie lange Housmans wohl noch dem Vorrücken der Gentrifizierung von King's Cross nach Norden widerstehen würde. Doch für den Augenblick hatte Matthew Quinn sich eine gute Nachbarschaft für seinen Kampf gegen die kapitalistische Gier ausgesucht.

Als er das Haus erreicht hatte, klingelte er bei der oberen Wohnung, und die Tür entriegelte sich mit einem Klicken. Oben angekommen, sah er, dass Cam ihn schon in der offenen Wohnungstür erwartete.

»Sie sind ja ganz schön fit«, sagte sie zur Begrüßung. »Kein bisschen außer Atem.«

»Nicht schlecht für einen Bullen mittleren Alters, meinen Sie. Das kommt vom Laufen mit den Hunden und vom Fußballspielen mit den Kindern.«

Sie trat zurück, um ihn einzulassen. »Leider müssen Sie mit mir vorliebnehmen. Ich habe Sie vom Fenster aus gesehen.«

»Wo sind denn die anderen?«

»In alle Richtungen davongelaufen wie die Ratten. Sogar Trish. Die Nacht im Knast hat ihnen wohl gar nicht gefallen. Armer Matthew.« Sie verzog den Mund in gespieltem Mitleid. »Er hat sich auf die Suche nach den Jungs gemacht und will sie dazu bringen, dass sie es sich noch einmal anders überlegen. Aber diesmal dürften seine Überredungskünste ihn im Stich lassen, vermute ich.«

»Und warum sind Sie dann noch hier?«, fragte Kincaid, während er sich in dem kahlen, wenig einladenden Zimmer umblickte. Der Fernseher war ausgeschaltet, und die Möbel waren mit einer deutlich sichtbaren Staubschicht bedeckt. Er konnte das Bratfett aus dem Hähnchenimbiss riechen, obwohl die Fenster geschlossen waren.

»Na ja, es ist schon interessant, oder?«, sagte Cam. »Ich habe jetzt einen Titel für meine Abschlussarbeit. ›Die Auflösung einer radikalen Gruppe infolge Nichterreichens ihrer Ziele‹. Was halten Sie davon?« Sie nahm an einem Ende des Sofas Platz. Kincaid setzte sich ans andere Ende, behielt aber seinen Mantel an. Es war eiskalt in der Wohnung, und Cam trug mehrere Schichten Kleidung übereinander.

»Ich glaube, das mit dem ›Nichterreichen ihrer Ziele‹ trifft es nicht ganz. Ich würde sagen, es war ein durchschlagender Erfolg, wenn es darum ging, ein möglichst großes Chaos anzurichten und die kapitalistischen Bonzen um eine Menge Geld zu erleichtern …«

»Nein, darum ging es wirklich nicht«, protestierte Cam. »Es ging nur darum, auf das Manifest der Gruppe aufmerksam zu machen. Für ein paar Minuten in die Nachrichten zu kommen.«

»Tja, das hat nicht ganz funktioniert, oder?« Kincaid lehnte sich zu ihr hinüber. »Cam, selbst *wenn* es nur eine Rauchbombe gewesen wäre, was glauben Sie, was passiert wäre? Es hätte trotzdem eine Massenpanik gegeben, weil die Leute einen Terroranschlag befürchtet hätten. Der Bahnhof hätte den Betrieb einstellen müssen. Und viele Menschen hätten Todesängste ausgestanden, vielleicht hätte es in dem Gedränge sogar Verletzte gegeben.«

Cam zog sich ihren weiten Pulli über die Knie und steckte die Hände in die Ärmel. Er hatte sie als unerschrocken und aufsässig erlebt, und sie war die Einzige in der Gruppe, zu der er einen gewissen Draht gefunden hatte. Jetzt wirkte sie müde und desillusioniert. »Es war dumm. Im Nachhinein weiß ich nicht, was wir uns dabei gedacht haben. Und jetzt haben alle Angst davor, dass man uns tatsächlich mit dem, was passiert ist, in Verbindung bringen wird. Wenn das keine Ironie ist? Da sind wir auf den Videoaufnahmen zu sehen, wie wir unsere albernen Plakate schwenken und dann wie die aufgescheuchten Hühner davonrennen wie alle anderen auch. Iris war die Einzige, die mutig genug war zu bleiben. Das hätte ich nie von ihr gedacht, und ich bewundere sie dafür. Und sie hat Matthew die Stirn geboten, als er sie deswegen zur Schnecke gemacht hat.«

»Wessen Idee war es, die Aktion in St. Pancras durchzuziehen? Wissen Sie das noch?«, fragte Kincaid.

Cam zog die schmalen Augenbrauen zusammen, während sie nachdachte. »Es war Matthews Idee, da bin ich mir sicher. Für ihn war St. Pancras das Herzstück der wuchernden kapitalistischen Vereinnahmung, die das echte London irgendwann zerstören würde.«

»Hat er nicht bedacht, dass mit der Renovierung von St. Pancras, also des Hotels und des Bahnhofsgebäudes, zwei Beispiele viktorianischer Architektur von unschätzbarem Wert erhalten wurden, die sonst verfallen wären? Das wäre nämlich beinahe passiert, wissen Sie?«

»Nein. Ganz im Gegenteil. Er sagte, St. Pancras sei der Inbegriff kapitalistischer Exzesse gewesen, als es gebaut wurde, und die Sanierung spiegele das Gleiche in der heutigen Zeit.« Cam zuckte mit den Schultern. »Ich weiß, das klingt jetzt ziemlich schwach, aber er hat es so leidenschaftlich vorgebracht, dass es einem fast einleuchtete.«

»Ist Ihnen je der Gedanke gekommen, dass Matthew ein ganz persönliches Motiv gehabt haben könnte, St. Pancras als Ziel zu wählen, und speziell diese Ecke?«, fragte Kincaid. Es war ihm bewusst, dass Matthew jeden Moment zurückkommen konnte. Doch er wollte sich diese Chance nicht entgehen lassen, Cam allein zu befragen, und er wollte sie auch nicht zu sehr bedrängen.

»Abgesehen von Crossrail und der Nähe zur Uni?« Cam schien verwundert. »Nein, eigentlich nicht.«

»Hat niemand von Ihnen sich je gefragt, wie Matthew die Miete für diese Wohnung aufbringen konnte oder wo das Geld herkam, das er an die Gruppe verteilte?«

»Er sagte, er gebe Privatunterricht. Für Ingenieursstudenten«, fügte Cam hinzu, doch ihre Stimme verriet Zweifel.

»Er hat Ihnen nie gesagt, dass sein Vater ein sehr erfolgreicher Bauunternehmer ist? Und der Hauptanteilseigner eines Unternehmens, dem – neben anderen Gebäuden in der Gegend von King's Cross, die zur Sanierung anstehen – auch dieses Haus gehört?«

Cam starrte ihn nur an. »Sie machen doch Witze«, sagte sie schließlich.

»Matthews Vater hat ihm nicht nur die Wohnung mietfrei überlassen, er hat ihm dafür auch noch regelmäßig Geld überwiesen.«

Sie fing an zu lachen. »Dieses blöde Arschloch. Er hat also die Hand gebissen, die ihn fütterte. Und die uns fütterte. Was für ein Heuchler. Wenn irgendjemand das herausgefunden hätte, dann hätte er den letzten Rest an Glaubwürdigkeit in der Protestszene eingebüßt.«

»Und wenn tatsächlich jemand es herausgefunden hat?«, erwiderte Kincaid. »Ryan Marsh zum Beispiel? Oder Paul Cole?«

Cam schien eine Weile zu brauchen, um das zu verarbeiten.

Dann schüttelte sie so heftig den Kopf, dass ihr die dunklen Haare ins Gesicht flogen. »Nein. Nein. Matthew ist vielleicht ein Arschloch – und zwar ein noch größeres, als ich dachte –, aber jemanden umbringen, um dieses Geheimnis zu wahren? Das glaube ich nicht. Das … Das ist undenkbar.«

»*Könnte* jemand es herausgefunden haben?«

Cam dachte einen Moment nach. »Ryan vielleicht. Man konnte nie so recht wissen, was Ryan im Schilde führte. Er hat einem Sachen untergeschoben« – sie nahm Kincaids Frage vorweg und wehrte sie gleich ab – »ich meine keine physischen Gegenstände, sondern Ideen. Er erwähnte irgendetwas ganz beiläufig, vielleicht etwas, was jemand bei einer Demonstration gemacht hatte, an der er teilgenommen hatte, oder einen Flyer, den er geschrieben hatte, und eh man sichs versah, war es plötzlich Matthews Idee und die großartigste Sache seit der Erfindung der Tiefkühlpizza.«

»Und war das mit der Rauchbombe ein solcher Fall?«

Wieder zögerte Cam, ehe sie antwortete: »Nein, ich glaube nicht. Das war einfach irgendein Typ, den Matthew bei einer Demo kennengelernt hatte. Matthew hatte sich darüber beklagt, dass niemand uns beachtete, und der Typ meinte, er habe da etwas, das dafür sorgen würde, dass die Leute uns garantiert beachteten. Danach kam Matthew dann mit der Idee zu dieser Aktion in St. Pancras.‹

»War das derselbe Typ, der Matthew die Rauchbombe verkauft hat?«, fragte Kincaid. »Wenn Sie es wissen, müssen Sie es mir sagen. Sie sind mit alldem hier fertig, und es steht viel mehr auf dem Spiel als der Erfolg Ihrer Abschlussarbeit.«

Cam veränderte ihre Sitzhaltung und rieb sich mit dem Ärmel über die Augen, dann seufzte sie. »Sie haben recht. Ich mag das nicht. Das alles gefällt mir überhaupt nicht. Ich kann nicht glauben, dass Paul tot ist. Aber ich weiß es ehrlich nicht. Ich selbst habe an diesem Tag nicht gesehen, wie irgendjemand einem anderen etwas übergeben hat.«

»Und was ist dann passiert, nachdem Matthew die Rauchbombe gekauft hatte? Und nachdem er erklärt hatte, sie in St. Pancras zünden zu wollen?«

»Zuerst wollte Matthew es selbst machen. Er sagte, er würde etwas anziehen, womit er auf den Videobildern nicht zu erkennen wäre – wobei das wohl eher unwahrscheinlich ist, wenn man Matthew so anschaut«, fügte Cam mit einem kleinen Lächeln hinzu, »und dann würde der Rauch ihn einhüllen. Wir anderen würden als Gruppe in einiger Entfernung von der Bombe demonstrieren, und natürlich würden wir auf den Videos zu sehen sein, vor allem wegen der Rockband. Aber Ryan meinte, es bestünde immer die Gefahr, dass etwas schiefgehen würde, und er fände, dass er es machen sollte, weil er schon einmal verhaftet worden sei. Alle anderen waren noch nie mit dem Gesetz in Konflikt gekommen.«

»Das war ja wohl sehr anständig von ihm«, sagte Kincaid ein wenig skeptisch.

»Das ist es ja gerade. Ryan ist – war – was auch immer« – Cam verzog das Gesicht – »immer anständig und vernünftig. Er war gut im Organisieren, aber er hat nie irgendwelche Phrasen gedroschen wie Matthew. Ich weiß, dass er ein erfahrener Aktivist war, aber man hatte immer das Gefühl, dass er sich irgendwie um uns kümmerte.«

»Dann hat Ryan also Matthew überredet, ihn die Rauchbombe zünden zu lassen?«

Sie nickte. »Nicht dass es viel gebraucht hätte, um Matthew zu überreden.« Cams Ton war spöttisch. »Jetzt ist mir auch klar, warum. Ich glaube nicht, dass sein Daddy allzu begeistert gewesen wäre, wenn sein Sohn wegen Störung der öffentlichen Ordnung verhaftet worden wäre.«

Nachdem Kincaid Lindsay Quinn kennengelernt hatte, musste er ihr beipflichten. »Und wie ist dann Paul Cole ins Spiel gekommen?«

Cam blies frustriert die Wangen auf. »Oh, Paul …« Sie sah Kincaid an. »Ist es sehr schlimm, schlecht über die Toten zu reden? Es ging ihm nur um Aufmerksamkeit. Er sagte, es sei ihm egal, wenn er verhaftet würde – es geschähe seinem Vater nur recht, wenn er ihn aus dem Gefängnis holen müsste. Er war eifersüchtig auf Ryan, aber Ryan schien ihm deswegen gar nicht böse zu sein.«

Das durchgesessene Sofa schien Kincaid in seine Tiefen hinabziehen zu wollen. Er rückte zur Kante vor, sodass er Cam direkt in die Augen sah, und sagte mit sorgfältiger Betonung: »Glauben Sie, dass Paul in seinem Bedürfnis nach Aufmerksamkeit so weit gegangen wäre, Selbstmord zu begehen?«

Cam schüttelte langsam den Kopf. »Nein. Das kann ich mir nicht vorstellen – aber das kann man ja eigentlich nie, oder? Außer wenn jemand damit droht, aber selbst dann fragt man sich, ob es nur Show ist. Und Paul – ich weiß, das klingt jetzt furchtbar, aber wenn er wirklich die Absicht gehabt hätte, sich das Leben zu nehmen, dann hätte er seinen Abgang als abendfüllenden Opernauftritt inszeniert, und es wäre nicht nach zehn Minuten Schluss gewesen.«

»Ariel ist heute zu uns aufs Revier gekommen«, sagte Kincaid und beobachtete Cams Reaktion. »Sie hat in ihrem Postfach an der Uni einen Abschiedsbrief von Paul gefunden.«

Cams Augen weiteten sich. »Heute? Sie hat ihn heute gefunden? O Gott, das ist ja furchtbar.«

»Ariel sagt, sie hätten sich an dem Morgen gestritten, zunächst wegen Pauls Absicht, die Rauchbombe zu zünden, und dann wegen ihrer Fehlgeburt. Glauben Sie, dass er verzweifelt war, weil sie das Kind verloren hatte?«

Cam stand auf, ging zum Fenster und blieb mit dem Rücken zu ihm stehen. Kincaid wartete, und nach einer Weile drehte sie sich um. »Ariel hatte keine Fehlgeburt. Und Paul wusste es, weil ich es ihm gesagt habe. Wenn er also verzweifelt war, dann deswegen, weil er erfahren hatte, dass sie ihn angelogen hatte. Wenn ich ihm nicht …«

»Erzählen Sie mir einfach, was passiert ist«, unterbrach Kincaid sie.

Sie begann auf und ab zu gehen. Selbst in ihrem aufgewühlten Zustand bewegte sie sich wie eine Tänzerin. »Ariel hatte kein Geheimnis daraus gemacht, dass sie schwanger war. Aber sie strahlte nicht gerade vor Vorfreude auf ihr Mutterglück. Ich kann ihr da keinen Vorwurf machen. Ich hätte mir auch nicht gerade Paul als idealen Vater für mein Kind ausgesucht. Aber Paul platzte fast vor Stolz. Als ob er etwas ganz Außergewöhnliches geleistet hätte.

Und dann sah ich eines Tages Ariel aus der Abtreibungsklinik kommen – es gibt eine hier in der Caledonian Road. Ich war mir erst gar nicht sicher, dass sie es war, aber ich habe die gefütterte Jacke wiedererkannt. Also bin ich reingegangen und habe gesagt, ich sei gekommen, um meiner Freundin während der Prozedur beizustehen. Man sagte mir, es sei zu spät, sie sei gerade gegangen – und da wusste ich, dass es stimmte. Zuerst habe ich niemandem etwas erzählt – warum sollte ich? Aber dann kam Ariel am nächsten Tag heulend in die Wohnung und sagte, sie habe eine Fehlgeburt gehabt.

Danach haben wir sie nicht mehr so oft gesehen, aber Paul war ständig hier und hat gejammert, es müsse irgendwie seine Schuld gewesen sein. Also habe ich es ihm gesagt.« Cam hielt inne und sah Kincaid an, die Arme trotzig verschränkt. Ihre dunklen Haare hoben sich vor dem grauen Licht ab, das durch die schmutzigen Fenster fiel. »Er hat mir leidgetan.«

Kincaid entsann sich, dass Ariel gesagt hatte, Paul habe *ihr* die Schuld gegeben. Wenn er erfahren hatte, dass sie keine Fehlgeburt, sondern eine Abtreibung gehabt hatte, hätte er allen Grund dazu gehabt.

»Wenn Paul sich das Leben genommen hat, weil ich ihm die Wahrheit gesagt habe …«, begann Cam.

»Wenn – und das ist ein ganz großes *Wenn* – wenn Paul sich das Leben genommen hat, sind Sie nicht dafür verantwortlich«, sagte Kincaid bestimmt. »Und das erklärt immer noch nicht, wo und wie er an die Granate gekommen ist. Oder was aus Ryan Marsh geworden ist. Oder …«

Die Haustür fiel ins Schloss, und sie hörten schwere Schritte die Treppe heraufkommen.

Cam fuhr zur Tür herum und ließ die Hände sinken. Kincaid stand auf, ihre Anspannung übertrug sich auf ihn.

Die Tür flog auf und knallte gegen die Wand. Matthew Quinn stürmte herein, sein Haarschopf noch wirrer als gewöhnlich. Als er Kincaid erblickte, verzerrte sich sein Gesicht vor Wut. Einen Moment lang machte Kincaid sich auf einen tätlichen Angriff gefasst.

Aber Matthew zeigte nur mit einem zitternden Finger auf Kincaid. »Sie! Sie sind zu meinem Vater gegangen. Und jetzt hat er mir den Unterhalt gestrichen und mir gesagt, dass ich die Wohnung räumen muss.«

»Haben Sie wirklich geglaubt, Ihr Vater würde nicht mitbekommen, dass Sie in diese Sache verwickelt sind, Matthew?«, fragte Kincaid und entspannte sich ein wenig. »Sie sind doch nicht dumm – das hat Ihr Vater mir versichert. Wie konnten Sie glauben, das würde keine Konsequenzen haben?«

»Demonstrationen sind schließlich nicht verboten. Ich habe nie gewollt, dass irgendjemand verletzt wird.« Matthews Zorn schien rasch in kindischen Trotz umzuschlagen.

»Dann erzählen Sie mir doch von dem Typ, der Ihnen bei der Demonstration diese Rauchbombe verkauft hat.«

Matthew sah Cam verblüfft an, dann stieß er hervor: »Miststück!«

Cam zuckte mit den Schultern. »Ich packe nur schnell meine Sachen zusammen.« Sie ging in die Küchenecke und begann ein paar Dinge aus den Schränken zu nehmen.

»Nun sagen Sie es mir schon«, drängte Kincaid Matthew.

Diesmal war es Matthew, der mit den Schultern zuckte. »Ich weiß es nicht. Es war einfach ein Typ, den man ab und zu bei größeren Demos sieht. Ein Exsoldat, glaube ich, weil er oft Geschichten vom Irak und von Afghanistan erzählt. Er sagte, es sei nur eine Rauchbombe, völlig harmlos. Er meinte, richtige Blendgranaten sollte man nie benutzen, weil die wirklich üble Verletzungen anrichten könnten. Die haben sie im Irak eingesetzt, im Häuserkampf.«

»Das war keine Blendgranate, die Paul in St. Pancras gezündet hat«, sagte Kincaid streng, »obwohl das schlimm genug gewesen wäre. Es war ein Brandsatz mit weißem Phosphor. Möglicherweise aus Militärbeständen. Wissen Sie den Namen dieses Mannes? Und wo man ihn finden kann?«

»Nein.« Matthew schüttelte den Kopf. »Seinen Namen hat er mir nie gesagt. Ich habe ihn in bar bezahlt. Ich hatte ihm Bitcoins angeboten, aber das hat er abgelehnt.«

»Wer war noch dabei bei diesem Geschäft?«

»Cam natürlich.« Matthew warf Cam einen bösen Blick zu. »Die meisten von der Gruppe. Aber da sind viele Leute rumgelaufen, und ich habe nicht so darauf geachtet.«

Kincaid fragte sich, ob Ryan Marsh wegen des Handels mit illegalem Kriegsgerät ermittelt hatte. Aber wenn er irgendwelche Zweifel gehabt hätte, ob es sich wirklich um eine Rauchbombe handelte, hätte er Paul Cole sie dann zünden lassen?

Matthew ging zum Sofa und sank darauf nieder. »Was soll ich denn jetzt machen?«, fragte er wie ein hilfloser kleiner Junge.

»Gehen Sie nach Hause«, schlug Kincaid vor. »Aber halten Sie sich zur Verfügung, denn wir sind noch lange nicht fertig mit Ihnen.«

»Und was ist mit den anderen, Matthew?«, fragte Cam, die in den Wohnbereich zurückgekommen war und nun eine Reisetasche vom Boden aufhob. »Ich komme schon zurecht, aber was ist mit Iris? Oder mit Trish? Was glaubst du, wo Trish hingehen wird? Wir waren für dich nie mehr als Spielzeug, das du wegwerfen konntest, wenn es dir keinen Spaß mehr machte. Wie Wren.«

Kincaid sah den Schock in Cams Gesicht, gespiegelt in Matthews Miene, und dann hob Cam die Hand vor den Mund, als ob sie die Worte zurücknehmen könnte.

Und da wurde ihm klar, dass sie alle nie geglaubt hatten, das Mädchen sei einfach verschwunden. Sie hatten die ganze Zeit genau gewusst, was mit Wren passiert war.

21

Sir George Gilbert Scott (1811–1878) gewann die Aus-schreibung der Midland Railway für den Entwurf ihres Londoner Endbahnhofs. Er, der bei Weitem bekannteste von allen Wettbewerbern.

Alastair Lansley, Stuart Durant, Alan Dyke, Bernard Gambrill,
Roderick Shelton: *The Transformation of St. Pancras Station*, 2008

»Setzen Sie sich, Cam.« Kincaid wies auf das Sofa, dann bedeutete er Matthew mit erhobener Hand zu bleiben, wo er war. »Alle beide.« Cam nahm Platz und schlang die Arme um die Reisetasche auf ihrem Schoß. Kincaid zog sich einen klapprigen Holzstuhl heran und stellte ihn so, dass er beiden ins Gesicht sehen konnte.

»Und jetzt erzählen Sie mir, was mit Wren passiert ist«, forderte er sie auf.

Matthew und Cam wechselten Blicke, doch es war Cam, die zuerst das Wort ergriff. »Es war an Silvester. Die Jungs hatten Bier besorgt, und wir wollten einfach nur abhängen. Ryan war irgendwo unterwegs – wo, hat er uns nicht gesagt. Paul war auch nicht da, und ich glaube, Ariel war ein bisschen sauer. Sie sagte, wir sollten irgendetwas Radikales machen. Sie hatte die Idee, dass wir unseren Slogan irgendwo hinsprayen sollten, und sie wüsste auch schon die ideale Stelle. Ariel ist eine echte Graffiti-Künstlerin.« Cam zögerte. »Das sollte ich Ihnen eigentlich gar nicht sagen – es ist ja illegal …« Kincaid sah sie nur streng an, worauf sie schluckte und fortfuhr:

»Jedenfalls, von den Jungs war keiner dazu bereit – sie hatten schon ein paar Dosen Bier intus –, also hat Wren sich bereit erklärt mitzugehen. Ariel sagte, sie habe das Auto ihres Vaters. Die zwei sind dann aufgebrochen.« Sie brach wieder ab, und inzwischen hielt sie die Tasche umklammert wie einen Rettungsring. Matthew hatte immer noch kein Wort gesagt.

»Reden Sie weiter«, sagte Kincaid. »Ich höre Ihnen zu.«

»Wir haben alle nicht mehr groß darüber nachgedacht. Irgendwann kam Ryan zurück und fragte nach Wren. Und dann, ein paar Stunden später, kam Ariel zur Tür herein. Sie war allein, und sie war vollkommen hysterisch. Wir konnten sie gar nicht beruhigen. Ryan hat sie schließlich zum Reden gebracht. Er gab ihr eine Ohrfeige. Er war inzwischen selbst ganz außer sich vor Sorge. Wir alle wussten, dass etwas wirklich Schlimmes passiert war. Aber wir hatten keine Ahnung …« Cam schluchzte leise auf. Als sie fortfuhr, zitterte ihre Stimme.

»Sie sagte – Ariel sagte, sie seien zu einem Bahndamm gegangen, wo sie schon einmal gesprayt hatte. Sie hatten das Auto stehen lassen – Ariel meinte, man müsse noch ein ganzes Stück zu Fuß gehen. Aber als sie dann oben ankamen, stellte sie fest, dass sie eine der Farbdosen vergessen hatte. Sie ging zurück, um sie zu holen. Dann hörte sie … den Zug kommen. Und dann ein fürchterliches Kreischen von Bremsen. Sie rannte zurück, aber als sie ankam, stand der Zug schon. Und sie konnte sehen … sie konnte sehen, dass Wren unter den Zug geraten war.« Inzwischen liefen ihr die Tränen nur so über die Wangen. Sie machte keine Anstalten, sie wegzuwischen.

»Was hat sie dann getan?«, fragte Kincaid mit sanfterer Stimme.

»Sie sagte, sie habe Lichter gesehen und laute Stimmen und Sirenen gehört. Sie war in Panik. Sie ist dann zum Auto zurückgelaufen und direkt hierhergefahren. Ryan war – ich weiß gar nicht, wie ich es beschreiben soll. Er hat sie immer wieder und wieder gefragt, was genau passiert sei. Ariel sagte, sie wisse nicht, ob Wren sich vor den Zug geworfen hatte oder gestürzt war. Und Ryan hat ein ums andere Mal gefragt, ob sie sicher sei, dass sie niemand sonst dort gesehen hatte. Ob ihnen jemand gefolgt sei. Er war ... wie durchgedreht.«

»Warum haben Sie nicht die Polizei verständigt?«, fragte Kincaid.

»Ryan war dagegen. Sie hatte keine Familie, und es gab nichts, was irgendjemand hätte tun können. Und Matthew war sowieso nicht scharf darauf, irgendwem davon zu erzählen« – Cam bedachte Matthew mit einem vernichtenden Seitenblick –, »weil er nicht damit in Verbindung gebracht werden wollte. Ariel war bereit, es zu melden, aber Ryan sagte, das sei nicht nötig.«

»Und alle haben auf Ryan gehört?«

»Es war unmöglich, *nicht* auf ihn zu hören. Er hat immer alles in die Hand genommen. Aber danach ...« Cam kramte ein Papiertaschentuch aus ihrer Reisetasche und putzte sich die Nase. »Danach war Ryan völlig verändert. Er trauerte um Wren, das konnten wir alle sehen. Aber es war noch mehr als das. Er fing an, immer alle seine Sachen mitzunehmen, wenn er die Wohnung verließ, und er blieb oft mehrere Tage am Stück verschwunden. Ich glaube ... Ich glaube, er hatte vor irgendetwas Angst.«

Kincaid ließ Cam und Matthew allein, nachdem er sich ihre neuen Kontaktdaten hatte geben lassen und ihnen eingeschärft hatte, dass er erwartete, so schnell wie möglich von den anderen Gruppenmitgliedern zu hören, da er sonst nach ihnen fahnden lassen würde.

Er schlug den Weg zurück nach King's Cross ein und hielt

das erste Taxi an, das vorbeikam, um sich zu Ariels Adresse in Cartwright Gardens bringen zu lassen. Doch als er dort ankam, öffnete niemand auf sein Klingeln, und nach kurzem Überlegen nahm er wieder ein Taxi und fuhr zurück zum Revier Holborn.

Sowohl Simon Gikas als auch Jasmine Sidana waren noch in der Einsatzzentrale. Er berichtete ihnen, was er über Wren in Erfahrung gebracht hatte – das konnte er jetzt ja tun, ohne Doug in die Sache hineinzuziehen oder ihnen zu verraten, dass er schon gewusst hatte, wie Wren zu Tode gekommen war.

»Ich such den Fall mal raus«, sagte Simon und schaltete seinen Computer ein. »Vielleicht kann ich mir ein klareres Bild davon machen, ob sie gesprungen oder gestürzt ist.«

Oder gestoßen wurde, ergänzte Kincaid für sich. Er dachte daran, wie Ryan Ariel immer wieder gefragt hatte, ob jemand ihnen gefolgt sei oder ob sie jemand anderen gesehen habe, doch er sprach es nicht laut aus. Er wusste nicht, wovor – oder vor wem – Ryan sich fürchtete, aber seine Angst hatte ihn angesteckt.

»Sind Sie mit dem Handschriftenvergleich der Nachricht in Ariels Postfach schon weitergekommen?«, fragte er Jasmine.

»Der Opferschutzbeauftragte hat uns einige Papiere aus Pauls Zimmer in seinem Elternhaus geschickt. Die Handschriftenexpertin vom Labor hatte noch keine Zeit für eine detaillierte Analyse, aber sie meint, auf den ersten Blick scheint es die gleiche Schrift zu sein.«

»Gut. Aber ich bin nach wie vor nicht davon überzeugt, dass es sich um einen Abschiedsbrief handelt.« Er sah auf seine Uhr. »Sie beide sollten jetzt Feierabend machen. Es ist schon spät, und ich glaube nicht, dass wir hier noch viel mehr erreichen können. Ich habe bei Ariel geklingelt, aber es war niemand zu Hause. Aber vielleicht ist es besser, sie noch einmal zu Wren zu befragen, wenn Sie noch etwas mehr herausgefunden haben, Simon.«

Und, dachte Kincaid bei sich, wenn die Gefahr nicht mehr so groß wäre, dass er sich verplapperte und verriet, dass er schon gewusst hatte, wo das Unglück passiert war.

Kincaid fuhr mit der Central Line heim nach Notting Hill. Als er in Holland Park aus dem U-Bahnhof trat, regnete es in Strömen. Mit grimmiger Miene schlug er seinen Mantelkragen hoch und spannte den Schirm auf. Als er auf der Lansdowne Road in Richtung Norden ging, musste er ständig Pfützen umkurven und aufpassen, dass der Wind ihm nicht den Schirm umstülpte.

Er kam an einem Mann vorbei, der einen Regenmantel trug und einen hellbraunen Cockerspaniel an der Leine führte. Der Hund sah genauso elend aus, wie Kincaid sich fühlte. Ob Gemma und die Kinder schon aus Leyton zurück waren? Er hatte seit dem Lunch nichts mehr von ihnen gehört.

Wieder verspürte er dieses merkwürdige Kribbeln zwischen den Schulterblättern, doch als er sich umdrehte, waren da nur ein paar ganz gewöhnlich aussehende, mit Schirmen bewaffnete Passanten. Er lachte über sich selbst und seine paranoiden Visionen von dunklen Limousinen mit getönten Scheiben, die ihm folgten, und als er zu Hause ankam, freute er sich nur noch auf trockene Klamotten, ein Kaminfeuer und vielleicht einen Fingerbreit von seinem besten schottischen Whisky vor dem Abendessen.

Gerade als er den Schlüssel in die Tür steckte, klingelte sein Handy. »Mist«, murmelte er und ließ Schirm und Schlüssel fallen, während er nach seinem Telefon kramte.

Es war Doug. »Ich glaube, ich habe Ryan Marlowes Frau

gefunden«, sagte er. »Sie wohnt in einem Dorf in Oxford-shire – eigentlich eher ein Vorort von Reading.«

»Christine Marlowe«, fuhr Doug fort. »Neunundzwanzig, zwei Kinder. Arbeitet als Buchhalterin bei einer Baufirma am Ort. Sie wohnt in Caversham. Wir können in einer Stunde dort sein.«

»Das ist in der Nähe von Henley«, sagte Kincaid, der den Namen wiedererkannte.

»Ja, schon, aber näher an Reading.«

»Ich kann dich abholen …«, begann Kincaid, doch dann sah er den Astra am Straßenrand stehen, und ihm fiel wieder ein, dass er ja nicht ansprang. »Verdammt und zugenäht. Mein Auto hat den Geist aufgegeben. Ich muss Gemmas Wagen nehmen.«

»Melody ist bei mir«, sagte Doug. »Sie ist mit ihrem Clio da. Wir holen dich ab. Gib uns eine halbe Stunde.«

»Was hat Mel…«, setzte Kincaid an, doch Doug hatte schon aufgelegt.

Es blieb ihm gerade noch Zeit, Gemma und die Kinder zu begrüßen und wenigstens trockene Schuhe anzuziehen.

»Soll ich es dir warm halten?«, fragte Gemma, als er sich über den Herd beugte und an dem Topf schnupperte, in dem sie rührte. »Es ist eine türkische Ratatouille. Hazel und Holly kommen vorbei, um sich die Kätzchen anzuschauen, deshalb ist heute Veggie-Day.«

»Schon ein Opfer gefunden, hm? Gut gemacht.« Er küsste ihr Ohr. »Aber halt es lieber nicht für mich warm. Ich habe keine Ahnung, wie lange es dauern wird. Grüß Hazel von mir, ja? Gibt's was Neues in Sachen Tim?«

»Nach allem, was ich so höre, haben sie zu einer Art friedlicher Koexistenz gefunden, und für den Moment scheint es ganz gut zu funktionieren.« Sie drehte sich um, sodass sie zu ihm aufblicken konnte. »Willst du mir nicht erzählen, was es mit dieser mysteriösen Vernehmung auf sich hat?«

In diesem Moment piepste sein Handy. Doug simste, dass sie gerade ankämen. »Wenn ich wieder da bin«, versprach er ihr.

Auf dem Weg zur Tür tätschelte er Sid, der auf dem Küchentisch saß und ziemlich missgelaunt dreinschaute, den schwarzen Kopf. »Hättest du dir auch nicht gedacht, dass du mal Konkurrenz von einer Katzendame mit Babys bekommen würdest, was, Kumpel?«

Melodys leuchtend blauer Renault Clio stand mit laufendem Motor vor dem Gartentor. Als Kincaid hinten einstieg, konnte er sie im Schein der Innenbeleuchtung kurz sehen. Sie wirkte ausgeruhter, und sie schien zum ersten Mal seit dem Zwischenfall wieder ihre eigenen Kleider zu tragen. Das bedeutete wohl, so hoffte er zumindest, dass sie inzwischen zu Hause gewesen war.

»Wo ist Andy heute Abend?«, fragte er, während er sich anschnallte und Melody den Gang einlegte.

»Tam hat darauf bestanden, dass er aus dem Krankenhaus entlassen wird. Andy wollte Michael helfen, ihn nach Hause zu bringen und ihn zu versorgen. Danach haben er und Poppy einen Auftritt im 12 Bar Club. Plötzlich reißen sich alle um die beiden.«

»Ich vermute, das ist erst der Anfang«, meinte Kincaid. Dann berichtete er ihnen, was er im Lauf des Tages erfahren hatte.

»Dann hat Wren möglicherweise gar nicht Selbstmord begangen?«, fragte Doug. »Und niemand weiß, wo Marsh zum Zeitpunkt ihres Todes war oder auch Paul Cole. Könnte einer der beiden etwas damit zu tun haben?«

Kincaid dachte darüber nach. »Nach dem, was ich von Cam gehört habe, würde ich Marsh eher ausschließen. Weder Cam noch Matthew scheinen zu wissen, wo Cole an dem betreffenden Abend war. Aber ich wüsste nicht, warum er das Mädchen hätte umbringen sollen.«

»Vielleicht hatte er Streit mit Ariel gehabt«, mutmaßte Melody. »Und deswegen wollte sie irgendetwas Verrücktes anstellen. Es kann doch sein, dass er ihnen gefolgt ist, und weil er eifersüchtig auf Wren war, beschloss er, sie aus dem Weg zu räumen. Die Beziehung zwischen Paul und Ariel scheint ja nicht sonderlich gut funktioniert zu haben.«

»Stimmt. Aber niemand hat angedeutet, dass Ariel und Wren mehr als nur eine lockere Freundschaft verband. Warum hätte er eifersüchtig sein sollen? Wie hast du übrigens Christine Marlowe gefunden?«, fragte Kincaid Doug.

»Ist schon verblüffend, was man so in öffentlichen Verzeichnissen finden kann, wenn man weiß, wo man suchen muss«, antwortete Doug mit einem so selbstzufriedenen Grinsen, dass Melody ihm einen Seitenblick zuwarf.

»Angeber«, sagte sie.

Melody war eine gute Autofahrerin, und das Gespräch verebbte, während sie den Wagen durch die regennassen Straßen von West London auf die M4 steuerte.

Bald schon fuhren sie durch Reading, und als sie den Stadtrand erreichten, schaltete Melody ihr Navi ein, um sie zum nördlichen Ortsrand von Caversham zu lotsen.

Christine Marlowe wohnte in einer ruhigen Vorortstraße, in einer Doppelhaushälfte mit Backstein- und Rauputzfassade. Der Garten war matschig und wirkte ein wenig vernachlässigt, und auf dem Plattenweg zur Tür lag ein vergessenes Kinderfahrrad.

»Ich sollte wohl das Reden übernehmen«, meinte Kincaid,

als sie ausstiegen. »Da ihr beide ja nicht in offizieller Funktion hier seid.«

»Ich denke, im Moment sind wir alle mehr oder weniger inoffiziell«, erinnerte ihn Doug.

»Besser, ich muss es ausbaden als ihr«, murmelte Kincaid, als er klingelte. Und dann wurde ihm bewusst, dass das genau die Haltung war, die Ryan Marsh gegenüber der Gruppe vertreten hatte, als es um die Rauchbombe gegangen war.

Er konnte Kinderstimmen hören und Fernsehgeräusche. Ein Hund fing an zu bellen.

Die Frau, die ihnen die Tür öffnete, war eine hübsche, etwas verbraucht aussehende Blondine von Ende zwanzig. Sie stellte sich in die halb offene Tür und versperrte dem Hund, einem Labradormischling mit schon leicht angegrauter Schnauze, den Weg. »Zurück, Sally«, befahl sie dem Hund, dann sagte sie »Ja?«, während sie die drei misstrauisch musterte. »Wenn Sie Zeugen Jehovas sind …«

»Sind wir nicht«, versicherte Kincaid ihr. »Sind Sie Christine Marlowe?«

»Ich bin Christie, ja. Kein Mensch nennt mich Christine. Wer sind Sie?«

»Mummy?«, sagte eines der zwei kleinen Mädchen, die neben ihr aufgetaucht waren. »Wer ist das? Ist es Daddy?« Sie waren blond wie ihre Mutter, und Kincaid schätzte die Jüngere ungefähr auf Tobys Alter, die andere ein bis zwei Jahre älter.

»Geht in die Küche«, forderte Christie Marlowe sie streng auf, dann fragte sie Kincaid abermals: »Wer sind Sie? Was wollen Sie?«

Kincaid war froh, dass sie Melody dabeihatten. Er hatte den Verdacht, dass die Frau ihnen sonst die Tür vor der Nase zugeschlagen hätte. Er zückte seinen Dienstausweis. »Detective Superintendent Kincaid, Camden CID. Wir würden gerne …«

»O Gott.« Alle Farbe wich aus Christie Marlowes Gesicht. Ihre Knie gaben nach, und sie musste sich mit beiden Händen an der Tür festhalten. »Was ist passiert?« Sie vergewisserte sich mit einem hektischen Blick, dass ihre Töchter nicht mehr in der Nähe waren. »Ist er ...«

»Mrs Marlowe, bitte, dürfen wir reinkommen? Wir müssen Ihnen nur ein paar Fragen stellen.«

Sie starrte sie an, registrierte ihre Freizeitkleidung und ließ sich vielleicht auch von ihren Mienen und dem Klang von Kincaids Stimme beruhigen. »Ja. Von mir aus.«

Als sie zurücktrat, beschnupperte der Hund eifrig Kincaids Beine, ignorierte Melody und Doug aber völlig. »Du riechst meine Hunde, nicht wahr, Mädchen?«, sagte Kincaid und kraulte sie kurz hinter den Ohren.

Als Christie Marlowe sie ins Wohnzimmer führte, sah er, dass im Fernsehen eine Wiederholung von *Doctor Who* lief – das typische Samstagnachmittags-Kinderprogramm. Dies war ein ganz normaler Haushalt, ähnlich wie sein eigener – Kinder, Hunde, der Duft von Essen, das auf dem Herd stand –, und er merkte plötzlich, dass er keine Ahnung hatte, wie er es anfangen sollte, dieser Frau die Fragen zu stellen, die er stellen musste.

Das Wohnzimmer war mit einer Couchgarnitur möbliert, die schon bessere Tage gesehen hatte, und sie mussten Spielsachen wegräumen, um einen Platz zum Sitzen zu finden. Auf dem Beistelltisch stand ein halb ausgetrunkenes Glas Rotwein, doch Christie Marlowe bot ihnen nichts an. Sie ließ sich schwankend auf die Kante eines Stuhls sinken. »Sagen Sie mir einfach nur, dass Ryan wohlauf ist. Dass ihm nichts zugestoßen ist.«

Dankbar für die Eröffnung erwiderte Kincaid: »Das hatten wir von Ihnen zu erfahren gehofft, Mrs Marlowe. Wir würden uns gerne mit ihm über einen Vorfall unterhalten, der sich im

Lauf der Woche ereignet hat. Er hat in einer Notsituation helfend eingegriffen, aber seitdem ist er offenbar verschwunden. Wissen Sie, wo er ist?«

»O Gott«, sagte sie noch einmal. »Was für ein Vorfall?«

»Das Feuer im Bahnhof St. Pancras.«

»Was? Wo der arme Junge verbrannt ist?« Ihre Hand ging zu ihrem Hals. »Ryan war dort? Ist er verletzt?«

»Nein, das glauben wir nicht. Er hat einer Polizeibeamtin geholfen, eine Massenpanik zu verhindern und die Halle zu evakuieren.«

Etwas von ihrer Anspannung schien von Christie Marlowe abzufallen. Sie schloss für einen Moment die Augen und lehnte sich auf dem Stuhl zurück, dann sagte sie: »Ich habe nichts von ihm gehört. Ich weiß nicht, wo er ist.«

Auf ein leichtes Nicken von Kincaid hin beugte Melody sich zu ihr vor. »Mrs Marlowe, ich bin die Polizeibeamtin, der Ryan geholfen hat. Wir haben gemeinsam die Menschenmenge vom Feuer zurückgedrängt, und er hat mir geholfen, zu dem Opfer vorzudringen. Ohne ihn hätte ich es nicht geschafft. Aber dann ist er verschwunden. Wir glauben, dass er das Opfer gekannt hat, und wir hatten gehofft, dass er uns etwas darüber sagen könnte, was genau passiert ist. Und wir würden uns auch gerne vergewissern, dass ihm nichts zugestoßen ist.«

»Ich weiß nicht, wo er ist«, wiederholte Christie Marlowe. In ihren Augen standen Tränen.

Kincaid fragte: »Was macht Ryan beruflich, Mrs Marlowe?«

»Er … Er ist Lastwagenfahrer. Und er arbeitet als Landschaftsgärtner bei größeren Projekten mit.«

»Dann ist er also viel unterwegs?«

Sie nickte. »Aber er kommt fast immer am Wochenende nach Hause, und wenn nicht, ruft er an.«

»Und dieses Wochenende haben Sie noch nichts von ihm gehört?«

Christie schüttelte den Kopf. »Nein.« Es war fast ein Flüstern.

»Ihr Mann war früher bei der Polizei, Mrs Marlowe?«

»Ja, das ist richtig. Aber er hat aufgehört. Es ist irgendetwas passiert – ich weiß nicht, was es war. Sie haben ihm seinen Dienstausweis weggenommen. Seitdem arbeitet er mal hier, mal da.«

»Kennen Sie irgendjemanden von den Leuten, für die Ryan jetzt arbeitet?«

Sie schüttelte den Kopf. »Nein. Es sind nur Gelegenheitsjobs.«

»Bringt er einen Lohnscheck nach Hause?«

»Nein. Nur Bargeld – was immer er in der Woche verdient hat.« Ihre Körpersprache hatte sich fast unmerklich verändert. Sie war zunächst offen besorgt gewesen, dann erleichtert. Doch nun wirkten ihre Antworten einstudiert, und sie hatte Kincaids Recht, so persönliche Fragen zu stellen, nicht angezweifelt.

Sie log. Und es war eine Lüge, die sie schon öfter erzählt hatte.

»Mrs Marlowe – Christie – darf ich Sie Christie nennen?«, fragte Kincaid. Er brauchte die vertrauliche Anrede, um ihren Panzer zu knacken.

Christie Marlowe nickte.

Kincaid fuhr fort: »Christie, wir haben Grund zu der Annahme, dass Ihr Mann in den letzten Jahren als verdeckter Ermittler für die Polizei tätig war. Ich glaube, Sie wissen das. Wir fürchten, dass er in irgendwelchen Schwierigkeiten stecken könnte, und wir würden ihm gerne helfen.«

»Nein.« Sie stemmte sich mit unsicheren Bewegungen von

ihrem Stuhl hoch. »Ich rede nicht mit Ihnen. Sie müssen jetzt gehen.« Ihr Blick zuckte kurz zur Küche, als wollte sie sich versichern, dass ihre kleinen Mädchen nichts gehört hatten.

Kincaid hob eine Hand. »Christie, bitte. Setzen Sie sich. Wir wollen Ihnen helfen. Wir wollen Ryan helfen.«

»Ich weiß ja nicht einmal, wer Sie sind!« Sie wurde jetzt laut, und er konnte sehen, dass es sie Mühe kostete, die Stimme zu senken, als sie weitersprach. »Sie haben mir einen Dienstausweis gezeigt – das hat überhaupt nichts zu bedeuten. Und Sie beide« – sie deutete auf Melody und Doug – »haben nicht einmal das getan. Nicht, dass es eine Rolle spielen würde – jeder kann einen Polizeiausweis nachmachen. Und einem alle möglichen Lügen erzählen.«

»Hören Sie, Christie«, sagte Kincaid, »ich werde ganz offen mit Ihnen sein. Ob Sie mir glauben oder nicht, ist Ihre Sache. Das da ist Doug Cullen, und das ist Melody Talbot. Wir sind alle Kriminalbeamte bei der Met, aber wir sind nicht in offizieller Funktion hier. Wir sind befreundet, arbeiten aber in verschiedenen Teams.«

Melody nahm den Faden auf, und sie sprach mit einer Ernsthaftigkeit, die Kincaid von ihr gar nicht kannte. »Christie, ich weiß nicht, wie ich das erklären soll, aber in diesen wenigen Minuten, die ich mit Ryan verbracht habe, da habe ich eine … eine Verbundenheit gespürt. Das war etwas, wovon ich schon gehört hatte, aber mir selbst war es noch nie passiert. Wir sind zusammen auf das Feuer zugelaufen. Und dann, als er verschwunden war, da hatte ich einfach das Gefühl, dass da etwas ganz und gar verkehrt war. Es ist Duncans Fall« – sie deutete mit dem Kopf auf Kincaid –, »aber Doug und ich wollten helfen. Das ist alles inoffiziell, und alles, was Sie uns sagen, wird auch unter uns bleiben.«

»Ich wünschte, ich könnte Ihnen glauben«, erwider-

346

te Christie Marlowe. »Aber selbst wenn ich es könnte – ich kann Ihnen trotzdem nichts sagen. Ich *weiß* nicht, in was für Schwierigkeiten Ryan steckt. Er erzählt *mir* nichts.«

Die Hündin, die neben dem Stuhl ihrer Besitzerin gelegen hatte, stand auf, trottete zu Kincaid hinüber und legte den Kopf auf sein Knie. »Hallo, Mädchen«, sagte er und kraulte sie hinter den Ohren.

»Ach, Sally.« Christie Marlowe schüttelte den Kopf. Tränen standen in ihren Augen. »Beachten Sie sie einfach nicht. Ryan verwöhnt sie ganz fürchterlich. Sie vermisst ihn.«

»Christie«, sagte Kincaid sanft. »Sie sind jetzt wie lange mit Ryan verheiratet – zehn Jahre? Haben Sie irgendeine Ahnung, wo er sein könnte? Wo er hingehen würde, wenn er in Schwierigkeiten ist?«

Sie wischte sich die Augen und sah sie an. Die Stimmen der Mädchen in der Küche wurden lauter, als ob sich ein Streit anbahnte.

»Ich weiß nicht, was ich tun soll«, sagte Christie schließlich. Sie sah die Hündin an, die jetzt zufrieden auf Kincaids Hose sabberte. »Ryan sagt immer, dass man Hunden viel mehr vertrauen kann als Menschen und dass man auf ihre Instinkte achten sollte.« Sie schniefte, dann seufzte sie. »Ryan war schon immer ein begeisterter Camper und Kanufahrer. Ich war eine große Enttäuschung für ihn, weil ich nie verstanden habe, was so toll daran sein soll, sich freiwillig Nässe, Dreck und Kälte auszusetzen. Wir …« Christie senkte den Blick auf ihre Hände. »Um ehrlich zu sein, es läuft schon seit einem Jahr oder so nicht mehr so gut zwischen uns. Meistens ist Ryan am Wochenende nach Hause gekommen, hat ein bisschen Zeit mit den Mädchen und dem Hund verbracht und ist dann mit seinem Kanu zum Fluss gefahren.

Und letzten Herbst ist er dann einmal ohne das Kanu zurückgekommen, aber er wollte nicht sagen, was damit passiert war.«

»Wissen Sie, wo er am liebsten hingefahren ist?«, fragte Doug. Es war das erste Mal, dass er das Wort ergriff. »Ich bin nämlich auch gerne am Fluss.«

»Ich …« Christie starrte wieder auf ihren Schoß und verschränkte die Finger. »Ich … Ich schäme mich. Er … hat sich verändert. Letzten Herbst. Ich weiß nicht, warum. Plötzlich hat er sich völlig von mir abgekapselt. Ich fürchtete schon, dass er eine Affäre hätte. Das passiert ständig, das weiß ich schon, ich habe es immer gewusst, aber irgendwie hatte ich geglaubt, Ryan würde nie … Also bin ich … Ich bin ihm an einem Wochenende gefolgt.« Sie blickte zu ihnen auf. »Er war allein. Ich habe ihm nie gestanden, was ich getan hatte.«

»Aber Sie können uns sagen, wohin er gegangen ist«, ermunterte Doug sie.

»Es war in der Nähe von Wallingford. Der Fluss bildet dort ein paar kleine, sumpfige Seen mit winzigen Inseln darin. Ich habe gesehen, wie er sein Kanu aus einem Dickicht zog und auf die Inseln zuruderte. Mehr weiß ich nicht. Ich habe danach nie mehr versucht, ihm zu folgen. Ich hätte ihm vertrauen sollen«, fügte sie mit gequälter Stimme hinzu.

Kincaid konnte ihr unmöglich sagen, dass nach allem, was sie über Ryan und Wren in Erfahrung gebracht hatten, ihr Verdacht vielleicht doch berechtigt war.

»Danke«, sagte er schlicht. »Wir werden unser Bestes tun, um ihn zu finden und uns zu vergewissern, dass er wohlauf ist.«

Er tätschelte der Hündin noch ein letztes Mal den Kopf und stand auf. Dabei fiel sein Blick auf ein Foto auf dem Kaminsims. Es war ein Familienbild, vielleicht vor zwei oder drei Jahren aufgenommen, nach dem Alter der Mädchen zu schließen. Der Mann, den sie als Ryan Marsh kannten, lachte und hatte einen Arm um seine jüngere Tochter gelegt. Was war seit jenem Tag mit ihm geschehen?

Als sie sich verabschiedeten, gab Kincaid Christie eine Karte mit seiner Mobilnummer. »Wenn Sie irgendetwas hören oder etwas brauchen, rufen Sie mich bitte an. Und, Christie – ich weiß, Sie haben keinen Grund, uns zu vertrauen, aber ich glaube, es wäre besser, wenn Sie niemandem erzählen, dass wir hier waren. Oder wo Ryan sich vielleicht aufhält.«

»Ich weiß genau, wo das ist«, sagte Doug, als sie ins Auto stiegen. »Bei Nacht würden wir diese Inseln niemals finden, aber wir können uns gleich morgen früh mit einer Barkasse der Flusspolizei hinbringen lassen.«

Kincaid dachte darüber nach und schüttelte dann den Kopf. »Nein. Wir wissen immer noch nicht, womit wir es hier zu tun haben. Und wir wollen ganz bestimmt nicht die Thames River Police in eine Konfrontation mit ungewissem Ausgang hineinziehen.«

»Okay«, sagte Doug. »Also, sobald die Bootsverleihe in Wallingford am Morgen aufmachen, mieten wir uns ein Ruderboot. Kannst du rudern?«

22

Wie für so viele andere Orte in England war der Erste Weltkrieg auch für St. Pancras ein Vorbote großer Veränderungen ... Am Abend des 17. Februar 1918 warfen deutsche Flieger fünf Bomben über dem Bahnhof und dem Hotel ab ... Die fünfte Bombe traf das Glasdach der Kutschenzufahrt neben der Schalterhalle. Es gab zwanzig Tote und dreiunddreißig Verletzte. Das war die größte Opferzahl bei einem Luftangriff auf einen Londoner Bahnhof während dieses Krieges.

Jack Simmons und Robert Thorne, *St. Pancras Station*, 2012

Kincaid erwachte lange vor Tagesanbruch. Widerstrebend löste er sich von Gemmas warmem Körper, schlüpfte unter der Decke hervor und schlich ins Bad, um zu duschen. Eine halbe Stunde später war er schon mit Gemmas Escort auf dem Weg nach Putney, bekleidet mit Jeans, einem alten Wollpullover und seinem dicksten Anorak.

Als er Doug abholte, sah er, dass sein ehemaliger Sergeant eine ähnliche Montur trug, aber seine Orthese abgelegt hatte.

»Was ist mit deinem Knöchel?«, fragte Kincaid, als sie von Dougs Haus losfuhren.

»Mit dem Ding kann ich nicht in ein Boot ein- und aussteigen«, antwortete Doug. »Und wenn ich mir den Knöchel versaue, kriege ich den Innendienst verlängert und muss nicht für Detective Superintendent Slater den Wasserträger machen.«

»Alter Simulant«, meinte Kincaid lachend.

»Würdest du's nicht genauso machen?« Doug klang nicht besonders amüsiert.

Kincaid schwieg eine Weile und konzentrierte sich aufs Fahren. Der Himmel begann sich im Osten gerade aufzuhellen, und so früh an einem Sonntagmorgen war noch kaum eine Menschenseele unterwegs. Er liebte London in diesen stillen Stunden, wenn es in den Straßen himmlisch ruhig war und die Stadt ein eigenes Leben zu haben schien, unabhängig von ihren Bewohnern.

Bald jedoch fuhren sie wieder in westlicher Richtung auf der M4, während in ihrem Rücken der Morgen dämmerte.

»Wohin genau fahren wir?«, fragte er Doug.

»Zu einem kleinen Bootsverleih nördlich von Wallingford. Sie haben sonntags nicht geöffnet, aber ich habe den Inhaber gestern Abend noch telefonisch erreicht. Ich rufe ihn an, wenn wir in der Nähe sind, und er wird sich dort mit uns treffen.«

»Du musst ja sehr überzeugend gewirkt haben, was?«

Doug grinste. »Polizeiangelegenheit. Streng geheim.«

In Didcot bogen sie von der Hauptstraße ab und fuhren auf kurvigen, von Hecken gesäumten Landstraßen auf den Fluss zu.

Der letzte rosige Schimmer am Himmel war verblasst, als sie den kleinen Bootshafen erreichten. Kanus und Kajaks waren dort aufgebockt, und am Anleger waren zwei kleine Motorbarkassen und ein Ruderboot festgemacht.

»Sag mir bitte, dass wir eins mit Motor nehmen«, sagte Kincaid, während er auf dem Grünstreifen parkte.

»Willst du ihn unbedingt vorwarnen? *Du* wolltest doch schließlich kein Polizeiboot«, konterte Doug. »Keine Sorge. Du musst nicht rudern.«

Der Inhaber hatte Wort gehalten und erwartete sie bereits.

Er kassierte im Voraus die Ausleihgebühr für das Ruderboot, wies sie an, es wieder dort festzumachen, wo sie es gefunden hatten, schloss sein Büro ab und ging, ohne eine einzige neugierige Frage gestellt zu haben.

Doug erwies sich als Experte mit Tauen und Riemen, und bald waren sie auf dem Wasser.

Als sie London verlassen hatten, waren noch ein paar Tropfen gefallen, doch im Moment schien der Regen eine Pause zu machen. Es war kalt und windstill, als sie in stetem Tempo über das Wasser glitten, und der leichte Fahrtwind war die einzige Luftbewegung.

Kincaid, der mit dem Gesicht zum Bug saß, sah staunend zu, wie Doug ruderte. »Nicht übel«, sagte er. »Gar nicht übel.«

»Das ist der Vorteil, wenn man auf einem Eliteinternat war«, erwiderte Doug in den Pausen zwischen den Zügen. »Das hier ist noch weit entfernt von Sportrudern, aber in Eton wurde Bootssport schon immer großgeschrieben.«

Der Fluss wurde immer breiter, und Kincaid hatte das Gefühl, dass vor ihnen und um sie herum nichts mehr war als graues Wasser, das in grauen Himmel überging. Dann zeichneten sich vor ihnen allmählich die dunklen Silhouetten von Bäumen ab, links und rechts von Wasser gesäumt.

»Ist das unsere Insel?«, fragte Kincaid.

»Sag du's mir.« Doug zog die Riemen ein und blickte sich um. »Ich glaube schon. Wenn ich mich nicht ganz verrechnet habe.«

Er ließ die Riemen wieder ins Wasser gleiten. Der dunkle Fleck kam näher, bis Kincaid schließlich einzelne Bäume und dichtes Unterholz ausmachen konnte. Ein Graureiher glitt über sie hinweg und warf mit seinen ausgebreiteten Flügeln einen schwachen Schatten aufs Wasser. Seine gelben Beine waren kurz zu sehen, ehe er hinter den Baumwipfeln verschwand.

Wieder zog Doug die Riemen ein, doch diesmal ließ er das Boot mit der Strömung auf das Inselufer zutreiben.

Sie saßen reglos im Boot, und Kincaid hatte das Gefühl, dass sie vielleicht doch die einzigen Menschen in diesem kleinen Stück Wildnis waren. Und dann stieg ihm in der windstillen Luft der Geruch eines Holzfeuers in die Nase.

Gemma saß am Küchentisch und trank ihre zweite Tasse heißen Milchkaffee. Für einen Sonntagmorgen war es geradezu unnatürlich still im Haus: Nicht nur dass Duncan aufgebrochen war, noch ehe sie überhaupt wach gewesen war, auch Toby und Charlotte waren früh von MacKenzie abgeholt worden. Sie hatte gesagt, sie wolle mit ihnen vor der Matinee zum Brunch in Wolseley's Café am Piccadilly gehen.

»Bist du sicher?«, hatte Gemma gefragt. »Ich würde mich ja nicht trauen, sie in so einen Nobelladen mitzunehmen.«

»Keine Sorge«, hatte MacKenzie in ihrer gewohnt optimistischen Art erwidert. »Ich habe Bill dazu verdonnert mitzukommen, und je eher die kleinen Rabauken Manieren lernen, umso besser. Womit ich natürlich Toby nicht zu nahe treten wollte«, fügte sie grinsend hinzu.

Gemma verdrehte die Augen. »Wir wissen ja schon, dass du wahre Wunder wirken kannst, also sage ich einfach mal, möglich ist alles.« Sie hatte den Kindern ihre feinsten Sachen aus dem Ollie-Katalog angezogen, fragte sich allerdings schon, wie lange Tobys Klamotten sauber bleiben würden.

Sie staunte noch immer über ihre Freundin, die an den meisten Tagen ihr gutes Aussehen herunterspielte, indem sie kein Make-up benutzte, gewöhnliche Kleidung trug und ihre dunkle Lockenpracht mit einem einfachen Clip bändigte. Aber heute hatte MacKenzie sich wirklich in Schale geworfen, und Gemma erkannte das Outfit vom Cover des neuen

Frühjahrskatalogs von Ollie wieder. »Du siehst umwerfend aus«, sagte sie mit einem Anflug von Neid.

»Wir sind wandelnde Reklameflächen«, scherzte MacKenzie, doch Gemma wusste, dass es stimmte. Sie würden im Wolseley und im Ballett gesehen werden. Sie hoffte nur, dass die zwei sich benehmen würden.

»Mach dir einen schönen Tag«, hatte MacKenzie noch gesagt und ihr einen Kuss auf die Wange gegeben, während sie die Kinder zur Tür hinausgescheucht hatte. Zurückgeblieben war der Hauch eines aufregenden, zitrusartigen Parfums, das Gemma nicht erkannte.

Genau das werde ich machen, dachte Gemma, während sie gemächlich ihren Kaffee trank und die Wärme genoss, die der Aga-Herd ausströmte. Den Kätzchen ging es gut, und zwei waren bereits vergeben. Gestern Abend hatte Holly, die Tochter ihrer Freundin Hazel, so alt wie Toby und seine liebste Spielkameradin, sich auf Anhieb in den kleinen schwarzen Kater verguckt. Und Oliver, MacKenzies Sohn, hatte das Tigerkätzchen ins Herz geschlossen, das schon Ansätze von weißen Flecken zeigte, wie seine Mutter sie hatte.

Bis zum Mittag, wenn sie mit Kit zu Erika zum Essen gehen würde, gehörte der Tag ihr. Sie könnte sich sogar ein wenig an ihr Klavier setzen, das sie seit ihrer Versetzung arg vernachlässigt hatte.

Aber zuerst … Sie zog die Aktenmappe aus der Tasche, die sie auf dem Küchenstuhl abgestellt hatte. Es waren die Unterlagen zum Fall Mercy Johnson, und Gemma war entschlossen, sie noch einmal durchzugehen. Sie las gerade ein zweites Mal die Berichte der Spurensicherung, als sie polternde Schritte auf der Treppe hörte.

Kit kam genau in dem Moment in die Küche, als Gemma die Akte zuklappte. »Du arbeitest«, sagte er vorwurfsvoll.

»Ich hab nur ein paar Sachen nachgesehen.« Sie betrachtete ihn lächelnd. »Du siehst gut aus.« Er trug ein neues Hemd mit einem Gap-Pullover, und sie konnte sehen, dass er gerade geduscht und sich die Haare gewaschen hatte.

Er ignorierte das Kompliment. »Kann ich bitte einen Kaffee haben?«

»Mehr Milch und weniger Kaffee. Ich will keinen koffeinsüchtigen Teenager. Du hast so schon genug Energie.«

»Bsssssss«, neckte Kit sie, während er einen halben Becher Milch in der Mikrowelle erwärmte. »Erika hat angerufen. Sie macht nur ein Brathähnchen anstatt zwei. Immer noch mehr als genug für mich. Ich helf ihr aber mit dem Gemüse, damit sie den Brokkoli nicht totkocht.« Er nahm seine Milch heraus, griff nach der Kaffeekanne und schielte zu Gemma, um zu sehen, ob sie zuschaute. »Mist«, sagte er grinsend und goss sich nur eine halbe Tasse ein.

Gemma stand auf, um sich auch nachzuschenken. »Was hast du denn da auf der Wange?« Sie wischte mit dem Finger über einen weißen Strich.

»Finger weg!« Kit wich ihr aus.

»Rasiercreme?«, sagte sie und schnupperte. »*Meine* Rasiercreme? *Mein* Rasierer?« Von Duncan konnte er ihn nicht haben – der rasierte sich elektrisch.

»Na ja, ich …« Kit errötete bis zum Ansatz seiner blonden Haare. »Ich dachte, da wäre ein bisschen Flaum, und ich …«

Gemma kniff ihn zärtlich in die Wange. »Regel Nummer eins, Schatz: Benutz nie den Rasierer einer Dame. Damit handelst du dir gewaltigen Ärger ein. Ich kauf dir deinen eigenen, wenn wir das nächste Mal einkaufen gehen.«

»Wirklich?«

»Natürlich«, antwortete sie, obwohl sie gar nicht daran denken mochte, dass Kit sich schon rasieren …

Der Gedanke schoss ihr durch den Kopf, als sie mit der Tasse in der einen Hand und der Kaffeekanne in der anderen dastand. *Rasieren* ...

»Gemma? Ist alles okay?« Kit starrte sie an.

»Ja. Alles in Ordnung. Ich muss nur etwas nachschauen.«

»Okay.« Kit musterte sie noch einmal kritisch. »Ich bin oben, falls du mich brauchst.«

Gemma wartete, bis er die Küche verlassen hatte, ehe sie sich an den Tisch setzte und den Ordner wieder aufschlug. Sie zog den Bericht der Spurensicherung heraus und studierte noch einmal die chemischen Namen einer Substanz, die auf Mercys Haut gefunden worden war. Es war Rasiercreme. Spuren auf ihren Oberschenkeln. Mercy war noch keine dreizehn gewesen. Hatte sie sich die Beine rasiert?

Sie dachte an die Rasier- und Haarentfernungsprodukte, die sie in Dillon Underwoods Bad gefunden hatten. Wenn er sich die Oberschenkel und den Schambereich rasiert hatte, um Haarspuren zu vermeiden, könnte es sich bei der Rasiercreme auf Mercys Oberschenkeln um *seine* handeln?

Sie musste noch einmal mit Mercys Mutter reden, um herauszufinden, ob Mercy sich rasiert hatte und wenn ja, welche Rasiercreme-Marke sie benutzt hatte. Und das Labor musste ihr sagen, zu welcher Marke die Spuren passten, die an Mercys Leiche gefunden worden waren. Wenn Mercy sich *nicht* rasiert hatte und die Marke mit der in Dillon Underwoods Bad übereinstimmte, hätten sie vielleicht endlich etwas Konkretes gegen ihn in der Hand.

Sie schlug den Ordner zu, griff nach ihrem Telefon und rief Melody an.

Doug, der in weiser Voraussicht Anglerstiefel angezogen hatte, manövrierte das Boot längsseits ans Ufer der Insel, sprang hinaus und zog es so dicht heran, dass Kincaid hinausklettern konnte, ohne klatschnass zu werden. Anschließend machte Doug das Boot an einem tief hängenden Ast fest. Und dann standen sie da und lauschten. Sie wussten, wenn noch jemand außer ihnen auf der Insel war, dann hatte er sie längst gehört und entdeckt.

Die einzigen Geräusche waren fernes Vogelgezwitscher und das sanfte Plätschern der Wellen am Rumpf des Boots. Doch der Geruch nach Holzrauch war stärker geworden, und Kincaid spürte, dass noch jemand in der Nähe war.

Er wandte sich zur Mitte der Insel. »Ryan Marsh«, sagte er mit ruhiger Stimme. »Mein Name ist Duncan Kincaid. Ich bin Polizeibeamter, aber dies ist kein offizieller Einsatz. Wir wissen, dass Sie hier sind, und wir müssen mit Ihnen sprechen.«

Es kam keine Antwort, doch er glaubte das Knacken eines Zweigs zu hören. Er wartete und setzte noch einmal an: »Ryan, ich leite die Ermittlungen zu dem Vorfall in St. Pancras. Ich muss mit Ihnen über Paul Cole sprechen. Ihre Frau hat uns gesagt, wo wir Sie finden, ich kann also nicht garantieren, dass sie es nicht noch jemand anderem erzählt. Noch einmal: Das hier ist *nicht* offiziell.«

Wieder wartete er. Er konnte hören, wie Doug neben ihm atmete. Das Schweigen zog sich hin wie Wassertropfen, die an einem Faden herabrinnen. Kincaid glaubte sein eigenes Herz schlagen zu hören.

Ein leises Rascheln war zu vernehmen, und dann tauchte zwischen zwei Bäumen, ein paar Meter weiter landeinwärts, ein Mann auf. Er trug einen alten Anorak. Seine hellbraunen Haare waren zerzaust, sein Bart ein paar Tage über das Stoppelstadium hinaus. Um den Hals trug er ein blaues Tuch, und selbst auf diese Entfernung konnte Kincaid sehen, dass seine Augen blau waren.

In der rechten Hand hielt er, ganz locker und entspannt, ein kleines Gewehr.

»Sie sehen aber nicht gerade wie Polizisten aus«, sagte Ryan Marsh. Seine Stimme war rau, als hätte er sie ein paar Tage lang nicht benutzt.

»Sie aber auch nicht«, erwiderte Kincaid.

Marshs Lippen verzogen sich zu einem angedeuteten Lächeln. »Ich sehe schon lange nicht mehr wie ein Polizist aus. Wer ist denn Ihr Freund da?« Er deutete mit dem Kinn auf Doug.

»Er ist tatsächlich nur mein Freund. Mein ehemaliger Sergeant. Doug Cullen.«

»Nicht schlecht gerudert«, sagte Marsh an Doug gewandt. »Und jetzt erklären Sie mir doch noch mal, warum Sie zwei Freunde hier sind.«

»Weil Paul Coles Tod mein Fall ist«, antwortete Kincaid. »Und weil die Polizistin, der Sie an diesem Tag geholfen haben, auch eine Freundin von mir ist. Wir haben geglaubt, Sie seien der Tote, bis sie Sie auf einem alten Zeitungsfoto erkannt hat.«

»Das ist also mein Lohn dafür, dass ich den barmherzigen Samariter gespielt habe«, sagte Marsh, wieder mit diesem ironischen Zucken um die Mundwinkel. Und dann: »Geht es ihr gut? Sie war unglaublich mutig.«

»Es geht ihr einigermaßen«, antwortete Doug. »Bis jetzt.«

Ryan trat ein paar Schritte näher. »Meine Frau – Sie haben gesagt, Sie hätten mit ihr gesprochen. Geht es ihr gut?«

»Ja. Aber sie macht sich Sorgen um Sie.«

»Sie haben ihr nicht von St. Pancras erzählt?«

»Nur dass Sie einer Polizistin geholfen hätten und dass wir uns Sorgen um Sie machten.«

»Wie haben Sie Christie gefunden?«

»Das ist eine lange Geschichte. Sagen Sie, können wir uns irgendwo unterhalten?«, fragte Kincaid.

Während Ryan Marsh offenbar über die Bitte nachdachte, fragte sich Kincaid, wie er und Doug so verrückt sein konnten, allein auf diese Insel zu kommen, wo sie einem Mann mit einem Gewehr gegenüberstanden. Wenn Marsh beschließen sollte, sie einfach abzuknallen, würden ihre Leichen je gefunden werden?

»Sie meinen, ich soll Sie in mein Wohnzimmer bitten?«, sagte Marsh. »Na ja, warum nicht? Ich halte es für unwahrscheinlich, dass Sie beide sich auf mich stürzen« – er packte das Gewehr ein wenig fester – »und mich in Ihr Boot zerren werden. Ach ja, und hier gibt es übrigens keinen Handyempfang. Nur falls Sie mit dem Gedanken gespielt hatten, jemanden anzurufen.« Er winkte sie mit dem Gewehr heran. »Sie gehen voraus.«

Nachdem sie an ihm vorbei waren, wies er sie an, noch ein paar Meter weiterzugehen. Bald darauf öffnete sich vor ihnen eine kleine Lichtung. Sie erblickten eine Feuerstelle, mehrere raffiniert konstruierte Windschutzwände, die als Tarnung dienten, und ein kleines Schlaflager unter einer Plane. Am Feuer stand ein einzelner Campinghocker.

Marsh hatte bemerkt, dass Doug humpelte. »Was ist denn mit Ihrem Bein?«, fragte er.

»Komplizierter Bruch.«

»Dann nehmen Sie den Hocker.« Zu Kincaid sagte er: »Sie sitzen dort«, und wies auf einen Baumstamm. Er selbst positionierte sich so, dass er sie beide im Blick hatte, und ging in die Hocke, das Gewehr über die Oberschenkel gelegt.

Kincaid roch den Duft von gegrilltem Fisch. »Schön haben Sie's hier«, sagte er. »Wie lange sind Sie schon hier – seit Mittwochabend? Donnerstagmorgen?«

Marsh ignorierte die Frage. »Ich will wissen, woher meine Frau wusste, wo ich bin. Und ob sie es sonst noch jemandem erzählt hat.«

»Sie ist Ihnen vor ein paar Monaten gefolgt«, sagte Kincaid. »Sie dachte, Sie hätten eine Affäre.«

»O Mann«, murmelte Marsh. Er nahm eine Hand von dem Gewehr und kniff sich in die Nasenwurzel.

»Ich glaube nicht, dass sie es sonst noch jemandem erzählt hat«, fuhr Kincaid fort. »Aber jetzt macht sie sich wirklich Sorgen um Sie.«

»Sie sagen, es sei ›nicht offiziell‹.« Marsh fixierte Kincaid mit seinen blauen Augen. »Warum sind Sie inoffiziell hier? Nein, warten Sie. Erzählen Sie mir erst mal, was Sie wissen.«

Kincaid dachte einen Moment nach. Wie sollte er die komplizierte Geschichte vereinfachen, was durfte er preisgeben? »Wir wissen, dass Sie zu Matthew Quinns Protestgruppe gehört haben«, begann er, »und dass Sie zumindest zeitweise in seiner Wohnung gewohnt haben. Wir wissen, dass Sie derjenige waren, der die Rauchbombe in der Bahnhofshalle von St. Pancras zünden sollte. Es war Iris, die zu uns kam und uns sagte, sie glaube, bei dem Toten handle es sich um Sie. Sie war am Boden zerstört.«

Marsh verzog gequält das Gesicht, sagte aber nichts. Kincaid fuhr fort: »Wir dachten auch, dass Sie es seien, nachdem wir die übrigen Gruppenmitglieder vernommen hatten. Aber dann fanden wir heraus, dass ›Ryan Marsh‹ gar nicht existiert, und da wurde uns klar, dass etwas an der Sache sehr, sehr faul war.

Und dann entdeckten wir, dass es sich bei dem Opfer gar nicht um Sie handelte, sondern um einen jungen Mann, der lose mit der Gruppe verbunden war, einen gewissen Paul Cole. Und Melody – unsere Freundin – hat Sie als den Mann erkannt, der ihr nach der Explosion geholfen hat. Sie war sich sicher, dass Sie Polizist waren. Und sie war überzeugt, dass Sie gewusst hatten, dass das Opfer Paul Cole war, dass Sie aber für seinen Tod nicht verantwortlich waren. Wir haben ihrem Urteil vertraut. Sie waren untergetaucht, und wir nahmen an, dass Sie einen guten Grund dafür hatten. Und deswegen ist das hier *inoffiziell*.«

»Sie haben es nicht an die Sicherheitsdienste weitergegeben?«

»Nein.« Kincaid sah, wie Marsh sich ein wenig entspannte. »Aber es gibt Leute, die wissen, wo wir gerade sind. Nur für den Fall, dass Sie sich das gefragt hatten.« Er lächelte.

»Okay«, erwiderte Marsh. »Schon verstanden.«

»Wir konnten uns drei mögliche Gründe vorstellen, warum Sie verschwunden waren«, fuhr Kincaid fort. »Erstens: Sie haben Paul Cole vorsätzlich getötet.« Er hob eine Hand, ehe Marsh etwas erwidern konnte. »Wenn wir das ausschlössen, blieben noch die zwei anderen logischen Erklärungen: Sie glaubten, man würde Ihnen die Schuld an seinem Tod geben, oder Sie glaubten, jemand habe *Sie* töten wollen. Oder vielleicht beides. So, und jetzt wollen Sie uns vielleicht mal erzählen, was wirklich passiert ist.«

»Ich habe sie Paul gegeben. Ich habe ihm die verdammte Rauchbombe gegeben.« Ryan rieb sich den Bart. »Er tat mir leid. Matthew hatte ihn abgeschüttelt wie eine lästige Fliege.«

»Sie hatten keine Sorge, dass man ihn verhaften würde?«

»Um ehrlich zu sein, ich dachte, wenn er sich mit den Konsequenzen auseinandersetzen müsste, würde ihm das helfen, ein bisschen erwachsener zu werden.«

»Wann genau haben Sie sie ihm gegeben?«, fragte Kincaid.

»An dem Morgen. Vor King's Cross. Er war mir von der Wohnung gefolgt.«

»Und Sie waren sich sicher, dass es eine Rauchbombe war?«

»Mein Gott, ja. Ich hatte im Lauf der Jahre schon Dutzende von den Dingern bei Demonstrationen gezündet. Ich hätte geschworen, dass es eine gewöhnliche Rauchbombe war. Als ich das Feuer gesehen habe …« Marsh hielt inne und schluckte, er sah aus, als sei ihm schlecht. »Und als ich ihn dann gesehen habe, da habe ich …« Er schüttelte den Kopf. Kincaid erinnerte sich, dass Melody gesagt hatte, er habe verstört gewirkt.

»Wusste sonst noch jemand, dass Sie Paul die Rauchbombe gegeben hatten?«

Ryan Marsh runzelte die Stirn. »Ja. Seine Freundin. Es war vor allem sie, die er beeindrucken wollte. Ariel. Ariel Ellis.«

Kit war gerade noch einmal mit den Hunden draußen gewesen, bevor er sich auf den Weg zu Erika machen wollte, als es an der Tür klingelte. Es konnte noch nicht MacKenzie sein, die Charlotte und Toby zurückbrachte, und Gemma erwartete er auch so bald noch nicht zurück. Sie war mit der U-Bahn nach Brixton gefahren und hatte ihm aufgetragen, sie bei Erika zu entschuldigen und ihr zu sagen, dass sie nicht mit dem Mittagessen warten sollte.

Nachdem er die Hunde beruhigt hatte, ging er zur Tür und öffnete sie. Verblüfft riss er die Augen auf. Es war das hübsche Mädchen, das gestern in das Café in der Lamb's Conduit Street gekommen war und gesagt hatte, sie sei auf dem Weg zum Polizeirevier gewesen, um mit seinem Vater zu sprechen, und habe ihn hineingehen sehen.

»Hi«, sagte sie und zog ein wenig schüchtern den Kopf ein. »Ich weiß nicht, ob du dich an mich erinnerst …«

»Klar erinnere ich mich an dich«, sagte Kit und gab sich gleich innerlich einen Tritt wegen seines uncoolen Übereifers. »Du bist … Ariel, stimmt's?«

Sie nickte. »Tut mir leid, wenn ich einfach so reinplatze. Ist dein Vater zu Hause?«

»Nein, er ist nach … Er ist weggefahren. Ich weiß nicht genau, wohin. Irgendwas Dienstliches.«

»Ach so, alles klar. Na, dann will ich nicht weiter stören. Es ist nur, weil er mir gesagt hat, ich könnte vorbeikommen und mir die Kätzchen anschauen. Ich habe mit meinem Vater geredet, und er sagt, wir könnten vielleicht eins nehmen. Aber ich kann ein andermal wiederkommen … War nett, dich zu sehen.« Sie lächelte, strich sich die weißblonden Haare aus dem Gesicht und wandte sich zum Gehen. Ihre Wangen waren von der Kälte gerötet.

»Warte«, sagte Kit. »Du willst die Kätzchen sehen? Ich kann sie dir zeigen.«

»Wirklich?« Ariel lächelte wieder. »Das wäre toll.«

Er nahm ihre gefütterte Jacke und ihre Wollmütze und legte beides auf die Bank in der Diele. Die Hunde schnüffelten an ihren Beinen herum, aber sie bückte sich nicht, um sie zu streicheln.

»Schönes Haus«, sagte sie, während sie sich neugierig umschaute. »Ich glaube, Häuser verraten viel über die Menschen, die darin wohnen, findest du nicht?«

»Darüber hab ich eigentlich noch nicht nachgedacht«, antwortete Kit, der sich schon ein wenig besorgt fragte, was ihr Haus wohl über sie aussagte. Im Hausflur lag Hundespielzeug auf dem Boden herum, und Toby hatte eine halb fertige Lego-Burg auf dem Esszimmertisch stehen lassen. Und der Deckel von Gemmas Stutzflügel war mit einer Staubschicht überzogen.

»Die Kätzchen sind dort drüben«, sagte er, und während er Ariel den Gang entlangführte, fiel ihm ein, dass Gemma die halb ausgetrunkenen Kaffeetassen auf dem Küchentisch hatte stehen lassen und dass die schmutzigen Frühstücksteller noch im Waschbecken lagen. »Geh nur vor«, forderte er sie auf, als sie zur Tür des Arbeitszimmers kamen. »Wir müssen aufpassen, dass wir die Hunde nicht reinlassen.«

Ariel schlüpfte als Erste hinein, und Kit machte die Tür hinter ihnen zu. Das Zimmer war dämmrig, nur erhellt vom gedämpften Schein der Schreibtischlampe und dem grauen Tageslicht, das durch das Fenster fiel.

Sie steuerte direkt auf die Kiste unter dem Schreibtisch zu und kniete sich daneben. »Oh, sind die nicht süß!«, rief sie, während sie hineinspähte. Kit kniete sich neben sie, und ihre Nähe machte ihn plötzlich ganz nervös. Er konnte ihr Shampoo riechen und einen Hauch ihres herben Parfums. Er nahm an, dass sie schon älter als er sein müsste, aber so wirkte sie nicht.

Die Kätzchen schliefen, ein einziges vielfarbiges Fellknäuel, doch Xena blinzelte sie an und begann zu schnurren. »Hallo, Fräulein«, sagte Kit und kraulte sie unter dem Kinn.

»Wie alt sind sie?«, fragte Ariel. »Sie sind so winzig.«

»Wir wissen es nicht genau. Ich hab sie erst am Mittwoch gefunden. Wir denken, so etwa eine Woche.«

»Oh.« Ariel sah ihn an. »Mein Freund ist am Mittwoch gestorben.«

Kit wusste nicht, was er sagen sollte. Er selbst hatte seine Mutter verloren, und keine tröstenden Worte hatten es erträglicher machen können. »Es … Das tut mir leid.«

Ariel streckte die Hand aus und streichelte das Bündel von Kätzchen mit einem Finger. »Ich dachte bloß, es war vielleicht ein Omen oder so. Dass vielleicht eins von ihnen für mich bestimmt wäre.«

»Das Schwarze ist schon vergeben. Und das kleine Tigerchen auch.«

»Ach, ich mag das Schwarz-Weiße sowieso am liebsten.«

In dem Moment, als sie es sagte, wurde Kit klar, dass er das schwarz-weiße Kätzchen auf keinen Fall hergeben wollte.

»Darf ich es nehmen?«, fragte Ariel und griff nach den Kätzchen, die sich zu regen begannen.

»Warte, ich mach das.« Seine Hand streifte ihre, als er den kleinen schwarz-weißen Kater aus dem Knäuel löste. Er fühlte sich fiebrig und unbeholfen in der Nähe dieses zierlichen Mädchens, und er empfand ein Unbehagen, das er sich nicht recht erklären konnte. »Sieh mal, er fängt gerade an, die Augen aufzumachen«, sagte er, während er das Kätzchen im Arm hielt. »Sie sind blau. Siehst du es?«

»Wie meine«, sagte sie. »Bitte, darf ich ihn halten?« Sie nahm ihm das Katerchen ab und barg es unter ihrem Kinn.

»Ich glaube, den wollten wir behalten«, sagte Kit mit einer Heftigkeit, die ihn selbst überraschte. »Ich bin sogar ziemlich sicher.«

»Oh, wie schade. Er wäre genau der Richtige für mich.« Ariel zog einen Schmollmund, und das Kätzchen miaute, als ob sie es gedrückt hätte.

»Gib her, ich setz ihn wieder rein.« Kit griff nach dem Kätzchen, und einen Augenblick lang fragte er sich, was er tun würde, wenn das Mädchen sich weigerte, es wieder herzugeben.

Ariel lachte. »Das schaff ich schon allein«, sagte sie. Sie packte das Kätzchen im Nacken, hob es hoch und pflanzte es nicht allzu sanft auf seine Geschwister. »Vielleicht überlegt ihr es euch ja noch anders.«

Kit stand auf. »Es tut mir leid, aber du musst jetzt gehen. Ich bin zum Mittagessen verabredet und komme sonst zu spät.« Es war eine unerwartete Erleichterung, sich einfach nur ein Stück von ihr zu entfernen, doch er wollte sie plötzlich nur noch aus dem Zimmer haben, weg von den Kätzchen.

»Oh, schon in Ordnung. Ich merke schon, wenn ich unerwünscht bin«, sagte Ariel, doch sie tätschelte noch einmal die Kätzchen, ehe sie sich erhob.

»Das ist es nicht. Es ist nur, weil ich erwartet werde. Und meine Mutter kommt jeden Moment nach Hause.« Kit wusste nicht, warum er das gesagt hatte, nur dass er sich wünschte, es wäre so.

»Und dein Vater?«, fragte Ariel, als er ihr die Tür des Arbeitszimmers aufhielt.

»Ja, er auch.« Er begleitete sie zur Tür, wartete, während sie ihre Jacke anzog, und trat dann mit ihr auf die Vortreppe.

»Also, vielen Dank«, sagte sie. »Vielleicht schaue ich irgendwann noch mal vorbei.«

»Okay.« Kit brachte ein Lächeln zustande.

Sie zog sich die Wollmütze über, unter der ihre Haare verschwanden, und ging los. Nach ein paar Schritten drehte sie sich noch einmal um und winkte ihm fröhlich zu.

Kit winkte nicht zurück. Er blieb stehen und sah ihr nach, bis sie um die Ecke verschwunden war.

23

*Ich habe es als rattenverseuchtes Loch in Erinnerung.
Das Wasser rann an den Wänden herab. Drähte hingen von den Decken. Tauben hatten die Dachaufbauten
und die Sparren besetzt. Die Gormenghast-Welt ist eine
Idylle im Vergleich zu dieser heruntergekommenen alten
Dame, die am Ende der Euston Road kauerte. Das arm-
selige St. Pancras Hotel verkörperte die Verachtung des
Modernismus für alles Alte, Elegante und Romantische,
vor allem aber für alles Viktorianische. Das Ganze sollte
dem Verfall preisgegeben werden, als warnendes Beispiel für alle, die Schönheit in alter Bausubstanz oder
wirtschaftlichen Nutzen in einer Restaurierung erkennen könnten.*

Simon Jenkins, *The Guardian*, Dienstag, 7. Juli 2011, *»Sir George
Gilbert Scott, the unsung hero of British architecture«*

»Könnte Ariel jemandem von dem Tausch erzählt haben?«,
fragte Kincaid Ryan Marsh. »Jemandem, der Paul nach dem
Leben trachtete?«

»Jemandem, der zufällig eine Phosphorgranate griffbereit
hatte?« Ryan schüttelte den Kopf. »Und auch noch eine als
Rauchbombe getarnte Phosphorgranate? Und warum sollte
irgendjemand einem armen Würstchen wie Paul nach dem
Leben trachten?«

»Kann es sein, dass irgendjemand die Rauchbombe gesehen
hat und ein Imitat davon anfertigen konnte?« Doug verzog das
Gesicht und veränderte seine Sitzhaltung auf dem Campinghocker, während er sprach, und Kincaid vermutete, dass ihm

der Knöchel wehtat. Es war auch kälter geworden, und der Himmel im Westen hatte sich schiefergrau verfärbt.

»Jeder in der Gruppe hat sie gesehen«, antwortete Ryan. »Matthew hat sie herumgezeigt. Aber das überzeugt mich nicht.« Er stand auf, als ob er sich bewegen müsse, um nachdenken zu können. Er schien das Gewehr in seiner Hand fast vergessen zu haben, aber Kincaid würde keinen Versuch unternehmen, es ihm zu entreißen. »Was Matthew mir gegeben hat, muss schon ein Imitat gewesen sein, und ich habe es bloß nicht gesehen.«

»Wollen Sie damit sagen, dass Matthew Sie töten wollte?«, fragte Kincaid. »Weil Sie von seinem Vater wussten?«

Ryan starrte ihn an. »Was … Woher wissen Sie …«

»Matthews Vater ist Lindsay Quinn, der Bauunternehmer. Ihm gehört das Haus, und er hat Matthew dafür bezahlt, dass er in der Wohnung blieb. Wenn wir das herausfinden konnten, dann bin ich sicher, dass Sie es auch konnten. Es sei denn, Sie wussten es von Anfang an. Das ist ein Geheimnis, an dessen Wahrung Matthew wohl einiges gelegen war. Oder steckte Matthew vielleicht tiefer im anarchistischen Sumpf, als irgendjemand ahnte?«

»Ich weiß nicht, wovon Sie reden.« Ryans Miene hatte sich verhärtet. »Und ich glaube nicht, dass Matthew mehr ist als ein verwöhnter Sprössling reicher Eltern. Jemand anders hat versucht, mich zu töten, und damit bin ich ganz allein für Paul Coles Tod verantwortlich.«

Ein Windstoß fuhr durch die Bäume und wirbelte ihnen Asche aus der Feuerstelle ins Gesicht. Der Himmel wurde von Minute zu Minute dunkler. »Hören Sie«, sagte Kincaid, »ich weiß nicht, in was für Schwierigkeiten Sie stecken, aber Sie können nicht ewig hierbleiben. Sie haben Angst, zu Ihrer Frau und Ihren Kindern zurückzugehen, und zu Matthews Gruppe könnten Sie auch nicht zurückkehren, selbst wenn Sie es wollten, denn sie hat sich aufgelöst. Also, was *werden* Sie tun?«

Die Anspannung schien von Ryan abzufallen. Er ließ die Schultern sinken. »Ich weiß es nicht. Vielleicht habe ich mir das alles nur eingebildet. Aber Paul ist nun mal tot, und ich wage es nicht, nach Hause zu gehen. Oder einzupacken.« Er erklärte nicht, was er damit meinte.

»Kommen Sie mit uns«, sagte Kincaid. Ehe Ryan protestieren konnte, fuhr er fort: »Wir kümmern uns um Sie, wir bringen Sie an einem sicheren Ort unter. Und wir werden herausfinden, wer Paul Cole ermordet hat. Und warum. Sie können sich auf mich verlassen.«

Wieder fegte eine Windbö durch das Wäldchen, noch heftiger als zuvor, rüttelte an den Planen und schleuderte ihnen dicke, eiskalte Regentropfen ins Gesicht. »Sie können in meinem Haus in Putney übernachten«, bot Doug an. »Aber hier ist es jetzt schweinekalt, und wenn wir uns nicht beeilen, läuft uns das Boot voll Wasser.«

»Danke.« Ryan quittierte Dougs Angebot mit einem Nicken, hielt den Blick jedoch auf Kincaid gerichtet. »Aber wenn ich das Ziel des Anschlags war und nicht Paul, dann wollen Sie es vielleicht lieber nicht zu genau wissen.« Seine Worte klangen wie eine Warnung.

»Ich habe keine große Wahl«, erklärte Kincaid. »Und Sie auch nicht, wie ich die Dinge sehe.«

Sie warteten, und Kincaid versuchte nicht darüber nachzudenken, was sie tun würden, wenn Marsh sich weigerte.

Endlich nickte Marsh ein Mal und sagte mit schiefem Lächeln: »Also, das heißt wohl, dass ich das Gewehr zurücklassen muss.«

Als Kit seinen Eltern gesagt hatte, er wolle nicht, dass seine Schulfreunde von den Spiele-und-Pizza-Abenden der Familie erführen, war er nicht ganz ehrlich gewesen. Ein paar von ihnen wussten schon davon und hatten sogar gefragt, ob sie mitmachen dürften, aber er hatte abgelehnt mit der Begründung, es sei ein reiner Familienabend – nicht weil es ihm peinlich gewesen wäre, sondern weil er diese ganz besonderen Stunden nicht mit Außenstehenden teilen wollte.

Was er seinen Kameraden allerdings nicht erzählte, war, dass seine beste Freundin auf der ganzen Welt eine Frau war, die alt genug war, um seine Urgroßmutter zu sein. Vom ersten Augenblick an hatte er sich bei Erika Rosenthal wohlgefühlt. Vielleicht war es, weil sie wie seine verstorbene Mutter Wissenschaftlerin war, vielleicht auch, weil sie mit ihm immer wie mit einem Erwachsenen gesprochen hatte. Oder auch, weil sie immer zu wissen schien, was ihn interessieren könnte, und ihn in seinen Interessen bestärkte.

Oder vielleicht lag es daran, dass sie irgendwie immer zu wissen schien, was er gerade dachte, ohne dass er es aussprechen musste.

Sie aßen ihr Brathähnchen mit Kartoffeln und seinen perfekt gekochten Brokkoli an dem kleinen Küchentisch ihrer Wohnung in Arundel Gardens. Der Gaskamin in dem schuhschachtelgroßen Wohnzimmer war eingeschaltet, sodass es in der Wohnung mollig warm war, obwohl der Regen gegen die Küchenfenster prasselte. Erika trug eine rosa Strickjacke, die ihre dunklen Augen und ihr schlohweißes Haar betonte, und sie hatte Kit mit leichtem Stirnrunzeln beobachtet, seit sie sich zum Essen hingesetzt hatten.

Als er sein Besteck sorgfältig auf dem Teller ablegte und sich zurücklehnte, wurden die Falten auf ihrer Stirn tiefer.

»Was denn?«, sagte sie mit dem leichten deutschen Akzent,

den sie nie ganz abgelegt hatte. »Hast du plötzlich aufgehört zu wachsen? Ich weiß noch gut, wie du mir gesagt hast, du könntest ganz allein zwei komplette Brathähnchen verputzen.«

»Zu viele Yorkshire Puddings«, erklärte Kit, was zumindest die halbe Wahrheit war. Er hatte sie selbst gemacht. Nachdem er einmal entdeckt hatte, wie einfach das Rezept war, hatte er geübt, und diesmal waren sie genau so geworden, wie er sie mochte – außen knusprig, aber in der Mitte immer noch schön locker.

»Zu viele Yorkshire Puddings sind ein Ding der Unmöglichkeit«, sagte Erika augenzwinkernd. »Ich habe mir gedacht, wir könnten den Rest zum Tee essen, mit guter deutscher Butter und meinem selbstgemachten Pflaumenmus.«

»Ich mach den Tee.« Kit stand auf und begann die Teller abzuräumen.

»Nein. Setz dich«, sagte Erika in ihrem strengen Dozentinnenton, und Kit gehorchte. »Wieso hast du mir gar nichts von euren Kätzchen erzählt, wo ich doch die ganze Woche nur ›Kätzchen hier‹ und ›Kätzchen da‹ gehört habe? Und ich dachte, ihr hättet eins für mich ausgesucht, das mir auf meine alten Tage Gesellschaft leisten soll – wobei ich ja *so* alt noch gar nicht bin.«

»Ich dachte, du magst vielleicht die Dreifarbige«, sagte Kit. »Sie hat bestimmt mal das hübscheste Gesicht.«

»Und werde ich vielleicht auch mal eingeladen, um diese sagenhaften Kätzchen zu bewundern?«

»Aber natürlich«, versicherte ihr Kit, obwohl er das Gefühl hatte, dass sie ihn ein bisschen aufzog. »Ich hatte nur gedacht, du würdest lieber kommen, wenn Gemma und mein Dad da sind. Damit du mir helfen kannst, sie dazu zu überreden, dass wir die Mutter *und* eins von den Kätzchen selbst behalten sollten. Ich … Ich will nicht, dass jemand anders – ich meine, jemand anders außer dir und Hazel und MacKenzie – eins bekommt.«

Erika musste etwas in seinem Gesicht gesehen haben, denn ihre Miene war plötzlich ganz ernst geworden. »Kit, irgendetwas bedrückt dich doch. Sag mir, was passiert ist.«

»Es … Es ist wahrscheinlich gar nichts«, begann er stockend. Erika wartete, und er wusste, dass sie so lange warten würde, bis sie es ihm aus der Nase gezogen hatte. »Da war dieses Mädchen, das gestern ins Café gekommen ist, als wir auf dem Weg nach Leyton bei Dad vorbeigeschaut haben. Sie hat irgendwas mit Dads Fall zu tun – ich weiß nicht genau, was –, aber sie sagte, sie hätte ihm etwas aufs Revier bringen wollen, und da hätte sie ihn ins Café gehen sehen. Sie war … nett. Dad hat ihr eine heiße Schokolade spendiert, und Toby und Charlotte haben ihr von den Kätzchen erzählt.«

»Erzähl weiter«, sagte Erika, als er innehielt.

»Na ja, also, nachdem Gemma heute Morgen gegangen war, hat sie – dieses Mädchen – bei uns an der Tür geklingelt. Sie sagte, Dad hätte ihr gesagt, sie könnte sich die Kätzchen anschauen. Aber es war … Sie war … Ich weiß nicht. Es kam mir irgendwie komisch vor.« Kit rutschte auf seinem Stuhl hin und her. Seine Beine wurden allmählich zu lang, um noch unter Erikas kleinen Tisch zu passen. »Und … das ist jetzt wahrscheinlich total albern … aber einen kurzen Moment lang dachte ich, sie würde ihnen vielleicht … wehtun. Den Kätzchen. Und ich wusste nicht, was ich tun würde, wenn sie das machte«, platzte er schließlich heraus.

Falls er befürchtet hatte, dass Erika lachen würde, hatte er sich getäuscht. »Ist sie wieder gegangen, dieses Mädchen?«, fragte sie streng.

Kit nickte. »Ich habe ihr gesagt, dass ich wegmuss. Aber ich habe gewartet, bis ich sicher war, dass sie nicht mehr zurückkommt, ehe ich das Haus verlassen habe.«

»Hast du das irgendjemandem erzählt?«

Er schüttelte den Kopf. »Nein. Gemma ist in Brixton, und Dad – er ist heute Morgen ganz früh gefahren. Ich weiß nicht, wo er ist.«

»Also schön.« Erika nickte entschlossen, als ob sie gerade eine Abmachung getroffen hätten. »Aller Wahrscheinlichkeit nach gibt es keinen Grund zur Sorge. Aber du musst es deinen Eltern erzählen, und zwar so bald wie möglich. Versprichst du mir das?«

An Erikas Miene glaubte Kit abzulesen, dass sie die Sache ganz und gar nicht auf die leichte Schulter nahm. »Versprochen«, sagte er. »Aber wenn Dad ihr unsere Adresse gegeben und gesagt hat, sie kann vorbeischauen, werde ich mir ziemlich blöd vorkommen.«

»Kit, ich kann mir nicht vorstellen, dass dein Vater irgendetwas in der Art gesagt hat.« Kit hatte sie kaum je so ernst erlebt. »Und ich möchte lieber nicht darüber nachdenken, was die Alternativen sind.«

Gemma hatte gerade ihr Telefonat mit der Staatsanwältin beendet, die nicht gerade hocherfreut gewesen war über die Störung am Sonntagnachmittag, als Melody in ihr Büro kam.

»Hast du bei der Staatsanwältin etwas erreicht?«, fragte Melody.

Gemma schüttelte den Kopf. »Sie sagt, selbst wenn wir nachweisen können, dass es die gleiche Rasiercreme-Marke ist, wäre es trotzdem nur ein Indizienbeweis, und sie glaubt, dass die Verteidigung uns in der Luft zerreißen wird.«

Sie hatten Mercy Johnsons Mutter nicht persönlich befragen können, da sie in einem Pflegeheim arbeitete und gera de Schicht hatte, aber Gemma hatte mit ihr telefoniert. Nein, hatte sie geantwortet, Mercy habe sich nicht die Beine rasieren dürfen, und sie selbst benutze ein Salz-Peeling und keine Rasiercreme aus der Dose. »Hätten Sie etwas dagegen, wenn unsere Kriminaltechniker sich noch einmal Mercys Sachen anschauen, nur für alle Fälle?«, hatte Gemma gefragt.

»Ist es wichtig?«, kam die Gegenfrage.

»Ich weiß es nicht«, hatte Gemmas ehrliche Antwort gelautet. »Möglicherweise schon.«

»Dann tun Sie, was Sie tun müssen«, hatte Mercys Mutter mit müder Stimme geantwortet und aufgelegt.

Gemma hatte auch im Labor angerufen und gefragt, ob sie die Creme von Mercys Haut auf eine bestimmte Marke eingrenzen könnten, in der Hoffnung, sie würde mit einer der Dosen in Dillon Underwoods Bad übereinstimmen.

»Wir müssen auch noch mal mit den anderen Mädchen reden«, sagte Gemma jetzt. »Um auszuschließen, dass Mercy sich von ihnen Rasiercreme oder Rasierer ausgeliehen hat, wenn sie bei ihnen zu Besuch war. Aber ich glaube, für heute haben wir alles getan, was wir tun können.«

»Komm.« Melody wies zur Tür. »Ich bring dich nach Hause. Bei diesem scheußlichen Wetter kannst du doch nicht zu Fuß von der U-Bahn nach Hause gehen.«

Gemma, die bereits ihre Sachen zusammenraffte, protestierte: »Aber ich habe dir doch so schon den Sonntag ruiniert, und wahrscheinlich für nichts und wieder nichts. Du hast doch bestimmt noch irgendetwas Schönes vor«, meinte sie mit einem Blick auf Melodys Outfit aus Stiefeln, Rock und türkisfarbenem Kaschmir-Pulli.

»Du hast mich vor dem Sonntagslunch bei meiner Mutter bewahrt und mir noch eine Schonfrist verschafft, ehe ich meinen Eltern von Andy erzählen muss.«

Gemma hielt inne und sah ihre Freundin an. »Warum willst du deinen Eltern nicht von Andy erzählen? Und umgekehrt? Du … schämst dich doch nicht für ihn?«

»Du lieber Gott, nein«, antwortete Melody. »Eher im Gegenteil. Ehrlich gesagt, ich befürchte, dass sie ihn mit Haut und Haaren vereinnahmen werden.«

»Ihn vereinnahmen?«

Melody seufzte. »Du kennst sie nicht. Mein Vater wäre liebend gerne die treibende Kraft hinter einer neuen und schlagzeilenträchtigen Pop-Sensation – aber nur, solange diese Sensation nicht mit seiner Tochter in Verbindung gebracht wird. Das will ich mir gerne ersparen, und Andy soll auch nicht denken, dass er seinen Erfolg irgendetwas anderem als seinem und Poppys Talent verdankt. Es wird also kein einfaches Gespräch von der Art ›Ich habe einen neuen Freund‹ werden.«

»Verstehe«, sagte Gemma, und das tat sie auch. »Vielleicht solltest du Andy zuerst auf die unheimliche Begegnung der dritten Art vorbereiten, damit ihr dann geschlossen auftreten könnt.«

»Vielleicht«, pflichtete Melody ihr bei, doch sie klang nicht überzeugt.

»Gut, dann bring mich nach Hause«, sagte Gemma. »Wir haben beide den Sonntagslunch verpasst, und ich sterbe vor Hunger. Ich mach uns etwas, und wenn es nur ein Käsetoast ist. Und« – sie sah nach der Uhr – »da es Sonntag ist und sicher irgendwo auf der Welt gerade die Sonne untergeht, glaube ich, wir können uns auch ein Glas Wein dazu genehmigen.«

Kit kam nach Hause, als Gemma und Melody gerade mit ihrem Käsetoast fertig waren. Gemma hatte ein Glas Branston Pickle im Kühlschrank gefunden, mit dem sie ihren Imbiss ein wenig aufgepeppt hatten, und sie hatten sich für Tee anstatt Wein entschieden, jedenfalls für den Anfang.

»Du bist aber früh zurück«, sagte er, nachdem er Melody begrüßt hatte. Gemma fand, dass er überrascht wirkte und sich offenbar irgendwie unwohl fühlte.

»Die Idee, wegen der ich in die Arbeit gefahren bin, hat sich als ziemlicher Reinfall erwiesen«, sagte sie, während sie überlegte, was er wohl haben könnte. »Du bist aber auch früh dran. Ich dachte, Erika und du wärt froh, mal einen Nachmittag für euch zu haben.«

»Ja, sicher, das waren wir auch. Aber … Ich mach das«, sagte er, als Gemma den Wasserhahn aufdrehte, um abzuwaschen.

»Das ist ein Angebot, das man nicht ausschlagen darf«, kommentierte Melody vom Tisch aus, während Gemma ihm lachend die Gummihandschuhe in die Hand drückte, die sie gerade selbst hatte anziehen wollen.

Kit nahm die gelben Handschuhe mit spitzen Fingern und verstaute sie mit verächtlicher Miene wieder unter der Spüle. »Ein richtiger Mann würde sich nie im Leben beim Abspülen mit Handschuhen erwischen lassen. Das müsstest du eigentlich wissen, Gemma.« Er gab einen kräftigen Spritzer Spülmittel ins Wasser. »Hast du von Dad gehört?«, fragte er mit dem Rücken zu ihr.

»Nein. Ich hab ihn vor einer Weile angerufen, aber nur die Mailbox drangenbekommen. Wieso?«

»Ach, nichts. Es ist nur … Ich hab's auch probiert. Denkst du, er wird bald zurück sein?«

Gemma sah Melody an, die mit den Achseln zuckte.

»Kit.« Sie ging zum Spülbecken, griff um ihn herum und stellte das Wasser ab. »Was ist los? Stimmt etwas nicht?«

Er sah sie immer noch nicht an. »Es ist etwas … Seltsames passiert. Erika hat gesagt, ich soll es dir sagen.«

Behutsam drehte Gemma ihn zu sich herum. Sein Gesicht war gerötet. »Okay. Dann sag es mir doch einfach.«

»Soll ich lieber gehen, Kit?«, fragte Melody.

»Nein. Wahrscheinlich solltest du das auch hören.« Er trocknete seine triefnassen Hände am Geschirrtuch ab. An Gemma gewandt sagte er: »Du erinnerst dich doch an dieses Mädchen, das gestern ins Café gekommen ist? Ariel?« Gemma nickte. »Sie war hier. Kurz nachdem du heute Morgen gegangen warst.«

»Was? Sie war hier?«

Kit nickte. »Sie meinte, Dad hätte ihr gesagt, sie könnte vorbeikommen und sich die Kätzchen anschauen. Sie hat sich tausendmal entschuldigt und gesagt, sie wollte nicht stören und würde ein andermal wiederkommen. Und da – hab ich sie reingelassen.« Die letzten Worte sprudelte er hastig hervor.

»Was ist passiert?«, fragte Gemma vorsichtig. Ein ungutes Gefühl beschlich sie, und sie suchte Blickkontakt mit Melody.

»Nichts. Es war bloß … Ich weiß nicht. Es kam mir irgendwie nicht richtig vor. Keine Ahnung, wieso. Und ich komm mir jetzt noch blöder vor als vorhin, als ich es Erika erzählt hab.«

»Sie hat dich … nicht angefasst, oder?«

»Ach was, nein.« Kit wirkte gekränkt, aber er sah ihnen nicht in die Augen, und Gemma fragte sich, ob das Mädchen vielleicht etwas getan hatte, was er nicht zugeben wollte. »Aber sie hat eines von den Kätzchen genommen und …« Er schüttelte den Kopf. »Es kam mir so vor … Ich hatte das Gefühl, dass sie es eigentlich gar nicht mochte. Ich wollte nur, dass sie ging.«

»Und ist sie gegangen?«

»Ja. Aber …«

Gemma wartete, sie wollte ihn nicht drängen.

»Als ich ihr erzählt habe, dass wir die Kätzchen am Mittwoch gefunden haben, da hat sie gesagt, dass an dem Tag ihr Freund gestorben ist und dass sie glaubte, es wäre so was wie ein Omen und eins von den Kätzchen wäre vielleicht für sie *bestimmt*. Hat sie damit den Typ gemeint, der … verbrannt ist?«

»Ich weiß es nicht«, sagte Gemma. Sie versuchte sich zu erinnern, was Duncan ihr alles erzählt hatte, doch Melodys Miene verriet ihr, dass es wahrscheinlich so war.

Kit trat von einem Fuß auf den anderen und sagte: »Sie wollte wissen, wo Dad ist.«

»Du hast ihr nichts gesagt?«

»Nein. Nur dass er irgendwo hingefahren ist.« Kit wurde immer zappeliger. »Kann ich jetzt raufgehen? Ich muss noch für morgen eine Hausaufgabe fertigmachen.«

»Natürlich«, sagte Gemma.

Kit war fast in einem Satz an der Tür. Doch dann blieb er noch einmal stehen und drehte sich zu Gemma um. »Sagst du es Dad?«

»Natürlich«, wiederholte sie. »Sobald er nach Hause kommt.«

»Danke.« Er schenkte ihr ein flüchtiges Lächeln, und einen Augenblick später hörten sie ihn die Treppe hinaufrennen.

»Kannst du dir vorstellen, dass Duncan dem Mädchen das gesagt und ihr eure Adresse gegeben hat?«, fragte Melody und trat zu Gemma ans Spülbecken.

»Nein, eigentlich nicht.« Gemma runzelte die Stirn. »Obwohl ich den Eindruck hatte, dass sie ihm leidtat. Trotzdem …« Sie blickte aus dem Fenster. Der Regen machte gerade wieder eine Pause, aber der Himmel war schwer, und es würde früh dunkel werden. »Ich wünschte, sie wären schon da. Doug hat dich auch nicht angerufen?«

»Nein. Ich hatte gerade nachgeschaut, ob mir vielleicht ein Anruf oder eine SMS entgangen war, als Kit reinkam.« Melody griff nach Kits feuchtem Geschirrtuch. »Komm, du spülst, und ich trockne ab.«

Gedankenverloren öffnete Gemma den Schrank unter der Spüle und holte ihre Küchenhandschuhe wieder hervor. Dann hielt sie inne, die gelben Gummifinger halb über ihre Hand gezogen.

»Was hast du?«, fragte Melody und sah sie überrascht an.

»Oh, das wäre doch zu …«, flüsterte Gemma und starrte die Handschuhe an. »Du hast gehört, was Kit gesagt hat. ›Ein richtiger Mann würde sich nie im Leben beim Abspülen mit Handschuhen erwischen lassen.‹ Ich habe auch noch nie erlebt, dass Kit oder Duncan welche benutzt hätten.«

»Doug hat keine im Haus«, sagte Melody. »Und Andy auch nicht. Ich hab mir selbst welche gekauft, damit ich mir die Hände nicht ruiniere, wenn ich bei ihm abspüle.«

Gemma hielt die Handschuhe hoch. »Dillon Underwood hatte Küchenhandschuhe unter seiner Spüle. Was ist – ich weiß, das klingt jetzt verrückt –, aber was ist, wenn er die anhatte, als er Mercy erdrosselt hat? Deswegen waren keine Fingerabdrücke auf ihrer Haut. Wir haben nach Nitrilhandschuhen gesucht, aber nicht nach gewöhnlichen Küchenhandschuhen.«

»Ja, aber … wenn, dann hätte er sie inzwischen doch bestimmt gewaschen oder sogar mit Chlorbleiche gereinigt, oder nicht?«, wandte Melody ein.

»Aber wenn er das nicht gemacht hat?«, beharrte Gemma. »Was, wenn diese Handschuhe die einzige Trophäe waren, die er zu behalten wagte? Und er muss sich unglaublich clever vorgekommen sein, weil er sie so offen in der Küche liegen ließ.« Sie warf die Gummihandschuhe auf die Arbeitsplatte und schnappte sich ihr Handy vom Küchentisch. »Ich werde gleich eine Streife und die Spurensicherung hinschicken, damit sie sie abholen. Einen Versuch ist es wert. Den Durchsuchungsbeschluss haben wir ja schon.«

Gemma hatte das Telefonat erledigt, und Melody hatte unterdessen das restliche Geschirr gespült – ohne Handschuhe –, als sie ein Auto kommen hörten. Sie traten beide ans Fenster. Gemmas lila Ford Escort hielt vor dem Haus. Drei Türen gingen gleichzeitig auf, und drei Männer stiegen aus. Absurderweise musste Gemma an Clowns denken, die aus einem viel zu kleinen Zirkusauto kletterten. Aber es waren Duncan und Doug, und aus dem Fond stieg ein ungepflegt aussehender Fremder, der einen großen Rucksack schleppte.

»O Gott.« Melody, die neben ihr stand, hatte die Hand vor den Mund geschlagen. »Das ist er. Das ist er tatsächlich. Sie haben Ryan Marsh gefunden.«

Kincaid hatte gespürt, dass Marsh immer nervöser geworden war, nachdem sie in die ruhigen Straßen von West Notting Hill eingebogen waren. Als er dann vor ihrem Haus einparkte, war Marshs Anspannung mit Händen zu greifen.

»Schön wohnen Sie hier«, sagte Marsh und lehnte sich nach vorne, sodass Kincaid seinen Atem im Nacken spürte. »Für einen Polizisten«, fügte er mit höhnischem Unterton hinzu.

Kincaid zog den Zündschlüssel ab und drehte sich betont langsam um. »Ja. Es ist ein schönes Haus. Und ich versichere Ihnen, dass ich nicht bestechlich bin. Aber wenn ich Sie in mein Haus einladen soll, erwarte ich ein Mindestmaß an Respekt. Ist das klar?«

»Okay. In Ordnung.« Marsh lehnte sich zurück. »Also Familienvermögen?«

»Es ist eine lange Geschichte, und es geht Sie nichts an«, erwiderte Kincaid. Dabei wünschte er sich insgeheim, er wäre noch genauso sicher wie vor sechs Monaten, dass auf dem Haus, in dem er wohnte, kein Makel lastete. Aber dies war weder die Zeit noch der Ort, seinen Bedenken nachzuhängen.

»Kommen Sie, wir gehen rein«, sagte Kincaid.

Doug hatte Melodys kleinen Renault entdeckt. »Melody ist hier.« Er klang erleichtert, und Kincaid vermutete, dass sein Knöchel ihm Kummer machte. Sie waren auch müde und durchgefroren, obwohl sie unterwegs an einer Raststätte Halt gemacht und etwas gegessen hatten. Marsh hatte sich mit dem Rücken zur Tür gesetzt und das Essen in sich hineingeschaufelt, als ob er nicht seit Tagen, sondern seit Monaten nichts Anständiges mehr zwischen die Zähne bekommen hätte.

Kincaid ging zur Haustür voran, Doug bildete die Nachhut. Die Hunde bellten schon, und ehe er den Schlüssel ins Schloss stecken konnte, ging die Tür auf.

Während Gemma die Hunde zurückscheuchte, blickte Melody den Neuankömmlingen entgegen. Sie sah immer noch etwas blass aus, und nachdem sie eingetreten waren, starrten sie und Ryan Marsh einander an, als ob sie beide einen Geist gesehen hätten. »Gott sei Dank, Sie sind okay«, sagte Melody schließlich. Sie streckte die Hand aus, als ob sie ihn berühren wollte, ließ sie aber wieder sinken.

»Und Sie auch.« Marsh schien ihre Reaktion genau zu beobachten. »Ich bin froh. Es tut mir leid, dass ich …«

Doch Melody schüttelte bereits den Kopf. »Es ist schon in Ordnung.«

Marsh nickte und stellte seinen Rucksack ab, dann ging er in die Hocke, um die Hunde zu kraulen. Sie schnüffelten an seinen Hosenbeinen, als ob sie nie etwas Spannenderes gerochen hätten. »Wer sind denn die zwei?«, fragte Marsh.

»Der Cocker heißt Geordie«, sagte Gemma. »Und der kleine Terrier heißt Tess. Ich bin Gemma, Duncans Frau.«

Marsh richtete sich auf und hielt ihr eine nicht allzu saubere Hand hin. Gemma schüttelte sie dennoch kräftig. »Und Kinder haben Sie auch?«, fragte Marsh, als er die auf dem Boden verstreuten Spielsachen bemerkte. Kincaid glaubte zu sehen, dass ihn die Vorstellung beruhigte.

»Ja«, antwortete Gemma. »Zwei kleine und einen Teenager. Aber die beiden jüngeren sind mit einer Freundin unterwegs. Kommen Sie doch in die Küche, ich setze gleich Wasser auf. Melody und ich haben schon so viel Tee getrunken, dass er uns zu den Ohren rauskommt, aber ihr habt sicher noch etwas aufzuholen.«

Es war eine angespannte Situation. Melody murmelte Doug etwas zu – Kincaid vermutete, dass sie sich wegen seines Knöchels Sorgen machte. Sie stellte ihm einen Stuhl hin und fragte Gemma, ob sie einen Eisbeutel oder eine Tüte Tiefkühlerbsen hätten. Dann ging sie zum Gefrierschrank und begann darin zu wühlen. Ryan Marsh setzte sich, aber nur auf die Kante seines Stuhls, und er wirkte, als ob er jeden Moment aufspringen und davonlaufen könnte.

Kincaid nahm Becher aus dem Schrank, während Gemma den Tee aufgoss. »Da gibt es etwas, was du wissen solltest«, sagte sie mit gedämpfter Stimme, als er neben ihr stand. »Dieses Mädchen, diese Ariel, die gestern ins Café gekommen ist – sie ist heute Morgen hier aufgetaucht, als Kit allein im Haus war. Sie sagte, du hättest sie geschickt. Du hättest ihr unsere Adresse gegeben.«

»*Was?*« Kincaids Stimme klang übermäßig laut, und er merkte, dass es um ihn herum still geworden war. »Natürlich habe ich ihr unsere Adresse nicht gegeben. Was hat sie gewollt?«

»Sie sagte, du hättest sie hergeschickt, damit sie sich die Kätzchen anschaut.«

»Ich habe mit ihr gar nicht über die Kätzchen gesprochen. Das waren die Kinder.« Er war immer noch ganz perplex. »Könnte Toby ihr gesagt haben, wo wir wohnen? Er hat doch die ganze Zeit über die Kätzchen geplappert.« Sie hatten Toby und Charlotte ihre Adresse auswendig lernen lassen, für den Fall, dass sie mal verloren gingen.

»Nein.« Gemma schüttelte den Kopf. »Er war nie allein mit ihr. Da bin ich mir sicher.«

»Aber ... Wie kann sie dann ... Auf dem Revier hätte ihr bestimmt niemand gesagt ...« Die Erkenntnis traf Kincaid wie ein Schlag. »Sie ist mir gefolgt«, sagte er. »Sie muss mir gefolgt sein. Ich bin gestern mit der U-Bahn vom Revier nach Hause gefahren. Auf dem Weg von Holland Park zum Haus hatte ich das Gefühl – aber ich habe mir gesagt, sei nicht albern ...«

»Warum?«, fragte Doug. »Warum hätte sie dir folgen sollen?«

»Kit sagte, sie habe gefragt, wo du seist«, sagte Gemma.

»Er hat es ihr doch nicht gesagt?« Kincaids Herz pochte, als eine schreckliche Ahnung ihn befiel.

»Er wusste es nicht.«

»Verdammt noch mal«, stieß Kincaid hervor. »Sie ist mir gefolgt! Wusste sie, dass Kit allein zu Hause war?«

Gemma runzelte die Stirn, während sie nachdachte. »Sie könnte gesehen haben, wie ich aus dem Haus ging. Ich bin zu Fuß zur U-Bahn gegangen. Aber sie kann unmöglich gewusst haben, dass du nicht da warst, sonst hätte sie schon vor Tagesanbruch auf der Straße stehen müssen. Ich frage mich, was sie wohl gesagt hätte, wenn du zu Hause gewesen wärst.«

»Vielleicht, dass jemand auf dem Revier ihr deine Adresse gegeben hätte«, mutmaßte Doug. »Oder, da Gemma ja nicht da war, hätte sie behaupten können, eins der Kinder hätte es ihr verraten.«

»Sie hat auch gelogen, was ihre Fehlgeburt betraf«, sagte Kincaid langsam. »Das habe ich gestern herausgefunden. Cam – eines der anderen Mädchen aus der Gruppe«, schob er für alle außer Ryan erklärend ein, »Cam hat mir gestern gesagt, sie habe Ariel aus einer Abtreibungsklinik kommen sehen, und als sie nachfragte, bestätigte ihr die Klinik, dass Ariel einen Abbruch gehabt hatte. Ich hielt das zu der Zeit nicht für relevant. Aber wenn sie in diesem Punkt gelogen hat, was hat sie dann sonst noch für Lügen erzählt?« Er wandte sich an Ryan. »Sie sagten, sie habe gewusst, dass Sie Paul die Rauchbombe gegeben hatten. Mir – und allen anderen – hat sie gesagt, sie habe es nicht gewusst. Erzählen Sie mir, was genau an diesem Morgen passiert ist.«

Ryan starrte ihn mit offenem Mund an. Er gab sich sichtlich Mühe, sich zusammenzureißen, und sagte schließlich: »Okay. Paul hatte mit Matthew gestritten. In der Wohnung. Ariel sagte zu Paul, er solle einfach Ruhe geben, Matthew würde sich sowieso nicht umstimmen lassen. Dann ist sie zur Tür hinaus. Ich bin bald darauf auch gegangen, aber Paul ist mir bis King's Cross gefolgt.« Ryan schüttelte den Kopf. »Er wirkte einfach so verdammt niedergeschlagen. Er sagte, Matthew würde ihm nie eine Chance geben zu beweisen, dass es ihm mit der Sache ernst war, aber vielleicht würde ich sie ihm ja geben. Ich weiß noch, dass ich dachte, worum es ihm wirklich ging, sei, sich vor Ariel zu beweisen. Und ich dachte« – Ryan zögerte – »ich dachte, auf die Weise würde ich sie vielleicht loswerden. Sie hatte sich an mich rangemacht, seit – nein« – er runzelte die Stirn – »nicht erst seit Wrens Tod, sondern schon davor. Sie wirkte immer so zerbrechlich – ich fand, dass ich ihr nicht einfach so eine Abfuhr erteilen könnte, also habe ich gesagt,

Paul sei doch ihr Freund und ich wolle mich nicht dazwischendrängen. Außerdem konnte ich mir nicht erlauben, es mir mit irgendjemandem in der Gruppe zu verderben. Also dachte ich mir, wenn Paul der Held des Tages wäre ...«

»Sie haben also Paul die Rauchbombe gegeben, dort vor King's Cross?«, fragte Kincaid.

»Matthew hatte sie mir gegeben, bevor ich die Wohnung verließ. Ich weiß nicht, wo er sie aufbewahrt hatte. Irgendwo bei seinen Sachen, dem Zeug, das niemand sonst je anrühren durfte. Ich hatte sie in meinem Rucksack. Ich habe sie Paul gegeben, und er steckte sie in seinen Rucksack. Wir gingen noch einmal durch, was er zu tun hatte, wo er sich hinstellen sollte. Ich sagte, ich würde dort sein, aber ich würde mich weit im Hintergrund halten, damit niemand von der Gruppe merkte, dass ich nicht auf meinem Posten war.«

Gemma hatte während des Gesprächs weiter Tee gemacht. Jetzt reichte sie Ryan eine Tasse, die dieser mit einem dankbaren Nicken entgegennahm. Nachdem er einen kleinen Schluck getrunken hatte, fuhr er mit nachdenklich gerunzelter Stirn fort: »Dann hat sie ihn angerufen. Es muss Ariel gewesen sein, denn Paul sagte: ›Ja, ich habe sie.‹ Dann hörte er eine Weile zu und sagte noch: ›Gut. In fünfzehn Minuten‹, ehe er auflegte. Als ich ihn fragte, was los sei, reckte er nur den Daumen und sagte: ›Bei ihr zu Hause. Ihr Vater ist nicht da.‹«

»Sie hat mir gesagt, sie seien in Pauls Zimmer an der Uni gegangen«, sagte Kincaid, »und dort hätten sie einen Streit wegen ihrer Fehlgeburt gehabt. Dann hat sie also in dem Punkt auch gelogen.«

»Aber – selbst wenn Sie recht haben, es *war* eine Rauchbombe«, protestierte Ryan. »Ich weiß, dass das, was ich Paul gegeben habe, eine Rauchbombe war. Das erklärt also gar nichts.«

Kincaid begann auf und ab zu gehen. »Denken Sie nach. War Ariel dabei, als Matthew die Rauchbombe kaufte?«

Ryan nickte. »Ja. Da bin ich mir sicher.«

»Dieser Typ, der Matthew bei der Demonstration die Rauchbombe verkauft hatte, hat der auch anderes Zeug verkauft?«

Achselzuckend antwortete Ryan: »Er treibt sich bei Demos rum, seit er in Afghanistan gedient hat. Er kennt sich mit Waffen aus. Wenn er selbst keine Phosphorgranaten verkauft, dann kennt er wahrscheinlich jemanden, der es tut.«

»Und wenn Ariel ihn noch einmal aufgesucht hat? Was ist, wenn sie ihn dazu überredet hat, ihr eine Granate zu verkaufen? Oder sich den Namen von jemand anderem geben ließ? Weiß der Himmel, was für eine Geschichte sie ihm aufgetischt hat, aber sie kann sehr überzeugend sein.«

»Aber«, wandte Ryan ein, »wie hätte sie ihm die Granate unterschieben …«

»Sie hat ihn zu sich nach Hause bestellt«, warf Doug mit aufgeregter Stimme ein. »Angenommen, sie hatten Sex. Er ist eingenickt, und sie hat die Rauchbombe in seinem Rucksack gegen eine Granate ausgetauscht.«

»Aber Paul wird das verdammte Ding doch angeschaut haben, bevor er den Sicherungsstift gezogen hat«, protestierte Ryan. »Paul konnte einem zwar ganz schön auf den Geist gehen, aber dumm war er nicht.«

»Also, jetzt passen Sie mal auf.« Kincaid blieb stehen, zog einen Stuhl heran und drehte ihn so, dass er Ryan gegenübersaß. »Sie ist Kunststudentin. Ich war in ihrem Haus. Sie arbeitet mit Schablonen und Farbe. Wie schwer dürfte es für sie gewesen sein, das Etikett der Phosphorgranate zu übermalen und dann mit Schablonenbuchstaben ›SMOKE‹ auf den Behälter zu schreiben? Glauben Sie wirklich, Paul hätte den Unterschied bemerkt?«

»Nein, aber …« Ryans blaue Augen waren dunkel vor Entsetzen. »Das würde bedeuten, dass sie es *geplant* hat. Dass sie alles geplant hat. Und alle manipuliert hat. Matthew. Paul. Mich. Warum?« Der Tee schwappte über, als seine Hand zuckte. »Und wenn ich nicht einverstanden gewesen wäre? Oder wenn Paul an dem Morgen nicht zu ihr nach Hause gegangen wäre? Hatte sie vor, mich zu töten, wenn ich nicht eingewilligt hätte, es Paul machen zu lassen?«

»Ich glaube, dass Paul das Ziel war«, sagte Kincaid langsam. »Und wenn Sie nicht in den Tausch eingewilligt hätten, dann hätte Ariel entweder eine andere Gelegenheit gefunden, die Granate einzusetzen, oder sich etwas anderes einfallen lassen. Ich glaube, dass sie sowohl zu sorgfältiger Planung als auch zu spontanem Handeln fähig ist. Was das Warum betrifft … Sie sagten, sie habe schon vor Wrens Tod mit Ihnen geflirtet …«

»Sie wissen von Wren?«, unterbrach ihn Ryan. »Und was mit ihr passiert ist?«

Kincaid nickte. »Cam und Matthew haben es mir erzählt. Warum haben Sie sich damals nicht gemeldet? Und sie identifiziert?«

»Ich konnte nicht.« Ryan umklammerte seine Tasse noch fester, bis seine Knöchel weiß wurden. »Anfangs sagte Ariel, sie glaubte, Wren habe sich vor den Zug geworfen. Ich wollte es nicht wahrhaben. Ich war … wie betäubt. Und dann sagte sie, sie glaubte ein anderes Auto gehört zu haben und sie habe vielleicht jemanden weglaufen sehen. Da bekam ich Angst. Angst, dass sie meinetwegen ermordet worden war. Als Warnung an mich.«

»Aber …«

»Ich konnte es niemandem erzählen. Meine Familie wurde bedroht.«

»Ihre Familie?«, fragte Gemma entsetzt.

»Fragen Sie mich nicht.« Ryan blickte zu ihr auf. »Ich kann es Ihnen nicht sagen.« Es war eine flehentliche Bitte und zugleich eine Warnung. Dann sagte er: »Aber das … Wenn irgendetwas davon wahr ist, dann sagen Sie doch, dass sowohl Wren als auch Paul sterben mussten, weil Ariel *mich* begehrte? Aber das ist … Das ist einfach … Ich kann nicht …«

»Ich würde es nicht allzu persönlich nehmen«, warf Doug ein. Er hatte seinen Fuß auf einen Stuhl gelegt und die Tüte mit den tiefgefrorenen Erbsen daraufgepackt, doch die Erbsen tauten allmählich auf. »Es gibt da etwas, das Sie nicht wissen. Ariels Vater hat Duncan erzählt, dass ihre Mutter gestorben ist, als sie ein Teenager war. Ich habe mir aus reiner Neugier den Unfallbericht angeschaut. Es schien mir nicht weiter relevant zu sein – bis jetzt. Ariel war vierzehn. Sie und ihre Mutter waren auf dem Weg zu einer Tante, die in der Nähe von Stratford wohnte. Es war Nacht, eine schmale Landstraße. Der Wagen kam von der Fahrbahn ab und überschlug sich. Ariel war angeschnallt, sie kam mit einem gebrochenen Schlüsselbein davon. Ihre Mutter war nicht angeschnallt. Sie wurde aus dem Wagen geschleudert und starb. Die Sache ist die« – Doug hielt inne und rückte die Erbsentüte zurecht – »Stephen Ellis, Ariels Vater, sagte, seine Frau habe immer strikt darauf geachtet, dass sie angeschnallt war. Er drohte damals sogar damit, den Hersteller des Wagens zu verklagen. Aber bei der Überprüfung des Unfallwagens wurde festgestellt, dass der Sicherheitsgurt einwandfrei funktionierte. Man kam zu dem Schluss, dass Mrs Ellis die Gurtzunge wohl nicht bis zum Anschlag in den Verschluss geschoben hatte.

Ariel hatte damals ausgesagt, sie glaube, dass ihre Mutter das Lenkrad verrissen habe, weil sie ein Kaninchen auf der Fahrbahn gesehen hatte. Aber – was ist, wenn sie den Gurt ihrer Mutter gelöst und ihr dann ins Lenkrad gegriffen hat?«

»Das ist mehr als verrückt.« Ryan sah sie an, als ob sie alle übergeschnappt wären.

»Ist es das?«, fragte Kincaid. »Vielleicht ist sie mit ihrer Mutter nicht klargekommen. Jetzt genießt sie die ungeteilte Aufmerksamkeit eines Vaters, der sie abgöttisch liebt und ihr jeden Wunsch von den Augen abliest. Wenn sie das getan hat, was Doug eben angedeutet hat, dann scheut sie kein Risiko. Und was ist mit Wren?«

»Was soll mit Wren sein?«, fragte Ryan stirnrunzelnd.

»Sie haben selbst gesagt, Sie könnten nicht glauben, dass Wren sich vor den Zug geworfen hat. Aber was, wenn sie das gar nicht getan hat? Wenn es gar kein anderes Auto gab? Und auch niemanden, der weggelaufen ist? Und Ariel gar nicht zu ihrem Auto zurückgehen musste, um eine vergessene Farbdose zu holen?«

»Sie sagen, Ariel hätte sie *gestoßen*?«

»Warum sollten wir ihr noch irgendetwas glauben?«

»Aber … Du lieber Himmel.« Ryan stieß seinen Stuhl zurück und stand auf. »Aber sie war völlig hysterisch! Sie hat mir leidgetan! Wie konnte sie …«

»Es gibt Menschen, die tun alles, um zu bekommen, was sie wollen.« Gemma hatte an der Küchenzeile gelehnt, ihren Teebecher in beiden Händen, und ihrem Gespräch gelauscht. Jetzt fügte sie mit fester Stimme hinzu: »Und zwar, weil sie es können. Dillon Underwood ist so ein Mensch. Und wenn ihre Motive auch verschieden sein mögen, ich glaube, dass Ariel Ellis auch zu dieser Sorte Mensch gehört. Was wir für vernünftig oder logisch halten, spielt da keine Rolle.«

»Sie werden es nie beweisen können«, sagte Ryan. »Und ich kann nicht bezeugen, dass sie wusste, dass Paul die Rauchbombe hatte.«

»Vielleicht können wir nicht beweisen, dass sie ihre Mutter

getötet hat. Oder Wren«, erwiderte Kincaid. »Aber sie hat mir einen Zettel gegeben und gesagt, es wäre ein Abschiedsbrief von Paul. Ich glaube, es war eine Seite aus Pauls Tagebuch. Vielleicht hat sie es an sich genommen, als sie die Rauchbombe gegen die Granate eintauschte. Und wenn das so ist, dann gehe ich jede Wette ein, dass sie es behalten hat.«

»Das beweist nichts«, wandte Ryan ein.

»Das tut es sehr wohl, wenn sie einen guten Grund hatte, dieses Tagebuch haben zu wollen«, sagte Kincaid. »Und einen Grund, Paul nach dem Leben zu trachten, der nichts mit Ihnen zu tun hatte. Wir wissen, dass Paul herausgefunden hatte, dass sie ihn in puncto der Fehlgeburt angelogen hatte – Cam hatte es ihm gesagt. Was, wenn er auch Verdacht geschöpft hatte, dass ihre Version von Wrens Tod eine Lüge war?«

»Aber warum hätte er sich dann ihren Anweisungen fügen sollen? Warum hätte er mit ihr schlafen sollen, falls er das tatsächlich getan hat?«, fragte Ryan. »Wenn er es wusste, dann ist er zu ihr gegangen wie das Lamm zur Schlachtbank.«

Kincaid zuckte mit den Achseln. »Ich vermute, er wollte es nicht glauben. Sie musste ihn nur ein klein wenig ermuntern, und schon sagte er sich, dass er sich wohl alles nur eingebildet hatte. Sie ist eine Meisterin ihres Fachs, unsere Ariel. Und was glauben Sie«, fuhr er fort und erwiderte Ryans Blick, »warum Ariel so erpicht darauf war herauszufinden, was ich wusste? Kann es sein, dass sie in Wirklichkeit hinter Ihnen her war? Weil Sie wussten, dass *sie* wusste, dass Paul die Rauchbombe hatte. Ich glaube, sie hatte nicht damit gerechnet, dass Paul Ihnen das sagen würde. Oder wenn sie damit gerechnet hatte, dann hatte sie vielleicht geglaubt, Sie davon überzeugen zu können, dass Paul von vornherein die Absicht gehabt hatte, sich das Leben zu nehmen. Aber dann sind Sie verschwunden, und sie geriet in Panik.«

Ryan starrte ihn so lange an, bis Kincaid das Gefühl hatte, alle im Raum hielten den Atem an.

Dann sagte Ryan mit beinahe verwundertem Unterton: »Ich stand als Nächster auf der Liste. Ich stand als Nächster auf der verdammten Liste.«

24

Eine weitere Statue auf der Ebene der Bahnsteige wur-de zu Ehren von Sir John Betjeman (1906–1984) errich-tet. Betjeman, von 1972 bis zu seinem Tod »Poet Laurea-te«, war einer der großen populären Dichter Englands. Wie kein anderer brachte er den Menschen durch seine umgangssprachliche Eloquenz die Schönheit der vikto-rianischen Architektur nahe. Nicht zuletzt seinen Bemü-hungen verdanken wir die Erhaltung und die spätere Neubelebung von St. Pancras.

Alastair Lansley, Stuart Durant, Alan Dyke, Bernard Gambrill,
Roderick Shelton, *The Transformation of St. Pancras Station,* 2008

Kincaid hatte einen wohlwollenden Richter angerufen, von dem er wusste, dass er auch am Sonntag einen Durch-suchungsbeschluss ausstellen würde. Dann hatte er sich bei Jasmine Sidana und Simon Gikas gemeldet und sie ohne wei-tere Erklärungen gebeten, sich in Holborn mit ihm zu tref-fen und ein Team von der Spurensicherung in Bereitschaft zu halten – wenn möglich die beiden Kriminaltechniker, die den Tatort in St. Pancras bearbeitet hatten, denn er wollte, dass sie sich bei der Suche besonders engagierten.

Melody, die Andy versprochen hatte, sich bei Tam mit ihm zu treffen, war schon aufgebrochen, aber zuvor hatte sie Ryan noch rasch die Hand gedrückt und gesagt: »Wir sehen uns, nicht wahr?«

»Klar.« Ryan hatte gegrinst und die weißen Zähne in sei-nem Bartgestrüpp aufblitzen lassen. »Unkraut vergeht nicht.«

Kincaid blieb es somit überlassen, Doug und Ryan auf dem Weg nach Holborn in Putney abzusetzen, doch zuvor musste er noch etwas anderes erledigen.

Er ging die Treppe hinauf und klopfte an Kits halb offene Tür. Sein Sohn lag auf dem Bett, neben sich den Laptop und ein aufgeschlagenes Schulbuch. Die beiden Hunde hatten es sich zu seinen Füßen bequem gemacht.

»Hi«, sagte Kincaid.

»Hi«, antwortete Kit ein wenig misstrauisch, während er sich aufsetzte.

Kincaid nahm sich Kits Schreibtischstuhl und drehte ihn zum Bett um. »Darf ich?«, fragte er, bevor er sich setzte.

Kit nickte und sagte: »Du, Dad, es tut mir leid, dass ich … Ich hätte sie niemals …«

Kincaid schüttelte bereits den Kopf. »Du hast genau richtig gehandelt. Du hast dich auf deinen Instinkt verlassen, und du hast das getan, was du für richtig hieltest. Vergiss das nie. Ich bin stolz auf dich.«

»Echt?« Kits besorgte Miene entspannte sich ein wenig. »Aber … dieses Mädchen, Ariel … hat sie etwas Schlimmes getan?«

»Ich bin mir noch nicht sicher. Es kann schon sein. Aber das ist mein Job, nicht deiner.« Kincaid stand auf. »Aber versprich mir eines.«

»Okay.« Kit klang wieder argwöhnisch, und Kincaid wusste, dass er sich fragte, worauf er sich da wohl eingelassen hatte.

»Lass uns ab sofort eine neue Hausregel einführen: Wenn weder Gemma noch ich zu Hause sind, wird niemand ins Haus gelassen, den ihr nicht schon gut kennt.«

»Oh. Okay«, erwiderte Kit sichtlich erleichtert, und Kincaid hoffte, dass es wenigstens noch eine Weile dauern würde, bis sein Sohn wieder auf die rührselige Geschichte irgendeines hübschen Mädchens hereinfallen würde. Er wünschte, er hätte im Fall von Ariel einen ebenso guten Riecher gehabt wie Kit.

»Bis später.« Kincaid zerraufte Kit die Haare, was dieser sich ausnahmsweise widerstandslos gefallen ließ.

»Dad.« Kit hielt ihn zurück, ehe er die Tür erreichte. »Wegen der Kätzchen ...«

»Fang nicht wieder damit an.« Kincaid grinste, als er hinausging. Beharrlichkeit war auch eine Art Tugend.

»Ihr solltet jetzt lieber fahren«, sagte Gemma, als Kincaid wieder nach unten kam. »MacKenzie hat gerade angerufen, sie sind auf dem Heimweg. Du hast sicher keine Lust, MacKenzie und den Kindern zu erklären, was Ryan hier macht.« Während sie ihre Mäntel anzogen und Ryan seinen Rucksack nahm, fügte sie hinzu: »Und übrigens hätte ich gerne irgendwann mein Auto wieder.«

»Klar.« Kincaid gab ihr einen Kuss. »Ich kümmere mich drum.«

»Pass auf dich auf«, fügte sie leise hinzu.

»Ich habe Doug und eine Fahrt im Ruderboot überlebt. Beides an einem Tag«, entgegnete er grinsend.

Gemma wandte sich Ryan zu und sah ihm einen Moment in die Augen. »Und Sie passen bitte auch auf sich auf.«

Ryan nickte. »Danke.« Es war klar, dass er damit nicht nur die guten Wünsche zum Abschied meinte.

Kincaid ließ den Motor laufen, als er mit Doug und Ryan Marsh vor Dougs Haus in Putney ausstieg. Er und Ryan standen sich auf dem Gehsteig gegenüber.

»Sie wissen, dass ich Ihnen helfen würde, wenn ich könnte«, sagte Ryan. »Ich würde es für Paul tun. Und, o Gott, für Wren.« Er schwankte ein wenig, als ob Erschöpfung und Kummer ihn übermannten. »Aber ich … Es gibt Dinge, die ich Ihnen nicht sagen kann … Es hätte … Folgen …«

»Keine Sorge.« Kincaid klopfte ihm auf die Schulter. »Ich komme schon klar. Machen Sie sich keine Gedanken.«

Als er in Holborn ankam, warteten Sidana und Gikas bereits auf ihn.

»Und Sweeney?«, fragte Kincaid.

»Ich habe im Fitnessstudio nachgefragt«, antwortete Sidana. »Offenbar gab es an diesem Wochenende einen Triathlon.«

»Da hätte er ruhig etwas sagen können.«

»Hat er aber nicht.« Ein Blick in Sidanas Gesicht verriet Kincaid, dass Sweeney sich damit höchstwahrscheinlich eine Degradierung eingehandelt hatte. »Es ist aber auch egal«, fügte sie hinzu. »Wir brauchen ihn nicht.« Und das, dachte Kincaid, war das viel vernichtendere Urteil.

»Ich habe die Kriminaltechniker, die Sie angefordert haben, in Bereitschaft versetzt«, sagte Simon. »Und auch zwei Constables von der Streife. Und Ihr Durchsuchungsbeschluss ist in Arbeit.« Er schwenkte seinen Computerstuhl zu Kincaid herum. »Also, wollen Sie uns nicht mal verraten, was hier läuft?«

Kincaid hatte es sich in der kurzen Zeit, die er zur Verfügung hatte, zurechtgelegt. Er lieferte seinen Mitarbeitern eine zensierte Version der Ereignisse, in der er alles ausließ, was mit Ryan Marsh zu tun hatte. Dafür gab er detailliert wieder, was er am Tag zuvor von Cam und Matthew erfahren hatte, sowohl über Ariels Abtreibung als auch über Wrens Tod. Er hatte ein schlechtes Gewissen, als er sich das Verdienst für Dougs Rechercheergebnisse zum Tod von Ariels Mutter selbst anrechnete. Er berichtete ihnen, was Ariel an diesem

Morgen getan hatte und wie ihm die Erkenntnis gekommen war, dass sie nichts von alldem, was sie ihnen erzählt hatte, für bare Münze nehmen konnten.

»Sie ist zu Ihnen nach Hause gekommen?« Sidana klang empört. »Und hat sich bei Ihrem Sohn eingeschmeichelt?«

»Ich nehme an, dass sie mir gestern gefolgt sein muss, als ich die U-Bahn genommen habe.«

»Aber warum?«, fragte Simon.

»Um herauszufinden, wie viel ich wusste, nehme ich an.«

»Und es ging um Macht«, sagte Sidana mit unerwartetem Tiefblick. »Sie hat ihre Macht getestet – und demonstriert.«

»Ja«, stimmte Kincaid ihr zu. »Da haben Sie wohl recht. Auch das.«

»Das heißt also«, sagte Simon, »Sie glauben, dass dieses Mädchen ihre Mutter, ihre Freundin und ihren Freund ermordet hat *und* einem leitenden Polizeibeamten nachspioniert und seine Familie belästigt hat? Wenn da irgendetwas dran ist, dann haben wir es mit einer Soziopathin zu tun. Einer gefährlichen Spinnerin.«

»Ja, das glaube ich.« Kincaid sagte nicht, dass sie ihm eine Höllenangst machte.

»Die ersten beiden Punkte werden Sie nie beweisen können«, wandte Sidana ein. »Das sind alles Vermutungen. Und das trifft zum größten Teil auch auf das zu, was Sie zum Mord an Paul Cole gegen sie in der Hand haben.«

»Und das erklärt immer noch nicht, was mit Ryan Marsh passiert ist«, warf Simon ein. Der Blick, mit dem er Kincaid musterte, war forschend.

Kincaid ignorierte ihn. »Trotzdem«, sagte er, »ich glaube, wir haben genug, um einen Durchsuchungsbeschluss zu rechtfertigen. Wir wissen vielleicht nicht, wie sie den Austausch bewerkstelligt hat oder warum Paul die Rauchbombe hatte und nicht Ryan, aber wenn wir Beweise dafür finden, dass sie die Granate als Rauchbombe getarnt hat, oder wenn wir Paul Coles Tagebuch finden, haben wir immerhin einen guten Anfang.«

»Ich glaube, da würde ich mich gerne dranhängen«, meinte Simon Gikas. »Das verspricht ein interessanter Abend zu werden.«

Ein einladendes Licht brannte im Wohnzimmerfenster des Hauses in Cartwright Gardens.

Kincaid hatte die Kriminaltechniker und die uniformierten Kollegen – Letztere waren in einem Zivilfahrzeug angerückt – angewiesen, in ihren Autos zu warten, bis er ihnen ein Zeichen gab. Zusammen mit Sidana und Simon Gikas ging er zur Tür.

Stephen Ellis öffnete auf ihr Klingeln. Er sah mehr oder weniger so aus wie bei Kincaids und Sidanas erstem Besuch. Auch das Zimmer schien weitgehend unverändert, erwärmt von einem Gasfeuer und erhellt von mehreren Lampen. An diesem Abend aber stand statt Tee ein Glas Rotwein auf dem Beistelltisch, und der Couchtisch war mit einem Stapel Sonntagszeitungen übersät.

»Wie kann ich Ihnen helfen?«, fragte Ellis, nachdem er sie hereingebeten hatte.

»Wir wollen eigentlich zu Ariel, Dr. Ellis. Ist sie zu Hause?« Für den Fall, dass er verneinte, hatte Kincaid entschieden, dass sie sich entschuldigen würden, um dann das Haus so lange zu observieren, bis sie eintraf. Er hatte nicht die Absicht, sie vorzuwarnen und ihr so eine Gelegenheit zur Flucht zu eröffnen.

Doch Ellis antwortete: »Ja, sie ist hier, aber leider geht es ihr nicht besonders gut. Hat sich eine Erkältung eingefangen, die Ärmste.«

Das wunderte Kincaid ganz und gar nicht, wenn sie heute Morgen stundenlang vor seinem Haus in der Kälte gestanden hatte. »Es tut mir leid, aber wir müssen wirklich dringend mit ihr sprechen.«

Ellis ging zu der Tür, die offenbar zu einem der Schlafzimmer führte, und rief: »Ariel! Da ist jemand …«

Die Tür flog auf, und Ariel rief: »Ich hab dir doch gesagt, ich will von niemandem gestört …« Dann erblickte sie die Polizisten, und für einen Sekundenbruchteil gelang es ihr nicht ganz, den Schock und die Berechnung in ihrer Miene zu verbergen.

Dann sagte sie: »Oh, Sie sind's«, und schenkte Kincaid ein unsicheres Lächeln. »Es tut mir wirklich leid. Ich habe mir wohl eine fürchterliche Erkältung geholt. Können wir uns ein andermal unterhalten?« Sie hielt sich ein überzeugend aussehendes Knäuel Papiertaschentücher unter die Nase, und in ihrem ausgeleierten Pulli und der karierten Pyjamahose wirkte sie zerbrechlicher denn je.

»Nein, das kann leider nicht warten. Können Sie bitte ins Wohnzimmer kommen?«

»Was ist passiert?«, fragte sie und trat zu ihrem Vater. »Ist noch jemandem etwas zugestoßen? Sagen Sie nicht – Sie haben Ryan gefunden?« Ihr naiv-hoffnungsvoller Ton war fast überzeugend.

»Nein. Nein, wir haben ihn nicht gefunden.« Kincaid gab Simon ein Zeichen, worauf dieser hinausging. »Aber wir haben einige andere sehr interessante Dinge in Erfahrung gebracht«, fuhr er fort.

Als Simon zurückkam, gefolgt von den uniformierten Constables und den Kriminaltechnikern, sagte Kincaid in förmlichem Ton: »Ariel Ellis, ich verhafte Sie wegen des Verdachts, Paul Cole ermordet zu haben. Sie müssen nichts sagen.

Es könnte jedoch Ihrer Verteidigung schaden, wenn Sie bei der Vernehmung etwas verschweigen, worauf Sie sich später vor Gericht berufen. Alles, was Sie sagen, kann vor Gericht gegen Sie verwendet werden.«

Mit weit aufgerissenen Augen blickte Ariel von Kincaid zu ihrem Vater und dann zu den Streifenpolizisten, die ins Zimmer getreten waren. »Das ist doch nicht Ihr Ernst. Sie können doch nicht einfach hier reinkommen ... Sie glauben doch nicht ...«

Simon gab Kincaid den richterlichen Beschluss. »Wir haben einen Durchsuchungsbeschluss für dieses Haus«, fuhr Kincaid fort und gab das Papier an Stephen Ellis weiter. »Ich denke, Sie beide setzen sich am besten hin, während die Beamten der Spurensicherung die Suche durchführen.«

»Aber wie kommen Sie darauf ...« Stephen Ellis starrte die Constables an, die links und rechts der Tür Posten bezogen hatten, und sank auf das Sofa nieder, als ob seine Beine plötzlich den Dienst verweigert hätten. »Das muss ein Irrtum sein«, flüsterte er.

Ariel setzte sich neben ihn und nahm seine Hand. »Daddy, mach, dass sie damit aufhören.« Der Blick, mit dem sie ihren Vater ansah, hätte einen Gletscher zum Schmelzen gebracht.

»Ich wüsste nicht wie, Schatz.« Er starrte den Durchsuchungsbeschluss an, den er in der Hand hielt. »Lass mich nur eben ...« Er griff nach seiner Lesebrille und stieß dabei das Rotweinglas um. Es fiel auf die Kante des Kamins und zersprang, blutrote Flecken sprenkelten den Boden und die Kaminkacheln.

Ariel sprang auf. »Ich hole schnell ...«

»Nein.« Kincaid nötigte sie zum Sofa zurück. »Setzen Sie sich.«

»Ich mach das schon«, sagte Simon und eilte in die Küche.

Kincaid wandte sich an den inzwischen vertrauten Spurensicherungsbeamten. »Scott, fangen Sie mit dem Schlafzimmer an. Wir suchen insbesondere nach Tarnfarbe, nach Schablonen, die zur Beschriftung einer Granate verwendet worden sein könnten, und nach einem schwarzen handgeschriebenen Tagebuch.«

»In Ordnung.« Scott und sein Partner hatten Handschuhe und Überschuhe aus Papier angelegt, aber nicht ihre volle Tatort-Schutzausrüstung. Als sie auf die Tür zugingen, die zum hinteren Teil der Wohnung führte, sah Kincaid, wie Ariel unwillkürlich zusammenzuckte.

Simon kam mit einer Rolle Küchenpapier sowie Kehrschaufel und Handbesen zurück. Er hob Ellis' unversehrte Lesebrille auf und reichte sie ihm.

Ariel warf Kincaid wieder einen flehenden Blick zu. »Können Sie mir einfach nur sagen, warum Sie mir das antun?«

»Ich denke, das heben wir uns fürs Revier auf.« Kincaid konnte nicht umhin, sich vorzustellen, wie dieser Blick auf Kit gerichtet wurde und wie sie in seinem Haus umherging. Er merkte, dass er die Fäuste ballte – und dass Sidana ihn dabei beobachtet hatte.

Die Stimmen der Kriminaltechniker drangen sporadisch aus dem Schlafzimmer, während Simon die Glasscherben zusammenkehrte und den Rotwein aufwischte. Stephen Ellis las den Durchsuchungsbeschluss ein ums andere Mal durch, und er sah zunehmend verwirrt aus. Ariel schien sich nach ihrer ersten instinktiven Reaktion in sich selbst zurückzuziehen. Zusammengekauert saß sie neben ihrem Vater auf dem Sofa.

Kincaid war versucht, einen Blick in ihr Schlafzimmer zu werfen, um zu sehen, ob es irgendetwas vom wahren Wesen der jungen Frau verriet oder ob es auch ein Teil ihrer raffinierten Tarnung war, doch er hatte Angst, dass sie sich seinem Zugriff entziehen würde, wenn er sie auch nur für einen Moment aus den Augen ließe.

Es dauerte nicht lange, da kam Scott ins Zimmer zurück, einen verzierten Schuhkarton in den behandschuhten Händen. Er war handbemalt, soweit Kincaid das beurteilen konnte, mit Vögeln und Blumen und verschlungenen Ranken. Er hätte fast niedlich aussehen können, wenn man die grotesken kleinen Gesichter übersehen hätte, die halb im Laubwerk verborgen waren.

Scott nahm den Deckel ab. »Unter dem Bett. Nicht gerade das ideale Versteck. Ist es das, wonach Sie gesucht haben, Sir?«

In dem Karton lag eine schwarze Kladde und noch etwas, das ein klapperndes Geräusch machte. Kincaid zog ein Paar Nitrilhandschuhe aus seiner Manteltasche und hob vorsichtig das Tagebuch heraus. Die Seiten waren mit schwarzem Kugelschreiber vollgeschrieben, in einer engen Handschrift, die er als die von Paul Cole wiedererkannte. Im hinteren Teil war eine Seite herausgerissen.

Darunter lagen zwei Halsketten. Die eine bestand aus einer zerrissenen Silberkette mit einem kleinen braunen Emaille-Vogel als Anhänger – einem Zaunkönig. Der Verschluss war kaputt.

Die andere Halskette war aus Feingold, und der Anhänger war ein grüner, oval facettierter Edelstein. Ein Smaragd vielleicht? Dieser Verschluss war noch ganz. Er hob die Kette hoch, um sie besser sehen zu können.

Stephen Ellis sprang blitzschnell vom Sofa auf. »Wo haben Sie die her?« Er wollte Kincaid die Kette entreißen, doch die beiden Constables gingen sofort auf ihn zu. Er ließ die Hände sinken. »Die hat meiner Frau gehört. Wo haben Sie sie her?«

»Ich denke, das sollten Sie Ihre Tochter fragen, Dr. Ellis.«

»Sie hat Andreas Mutter gehört, die sie wiederum von ihrer

Mutter geerbt hatte. Andrea ist nie ohne diese Kette aus dem Haus gegangen. Nach dem Unfall wurde sie nicht bei ihrer Leiche gefunden. Ich habe überall danach gesucht – ich bin sogar hingefahren und habe den Unfallort selbst abgesucht. Ich dachte, einer der Sanitäter oder gar einer der Polizisten müsste sie eingesteckt haben.« Endlich wandte er sich zu seiner Tochter um. »Ariel, wie bist du …«

Ariel hatte sich noch mehr zusammengekauert. »Daddy, ich – ich habe sie gefunden. Ich wollte eine Erinnerung an sie haben. Ich wusste, dass du nicht erlauben würdest, dass ich sie behalte.«

»Wo hast du sie gefunden?« Ellis starrte seine Tochter an, als könne er die Welt nicht mehr verstehen. »Die Kette ist noch ganz. Der Verschluss auch.«

»Ich hab sie im Gras gefunden. Während sie sich um Mum gekümmert haben. Sie war kaputt, aber ich – ich habe sie reparieren lassen.«

»Es war dunkel, Ariel. Wie konntest du sie da im Gras finden?« Als sie keine Antwort gab, schüttelte Stephen Ellis ungläubig den Kopf. »Ich erinnere mich. Du hattest dich an dem Tag mit deiner Mutter gestritten. Du wolltest den Anhänger zu einer Party tragen, und sie hat nein gesagt. Du warst so wütend. Da hat sie beschlossen, dich zu deiner Tante mitzunehmen.« Er betrachtete wieder den Anhänger. Der Smaragd reflektierte das Licht und schien grüne Funken zu sprühen.

Ellis' Gesicht war aschfahl, als er sich wieder zu seiner Tochter umwandte. »Du hast sie genommen. Du hast sie von der Leiche deiner Mutter genommen. Wie konntest du nur?«

»Ich wollte nur …«

»Du musst sie genommen haben, bevor der Krankenwagen eintraf.« Ellis starrte sie voller Entsetzen an. »Was hast du noch getan, Ariel? Was noch?«

Einen Moment lang fürchtete Kincaid, Ellis könnte sich auf sie stürzen. Simon und Sidana traten einen Schritt vor, auch sie schienen die Aggression zu spüren, die in der Luft lag.

Dann schwankte Ellis leicht, und Simon streckte die Hand aus, um ihn zu stützen.

Ariel begann heftig zu schluchzen. »Daddy, ich wollte nur etwas von ihr haben. Sie hat die Kette mehr geliebt als mich.«

Aber Stephen Ellis starrte seine Tochter nur an, als ob er sie zum ersten Mal sähe, und er zeigte keine Reaktion, als sie ihr in ihren Mantel halfen und sie in den wartenden Wagen abführten.

Ariel Ellis weinte immer noch. Doch als sie an Kincaid vorbeigeführt wurde, flüsterte sie so leise, dass er den Kopf neigen musste, um sie zu verstehen: »Es wird Ihnen noch leidtun.« Es war ein unheimliches Echo der Worte in Pauls Tagebuch, aber es lag ein Hass in Ariels geflüsterten Worten, der Kincaid das Blut in den Adern gefrieren ließ.

Er hielt sie mit einer Hand am Ärmel fest und sagte ebenso leise: »Nein. *Ihnen* wird es leidtun. Und wehe, Sie wagen sich noch ein Mal auch nur in die Nähe meiner Familie.«

25

Der heutige Bahnhof St. Pancras International ist ein
neues Gesamtkunstwerk. Hier wurden das heroische
Zeitalter der Ingenieurskunst des 19. Jahrhunderts
und die Technologie des 21. Jahrhunderts zusammen-
geführt und existieren nun problemlos Seite an Seite. Ei-
nen Bahnhof wie St. Pancras International gibt es kein
zweites Mal.

Alastair Lansley, Stuart Durant, Alan Dyke, Bernard Gambrill,
Roderick Shelton, *The Transformation of St. Pancras Station*, 2008

Am Sonntag darauf gab es dann doch noch einen richtigen
Sonntagslunch bei Gemma und Duncan. Sie mussten zusätz-
liche Stühle aus der Küche holen, um die neun Personen am
Esszimmertisch unterzubringen.

Erika hatte ihr Versprechen gehalten und war gekommen,
um die Kätzchen zu bewundern, und Gemma hatte auch Betty, Wesley und Bryony eingeladen.

Wesley und Kit zeichneten für die Yorkshire Puddings verantwortlich, und Gemma platzte fast vor Stolz, weil ihr in
ihrem Aga-Herd ein perfekter Sonntagsbraten gelungen war.
Das Wetter war am Tag zuvor umgeschlagen, und zum ersten
Mal seit Monaten, wie ihnen schien, hatten sie auf dem Portobello Market einkaufen können. Auf dem Tisch stand ein
Strauß Tulpen, und es gab frisches Gemüse zum Braten. Gemmas Clarice-Cliff-Teekanne, die sie für diesen Anlass hervorgeholt hatte, wartete schon in der Küche, doch erst einmal

servierte Gemma den Erwachsenen eisgekühlten Prosecco – wobei Kit auch ein halbes Glas abbekam –, und für Toby und Charlotte gab es Apfelschorle.

»Worauf wollen wir anstoßen?«, fragte Wesley und erhob sein Glas.

»Oh, auf dies und das«, antwortete Gemma, während sie sich wieder auf ihren Platz setzte und nach ihrem Glas griff. »Darauf, dass der Frühling endlich da ist. Und auf die Freundschaft.«

Nur Duncan wusste, was sie noch feierte, und er prostete ihr über den Tisch hinweg zu.

Am Freitag hatten sie und Melody den Laborbericht über Dillon Underwoods Küchenhandschuhe bekommen. Sie waren voll mit Mercy Johnsons DNS, sowohl von ihrer Haut als auch von ihrem Speichel. Underwood würde wegen Mord angeklagt, und mit ein wenig Glück würden sie eine Verurteilung erreichen.

»Auf dein Spezielles«, sagte Duncan leise und trank.

Wesley schloss sich mit einem »Cheers!« an, und alle tranken. Gemma musste sich das Lachen verkneifen, als Kit das Gesicht verzog.

»Was ist mit meinem Ballett?«, fragte Toby und trank einen großen Schluck von seiner Apfelschorle. »Ich krieg nämlich Ballettunterricht«, erklärte er der versammelten Tafelrunde. »Darauf sollten wir anstoßen.«

»*Slàinte*«, sagte Kit. »Das hab ich von Hazel gelernt. Auf das Piratenballett!«

»Ich will auch aufstoßen!«, rief Charlotte, und alle lachten.

Bryony hob ihr Glas abermals. »Ich trinke auf die gesunden Kätzchen und den tollen Job, den ihre Pflegeeltern abgeliefert haben!«

Alle Kätzchen hatten inzwischen die Augen geöffnet, sie

purzelten kreuz und quer durcheinander bei dem Versuch, aus ihrer Kiste zu klettern, und entwickelten schon ihre eigenen Persönlichkeiten, so unterschiedlich wie ihre Fellzeichnungen.

Obwohl Toby sich immer noch dafür einsetzte, alle vier Kätzchen zu behalten, war inzwischen beschlossen worden, dass sie zwei behalten würden. Als Gemma und Kit Erika vor dem Essen ins Katzenzimmer geführt hatten, hatte sie die kleine dreifarbige Glückskatze bewundert.

Doch dann hatte sie gefragt, ob sie Xena hochnehmen dürfe, und die Tigerkatze hatte es sich auf ihrem Schoß bequem gemacht, als ob sie dort hingehörte, und mit ihren leuchtenden goldgelben Augen zu ihr aufgeblickt.

»Die hier«, sagte Erika, »die kleine Mutter.« Sie strich mit einem Finger über die Blesse auf Xenas Gesicht. »Wollt ihr die auf jeden Fall behalten?«

Gemma sah kurz zu Kit, ehe sie antwortete. »Wir wollen, dass sie ein gutes Zuhause bekommt. Die meisten Leute sind doch eher bereit, junge Kätzchen zu nehmen.«

»Ich bin mir nicht sicher, ob ich mit so einem Kätzchen nicht überfordert wäre.« Erika streichelte Xenas seidigen Rücken. »Aber die hier und ich, wir beide verstehen uns. Sie weiß, was es heißt, ausgestoßen zu werden und doch wieder Freundschaft und Geborgenheit zu finden. Ich glaube, wir würden gut miteinander auskommen. Und die zwei Kleinen« – sie deutete auf den schwarz-weißen Kater und das Glückskätzchen – »werden Spielkameraden sein.«

»Armer Sid«, meinte Gemma lachend. »Wieder in der Minderheit.« Damit war die Sache geklärt, und Gemma glaubte zu wissen, dass Kit mit der Lösung zufrieden war.

Jetzt wandte sich Kit an Bryony. »Wann können Hazel und MacKenzie ihre Kätzchen holen?«

»Meistens werden junge Katzen mit sechs Wochen wegge-
geben, aber ich finde, das ist zu früh. Ich würde sagen, acht
Wochen sind viel besser, sowohl für die Mutter als auch für
die Jungen. Und glaubt mir«, fügte Bryony mit Nachdruck
hinzu, »bis dahin werdet ihr froh sein, die beiden los zu sein.«

Gemma verdrehte die Augen. »Du willst mir also schonend
beibringen, dass ich mich auf randalierende Katzenkinder einstellen muss?«

»So was Ähnliches wie Mongolenhorden, die es besonders
auf Vorhänge abgesehen haben«, erwiderte Bryony grinsend.

Sie waren bei Tee und Kuchen angelangt – es gab eine
köstliche Birnentorte, die Wesley aus Ottos Café mitgebracht
hatte –, als irgendwo ein Handy summte.

»Das ist meins«, sagte Duncan, als er einen Blick darauf
warf. »Es ist dienstlich. Entschuldigt, ich gehe zum Telefonie-
ren raus.«

Die SMS war von Simon Gikas, der Kincaid um Rückruf bat.

Kincaid ließ die Hunde zur Terrassentür hinaus in den Garten. Eine Weile stand er da und genoss einfach nur den Blick
und den schönen Tag. Das Gras war leuchtend grün, und es
schien, als wären die Tulpen über Nacht aus dem Boden geschossen und die Obstbäume aufgeblüht. Die Bäume waren
noch nicht belaubt, und ihre noch kahlen Äste zeichneten sich
vor einem strahlend kristallblauen Himmel ab.

Durch die geschlossenen Türen konnte er das Gelächter
und die Stimmen aus dem Esszimmer hören. Einen Moment
lang war er versucht, den Anruf aufzuschieben, doch ihm war
klar, dass sein Fallmanager nicht angerufen hätte, wenn es
nicht wichtig wäre.

Kincaid drückte die Rückruftaste auf seinem Handy, und
als Simon sich meldete, fragte er: »Was gibt's?«

»Ich störe Sie ja höchst ungern an einem Sonntag, Chef. Aber ich war noch mal im Büro, um etwas nachzuschauen, und da habe ich gesehen, dass die Laborergebnisse zu den Fragmenten der Granate da sind. Ich dachte, das würden Sie sicher wissen wollen.«

»Dann spannen Sie mich mal nicht auf die Folter.« Kincaid konnte die Befriedigung aus Gikas' Stimme heraushören.

»Ariel Ellis' DNS war an der Granate. Und zwar, meinen die Kollegen, mehr davon, als wenn sie sie nur einmal kurz angefasst hätte, was vermutlich das Argument ihres Verteidigers sein wird. Es ist nicht hundertprozentig wasserdicht, aber zusammen mit den anderen Indizien wird es vielleicht ausreichen.«

Paul Coles Tagebuch war voll mit seinen Zweifeln an Ariel. Er kannte den Bahndamm, wo Wren vom Zug erfasst worden war, und er hatte von Anfang an Probleme mit Ariels Schilderung von Wrens Tod gehabt. Als er erfahren hatte, dass Ariel gelogen hatte, was ihre Fehlgeburt betraf, hatte er sich den Wagen seiner Mutter ausgeliehen und sich die Stelle, wo Wren gestorben war, mit eigenen Augen angeschaut. Es war ihm schwergefallen zu glauben, dass Ariel hier, wo die Züge mit hoher Geschwindigkeit in Richtung London vorbeifuhren, ein Graffito hatte sprayen wollen oder dass Wren gestolpert und vor den Zug gefallen war.

War die ausgerissene Seite aus seinem Notizbuch als Drohung an Ariel zu verstehen? Hatte sein Wunsch nach Aufmerksamkeit, nach Macht über andere zusammen mit seinen Gefühlen für sie die Oberhand über seinen Verdacht gewonnen? Wenn ja, dann hatte er sie unterschätzt, und er hatte dafür einen tödlichen Preis bezahlt.

Kincaid hatte Nick Callery angerufen, um ihm Bericht zu erstatten. Er erklärte ihm, dass man sich vielleicht Sorgen machen müsse wegen eines Aktivisten, der Waffen aus Militärbeständen verkaufte, dass aber Paul Coles Tod aller Wahrscheinlichkeit nach nicht mit irgendwelchen terroristischen Zielen in Zusammenhang stehe. Die Fahndung nach dem Mann, der Matthew die Rauchbombe verkauft hatte und von dem Ariel möglicherweise die Granate bekommen hatte, war dem SO15 übertragen worden.

»Danke, Simon«, sagte Kincaid nun. »Gute Arbeit, alle miteinander. Wir sehen uns morgen.«

Gleich nachdem er aufgelegt hatte, rief er Doug an und teilte ihm die Neuigkeiten mit. »Kannst du es Ryan sagen?«, fragte er. »Es wird ihn sicher interessieren, dass wir allem Anschein nach auch ohne ihn genug Material für einen Prozess beisammen haben.«

»Er ist nach Hackney gefahren«, sagte Doug. »Heute Morgen. Er hat mit seiner Frau gesprochen – sie haben irgendwelche Pläne gemacht, glaube ich. Aber er sagte, er brauche ein paar Sachen aus seiner alten Wohnung.«

»Hast du die Adresse?«

»Er hat sie mir gegeben. Er hatte mich Anfang der Woche schon mal gebeten, dort vorbeizuschauen, um zu sehen, ob alles unverändert aussieht.«

»Dann schick sie mir doch aufs Handy. Ich will es ihm selbst sagen.«

Er wartete, bis die Gäste gegangen waren und er Gemma beim Abwasch geholfen hatte, bevor er sie fragte, ob sie etwas dagegen habe, wenn er noch ein wenig wegginge. Als sie ihn fragend anschaute, sagte er: »Ich erklär's dir später.«

»Aber komm nicht zu spät. Die Kinder brauchen noch Hilfe bei den Hausaufgaben.«

Er gab ihr einen Kuss auf die Wange und schlich aus dem

Haus. Mit dem Astra, der dank einer neuen Batterie wieder fahrtüchtig war, fuhr er nach Hackney.

Es war kurz vor Sonnenuntergang, als er die Wohnsiedlung fand. Sie bestand aus angenehm normalen zweigeschossigen Backsteinhäusern mit Schindeldächern und gepflegten Vorgärten. Kincaid vermutete, dass die Siedlung zumindest teilweise noch im Besitz der Stadt war.

Er sah den Widerschein flackernder Lichter, noch bevor er in der Zeile mit der Adresse angelangt war, die Doug ihm genannt hatte.

Das Herz schlug ihm bis zum Hals, als er um die Ecke bog und das Bild sah, das sich ihm bot. Ein halbes Dutzend Streifenwagen mit blau-gelber Lackierung und eingeschaltetem Blaulicht. Ein Krankenwagen. Ein Transporter der Spurensicherung.

Er suchte sich einen Parkplatz für den Astra. Als er ausstieg, merkte er, dass er zitterte. Er ging auf die Absperrung zu und zeigte dem Officer seinen Dienstausweis. »Was ist hier los?«, fragte er, bemüht, seine Stimme ruhig klingen zu lassen.

»Ein Selbstmord«, antwortete der uniformierte Constable in gelangweiltem Ton. »Ein Typ mit einem Gewehr. Daher der ganze Zirkus.«

Licht fiel aus der offenen Tür der Wohnung mit der Nummer, die Doug ihm genannt hatte. »Dürfte ich mal reinschauen?«, fragte Kincaid in bemüht beiläufigem Ton.

Der Constable zuckte mit den Achseln. »Warum nicht? Vom CID ist noch niemand da.«

»Danke.« Kincaid ging weiter und versuchte die Stimme in seinem Kopf zum Schweigen zu bringen, die sagte: *Es muss die falsche Wohnung sein, der falsche Mann.* Er hielt dem Constable an der Tür kurz seinen Dienstausweis vor die Nase und trat ein.

»Sind Sie der Detective?«, fragte der Kriminaltechniker im Schutzanzug, der sich über die Gestalt am Boden beugte.

»Nicht der zuständige für diesen Fall, nein. Ich bin zufällig vorbeigekommen und dachte, ich schau mal, ob ich helfen kann.«

»Dem hier ist wohl nicht mehr zu helfen«, erwiderte der Techniker und trat zur Seite.

Kein Zweifel – es war Ryan. Und er war zweifellos tot.

Er lag mit dem Gesicht nach oben auf dem Teppich. In seiner Stirn war ein kreisrundes Loch. Er war glatt rasiert, und seine blauen Augen waren offen. Sie begannen sich gerade erst zu trüben, und die Blutlache unter Ryans Kopf sah frisch aus.

Eine kleinkalibrige halbautomatische Pistole lag neben seiner Schulter, dicht neben den leicht gekrümmten Fingern.

»Ich schätze, wir werden feststellen, dass er einiges getrunken hatte«, meinte der Techniker. Er deutete auf die Flasche Bell's Whisky und das leere Glas auf dem Couchtisch.

Kincaid konnte nur nicken.

Später würde er sich an jedes Detail der Wohnung erinnern. Die Dinge, die da waren, und die Dinge, die fehlten.

Jetzt wusste er nur, dass er hier rausmusste. »Dann lasse ich Sie mal machen«, sagte er zu dem Techniker.

Er ging hinaus, zurück zu seinem Wagen, gab sich Mühe, nicht zu schwanken oder zu stolpern und dem Constable an der Absperrung im Vorbeigehen freundlich zuzuwinken. Er hoffte, dass keiner der beiden Officers sich den Namen auf seinem Dienstausweis allzu genau angeschaut hatte.

Er stieg ein und schaffte es irgendwie, den Schlüssel ins Zündschloss zu stecken und den Motor anzulassen. Dann fuhr er los, übervorsichtig wie ein Betrunkener, und bog mal rechts und mal links ab, bis er sich in dem Labyrinth unbekannter

Straßen völlig verfahren hatte. Nur weg von den flackernden Lichtern.

Endlich hielt er an, stellte den Motor ab und ließ den Kopf auf das Lenkrad sinken, das er immer noch mit beiden Händen gepackt hielt.

Was zum Teufel war da passiert? Was sollte er nur Doug erzählen? Und Melody? Und, du lieber Gott, was sollte er Christie Marlowe erzählen?

Und was das Schlimmste war: Hatte irgendjemand ihn mit Ryan Marsh in Verbindung gebracht?

Danksagung

Es ist ein großes Glück für eine Autorin, so viele Freundinnen und Freunde zu haben, die ihr mit Rat und Tat und Aufmunterung zur Seite stehen. Mein Dank geht an Kate Charles, Marcia Talley, Gigi Norwood, Steve Ullathorne, Barb Jungr, Abi Grant und meine Kolleginnen von *Jungle Red Writers* – Rhys Bowen, Lucy Burdette, Hallie Ephron, Julia Spencer-Fleming, Susan Elia MacNeal und Hank Phillippi Ryan.

Meine Agentin Nancy Yost war wie immer ein Fels in der Brandung. Und meine fantastische Lektorin Carrie Feron hat mehr Geduld mit mir, als ich verdiene.

Laura Maestro hat wieder einmal der Geschichte mit einer bezaubernden Vorsatzkarte Leben eingehaucht, und Victoria Matthews hat meinem Text den letzten Schliff gegeben.

Kayti und Michael Gage haben mich gefüttert, mir Wein eingeschenkt, wenn es der richtige Moment dafür war, und mich angespornt.

Rick Wilson hält das heimische Herdfeuer in Gang und macht *alles* möglich.

Und, last but not least, ein riesiges Dankeschön an Diane Hale, die seit nunmehr über zwanzig Jahren meine Brainstorming-Partnerin, meine Erstleserin, meine Medizinexpertin, meine Ratgeberin und meine beste Freundin ist – und diejenige, die mir immer wieder gesagt hat: Ja, du wirst das Buch fertigbekommen.

Sämtliche Fehler gehen allein auf mein Konto.

Deborah Crombies

höchst erfolgreiche Romane um Superintendent Duncan
Kincaid und Inspector Gemma James wurden für den
»Agatha Award« und den »Edgar Award« nominiert, für *Wen
die Erinnerung trügt* hat sie den »Macavity Award« gewonnen.
Die Autorin lebt mit ihrer Familie im Norden von Texas.
Weitere Informationen zur Autorin unter
www.deborahcrombie.com.

GOLDMANN

Lesen erleben

Andreas Gruber
Todesurteil

544 Seiten
ISBN 978-3-442-48025-8
auch als E-Book und
Hörbuch erhältlich

In Wien verschwindet die zehnjährige Clara. Ein Jahr später taucht sie völlig verstört am nahen Waldrand wieder auf. Ihr gesamter Rücken ist mit Motiven aus Dantes „Inferno" tätowiert – und sie spricht kein Wort. Indessen nimmt der niederländische Profiler Maarten S. Sneijder an der Akademie des BKA für hochbegabten Nachwuchs mit seinen Studenten ungelöste Mordfälle durch. Seine beste Schülerin Sabine Nemez entdeckt einen Zusammenhang zwischen mehreren Fällen – aber das Werk des raffinierten Killers ist noch lange nicht beendet. Seine Spur führt nach Wien – wo Clara die einzige ist, die den Mörder je zu Gesicht bekommen hat …

www.goldmann-verlag.de
www.facebook.com/goldmannverlag

GOLDMANN
Lesen erleben